Les espions de la terreur

MATTHIEU SUC

Les espions de la terreur

HarperCollins

DU MÊME AUTEUR

Antonio Ferrara, le roi de la belle, avec Brendan Kemmet, Éditions du Cherche-Midi, 2008 et 2012.

La Face cachée de Franck Ribéry, avec Gilles Verdez, Éditions du Moment, 2011.

Renault, nid d'espions, Éditions du Moment, 2013.

Femmes de djihadistes, Fayard, 2016.

À toi, à vous, à nous.

Note de l'auteur

Les terroristes se revendiquant de l'islam sont souvent présentés, avec un brin de condescendance, comme des barbares incultes. Une bande de va-nu-pieds téléguidés depuis une grotte serait responsable du carnage du 11 Septembre. Un commando de bêtes fauves, du massacre du 13 Novembre. C'est oublier que, depuis leurs origines, les organisations terroristes ont adopté des méthodes de contre-espionnage afin de déjouer les pièges de ceux qu'elles entendaient un jour frapper. C'est occulter l'intelligence opérationnelle dont elles font preuve à nos dépens. Les attentats ne sont que la partie émergée, la plus sanglante, la plus macabre, d'une lutte féroce qui se joue dans l'ombre, entre les services de renseignement occidentaux et moyen-orientaux d'un côté, et l'État islamique de l'autre. Une bataille secrète qui n'a pas grand-chose à envier aux manipulations à l'œuvre durant la guerre froide.

Il ne s'agit pas de mythifier les djihadistes en James Bond de la terreur. Certaines de leurs pratiques sont rudimentaires. Certains de leurs exécutants souffrent de problèmes d'élocution, d'une syntaxe approximative et de capacités de réflexion sommaires. Il n'empêche que si l'Europe est la cible, depuis 2014, d'une vague d'attentats, si la France pleure près de 250 morts sur son sol, ce n'est pas seulement parce que nos services sont désorganisés structurellement et dépassés conjoncturellement face à l'ampleur du phénomène djihadiste.

Cette enquête menée sur près de quatre ans esquisse les rouages du plus structuré des services secrets terroristes, celui de l'État islamique. Elle dévoile comment les espions du califat déjouent les infiltrations de taupes dans leurs rangs en Syrie, comment leurs clandestins se jouent des forces de l'ordre en Europe, et tend, au passage, un miroir glaçant à ces services de renseignement. Les recettes de contre-espionnage utilisées par les djihadistes s'inspirent de celles déployées autrefois par la CIA ou le KGB.

Index des protagonistes

Les dignitaires de l'État islamique

Abou Bakr al-Baghdadi : le Calife. Cet Irakien qui rattache sa lignée à celle des descendants du Prophète a hérité d'un groupuscule moribond. Il finit à la tête du plus vaste territoire jamais administré par une organisation terroriste.

Abou Mohamed al-Adnani : le bras droit de Baghdadi. Il est officiellement le porte-parole de l'organisation terroriste. Officieusement, il supervise les projets d'attentats en Europe.

Abou al-Athir : gouverneur d'Alep.

Haji Bakr : ancien colonel de l'armée de l'air de Saddam Hussein. Un jour, il a eu une idée. Il a couché au stylo à bille sur du papier à lettres la structure d'un service secret djihadiste.

Abou al-Bara al-Iraki : lieutenant d'al-Adnani, il commande une katibat des forces spéciales et supervise la cellule dédiée à l'assassinat d'opposants à l'EI réfugiés en Turquie.

Abou Maryam al-Iraki : spécialisé dans le contre-espionnage, il assure le transfert des commandos à l'extérieur de la Syrie.

Ali Moussa al-Shawak, alias « Abou Lôqman », alias « Abou Ayoub al-Ansari » : ancien professeur de droit et avocat, il dirige l'Amniyat d'une main de fer.

Abou Walid al-Souri : le responsable de la formation des kamikazes.

La division contre-espionnage de l'Amniyat

Salim Benghalem, alias « Mohamed Ali » : premier Français à figurer dans la liste des terroristes les plus recherchés par les États-Unis.

Mohamed Amine Boutahar, alias Abou Obeida al-Maghribi : maître-espion de l'hôpital ophtalmologique d'Alep. Il traque les taupes des services occidentaux.

Mohamed Emwazi, alias « Jihadi John » : bourreau et vedette médiatique du califat. Un accent cockney trahit son enfance londonienne. Il ambitionne de frapper le pays où il a grandi.

Mehdi Nemmouche : tueur présumé du Musée juif de Bruxelles et geôlier sadique.

Abdelmalek Tanem : sniper originaire du Val-de-Marne. Fait office de garde du corps d'Abou Obeida.

Tyler Vilus, alias « Abou Hafs al-Faransi » : une intelligence rare, une aura certaine dans la communauté djihadiste. Prétend travailler dans le pool médias de l'État islamique. Les services de renseignement l'imaginent comme l'un des combattants français les plus influents.

Le bureau des opérations extérieures de l'Amniyat

Abdelhamid Abaaoud, alias « Abou Omar al-Belgiki » : petit bourgeois de Molenbeek ayant gravi les échelons de l'aristocratie djihadiste en mettant l'argent familial à disposition de la cause djihadiste. Cheville ouvrière de la vague d'attentats en Europe.

Oussama Atar, alias « Abou Ahmed al-Iraki » : chef du bureau des opérations extérieures de la Dawla. Il pilote depuis la Syrie les attentats de Paris et de Bruxelles.

Abdelnasser Benyoucef, alias « Abou Mouthana al-Djaziri » : Vétéran du djihad, il initie les premiers attentats en Europe et propose au calife al-Baghdadi l'idée de créer un bureau dédié à la préparation d'attentats.

Salah-Eddine Gourmat, alias « Ichigo Turn II », alias « GTA » : livreur de pizzas de Malakoff qui aspire à mourir en martyr.

Boubakeur el-Hakim, alias « Abou Muqatil al-Tunisi » : plus haut gradé français au sein de l'État islamique. Il est le responsable de la planification des attentats en Europe et au Maghreb.

Maxime Hauchard : ce Normand figure dans une vidéo de propagande où il égorge un soldat de Bachar al-Assad puis il s'implique dans le bureau des opérations extérieures.

Rachid Kassim : exerce dans la cellule chargée du recrutement depuis l'application Telegram des terroristes.

Najim Laachraoui, alias « Abou Idriss » : jeune Belge très pieux. Il confectionnera les ceintures explosives des attentats de Paris et Bruxelles.

Samir Nouad, alias « Amirouche » : vétéran du djihad, en charge de la logistique.

Rached Riahi : un Cannois qui prend plaisir à combattre en Syrie et à menacer la France sur les réseaux sociaux.

Obeida Walid Dibo alias Abou Mahmoud al-Chami : responsable du pôle artificier du bureau des opérations extérieures.

Les commandos des attentats

Salah Abdeslam : dixième homme des commandos du 13 Novembre.

Mohamed Abrini : logisticien du groupe, il accompagne les commandos à Paris.

Samy Amimour : inapte au combat en Syrie après une blessure au tibia, il est abattu par un commissaire au Bataclan.

Ibrahim et Khalid el-Bakraoui : anciens braqueurs, ils se radicalisent sous l'impulsion de leur cousin, Oussama Atar, le chef du bureau des opérations extérieures de l'Amniyat.

Sid-Ahmed Ghlam : étudiant en électronique, accusé du meurtre d'une automobiliste à Villejuif.

Réda Hame : informaticien parisien chargé par Abdelhamid Abaaoud de commettre un attentat dans une salle de concert.

Ayoub el-Khazzani : afin de venger les bombardements de la coalition internationale en Syrie, il devait assassiner des militaires américains à bord du Thalys.

Osama Krayem : un Suédois devant se faire exploser dans le métro bruxellois.

Foued Mohamed-Aggad : après avoir échappé à deux missiles, l'Alsacien va disparaître durant un an. Les services de renseignement retrouveront, trop tard, sa trace.

Les relais en Europe

Anis Bahri et Réda Kriket : les deux Franciliens ont réuni un arsenal encore plus important que celui dont bénéficiaient les commandos du 13 Novembre.

Réda Bekhaled : à peine sorti de l'adolescence et cloîtré derrière son écran d'ordinateur à Vaux-en-Velin, il réalise son djihad en menant des enquêtes de personnalité en France.

Bilal Chatra : sur ordre d'Abdelhamid Abaaoud, il sillonne l'Europe pour trouver les routes où faire passer les commandos de l'EI.

Hicham el-Hanafi : prospecte en Europe pour recruter des kamikazes et préparer de nouveaux attentats.

Khalid Zerkani alias Papa Noël : le recruteur de Molenbeek fait office de référent Belgique de l'EI. A embrigadé trois futurs membres des commandos du 13 Novembre.

Les brebis galeuses du djihad

Jejoen Bontinck : suspecté d'être un espion parce qu'il a modérément envie de s'entraîner, de combattre et de mourir.

Mourad Farès : en moins d'un an en Syrie, ce Savoyard est devenu l'un des principaux recruteurs français. Il rêve de créer la première katibat des Français.

Nicolas Moreau, alias Abou sayf le Coréen : le premier à parler des services secrets de l'État islamique. Il a juré qu'il avait des informations qui permettait d'empêcher des attentats. On ne l'a pas pris au sérieux.

Les otages en Syrie

John Cantlie, Édouard Élias, James Foley, Didier François, David Haines, Nicolas Hénin, Federico Motka, Pierre Torrès : Américains, Anglais, Français, Italiens, ils vont connaître l'enfer de la détention en Syrie. Certains n'y survivront pas.

Prologue

Le djihadiste qui en savait trop

Le véhicule de fonction roule avec soin sur l'asphalte de l'autoroute du Nord. À l'intérieur, Laurent[1], brigadier de son état, et deux de ses collègues. En cet après-midi du 23 juin 2015, les policiers de la DGSI ont quitté Levallois-Perret sous le soleil. Des nuages s'amoncellent sur le chemin qui les mène vers Roissy. Mais cela n'a rien à voir avec la mission qu'ils doivent accomplir.

La raison pour laquelle le brigadier file ainsi vers l'aéroport et son énième « client » de retour du Levant, il faut la chercher dans l'explosion du phénomène djihadiste. En ce début d'été 2015, deux cents Français ont déjà été cueillis à leur descente d'avion. Laurent et ses collègues sont donc rodés. Ils arrivent avec une vingtaine de minutes d'avance au terminal 2E.

À 18 h 8, le vol Air France 1591 en provenance d'Istanbul achève sa course sur le tarmac de l'aéroport Charles-de-Gaulle. Les policiers regardent la passerelle s'accoler à la carlingue de l'avion. Ils se positionnent à son extrémité, de façon à contrôler tous les passeports à la sortie de l'appareil. Une photographie de l'intéressé en main, ils attendent Abou Saïf le Coréen. Pour eux, à ce moment-là, c'est la routine.

---

1. Des pseudos ont été substitués aux réelles identités, assujetties au secret-défense, des officiers de renseignement français.

La quarantaine tassée, plus de cinq ans d'ancienneté à la DGSI, Laurent figure parmi les vétérans du service. En 2010, il participait déjà au démantèlement d'une filière d'envoi de moudjahidines en zone pakistano-afghane. Ces dernières semaines, il a enquêté sur l'épidémie de départs d'aspirants au djihad depuis le village de Lunel et écouté les conversations téléphoniques de la veuve de l'assassin de l'Hyper Cacher, partie en cavale en Syrie. Son supérieur, lui, a géré personnellement le rapatriement depuis la Turquie du recruteur français le plus médiatique de la djihadosphère. Enfin, ces hommes de l'ombre ont travaillé à la traque d'un futur kamikaze du Bataclan et assuré le transfert, après son arrestation à Marseille, du tueur présumé du Musée juif de Bruxelles. Bref, ce sont des hommes d'expérience.

Et pourtant, rien ne préparait Laurent et ses collègues au cas Nicolas Moreau.

Noyé dans un flot de passagers bon teint, un mélange d'hommes d'affaires et de touristes de retour de Turquie, l'homme qui se fait appeler Abou Saïf le Coréen revient de l'enfer. Du pays des Deux-Rivières plus exactement, où l'on croise, en temps de guerre, un homme qui continue de marcher « avec un gros trou dans le ventre en tenant ses boyaux », et des soldats qui ignorent qu'ils sont en train de mourir. Et, en temps de paix, des pêcheurs crucifiés, des traîtres décapités. Deux temps qui se conjuguent au présent selon le balancier de la ligne de front. Nicolas Moreau a vu tout cela, a vécu tout cela, quand il s'extrait de l'avion d'Air France.

Son visage poupin, ombré d'une fine barbe, a vieilli. Ses cheveux sont en bataille. Petit, trapu, le regard fiévreux, il porte en bandoulière une sacoche Adidas kaki qui résume à elle seule les contradictions de cet enfant perdu de la République : à l'intérieur, un keffieh et un *kamis,* la tenue traditionnelle afghane, cohabitent avec une veste Marlboro Classics, une cartouche de cigarettes L&M et deux paquets de Gauloises Blondes. Son vice. Dans le ressort du califat, fumer est *haram,* interdit. Nicolas Moreau en sait quelque chose. Le dernier poste qu'il est censé avoir occupé au sein de l'État islamique : membre de la Hisbah, la police religieuse.

Tout cela, Laurent, le brigadier, le sait déjà. La DGSI a capté plusieurs conversations entre Nicolas et sa mère durant son séjour au Shâm. En revanche, lorsqu'il lui passe les menottes à l'arrivée à Roissy, le sous-officier ignore qu'il s'apprête à mettre la main sur le secret le mieux gardé de l'État islamique.

Lors de son interpellation, Nicolas Moreau n'oppose aucune résistance.

Jusqu'ici tout va bien.

À Levallois-Perret, où il est transféré, les choses se gâtent. Le gardé à vue renâcle, refuse d'être extrait de sa cellule pour être entendu, au prétexte que la nourriture servie ne lui convient pas et qu'on ne l'autorise pas à fumer. Il n'envisage pas de répondre aux questions de ceux qu'il qualifiera plus tard, dans une lettre à son juge, d'« abrutis de la DGSI ».

S'il ne desserre pas les mâchoires en audition, Moreau laisse toutefois entendre qu'il aurait beaucoup à dire. Alors, pour l'amadouer, le supérieur de Laurent s'en va faire quelques emplettes à La Ferme.

À Levallois, deux bâtiments partagent la même adresse au 84, rue de Villiers. Le premier, un paquebot de verre et d'acier, ne s'offre à vous qu'après que vous avez montré patte blanche et franchi de nombreux sas de sécurité. C'est le siège de la DGSI. Le second, modeste mais chic, accueille tous ceux qui ont un portefeuille bien garni : La Ferme de Levallois est une supérette bio où il n'est pas rare de croiser Christian Clavier et Jean Reno, venus en voisins depuis Neuilly faire leurs courses au rayon épicerie fine. Puisqu'ils partagent la même adresse, certains officiers de la DGSI désignent leur QG sous le nom de « La Ferme », par opposition à « La Piscine », le mythique siège de la DGSE, l'équivalent (et souvent le rival) de la DGSI.

Le supérieur de Laurent revient avec un sandwich thon/crudités, payé sur les fonds de Moreau. Celui-ci se restaure en silence. Vingt minutes plus tard, Laurent le fait asseoir face à lui dans son bureau.

— Consentez-vous à répondre à nos questions ?

— Oui.

Le djihadiste prend la parole.

Il la rendra au bout de quatre heures.

Sans qu'on le lui demande, et sans doute pour prouver sa bonne volonté, Nicolas Moreau met un nom sur ce que les services de renseignement occidentaux considéraient alors comme une chimère : l'Amniyat. Il explique que l'État islamique s'est doté d'un service secret dans lequel travailleraient mille cinq cents hommes de confiance. Une structure scindée en deux, avec « une mission intérieure, détecter les espions en Irak et en Syrie », et une « mission extérieure », envoyer des agents en Europe « pour recruter des jeunes, pour ramener des caméras, des produits chimiques ».

Comment est-il au courant ? Le Nantais d'origine coréenne explique que, durant trois mois, il a tenu un restaurant nommé Chez Abou Sayf, spécialisé dans la cuisine marocaine. Situé à côté du tribunal de Raqqa, il était fréquenté par plusieurs membres de l'Amniyat… Moreau balance même un habitué « avec de grosses joues » qui a pour *kounya* — le nom de guerre qu'adoptent les djihadistes — Abou Omar al-Belgiki.

Et qui n'est autre que le Belge Abdelhamid Abaaoud, sur lequel le contre-terrorisme français travaille depuis plusieurs mois.

Au bout de deux jours de révélations en continu, Nicolas Moreau se referme. « Je ne veux pas donner plus d'informations pour l'instant, déclare-t-il, car je souhaiterais avoir des garanties concernant mon avenir. » Un nouveau sandwich ne change rien à l'affaire. Il refuse la visioconférence avec le juge des libertés et de la détention. Place une feuille de papier devant la caméra de surveillance accrochée au plafond de sa cellule. Il ne veut plus parler, ni à Laurent ni à ses collègues.

Face au flot de renseignements, en apparence si précieux, fournis par Moreau, policiers et magistrats se demandent s'ils ne sont pas victimes d'une tentative d'intoxication de la part de l'État islamique. À toutes fins utiles, la DGSI produit, sous la plume d'un de ses commissaires, une note condensant les « renseignements sur l'AMNI », autre appellation de l'Amniyat : « Depuis la création du califat, et de surcroît depuis le début des frappes de la coalition internationale, l'État islamique s'est doté d'organes chargés de garantir sa sécurité et le contrôle de ses territoires. Parmi ces structures se trouve l'AMNI. […] L'existence et le renforcement de l'AMNI semblent constituer une priorité stratégique pour l'État islamique. » Selon la DGSI, ce service aurait pour prérogatives « la détention et l'exécution des otages, l'exécution des sentences issues de l'application de la charia et la détection de toute tentative d'infiltration ».

À la fin de l'été 2015, le contenu des dépositions de Nicolas Moreau est révélé dans *Le Parisien*. Plusieurs djihadistes de retour en France se mettent alors à évoquer les déboires qu'ils sont censés avoir eus avec l'Amniyat, mais leurs propos restent flous, empêchant de préciser les contours de son organisation.

L'un évoque « des renseignements généraux qu'on appelle là-bas AMNI » ; l'autre, les « Amniyyin, c'est-à-dire une police secrète de gens encagoulés », sans aller plus loin.

Et puis certains confondent avec la très présente Hisbah, la police religieuse chargée de l'application stricte de la charia dans les rues du califat. Une femme, mariée à tour de rôle à trois djihadistes, dira : « À Manbij, il y avait la police islamique, la militaire et la Hisbah. Je ne pouvais faire la différence… » Seule la Hisbah trouve grâce à ses yeux. Ses membres étaient reconnaissables : « Ils patrouillaient en voiture blanche avec un micro et […] des bâtons ! » La Hisbah pourrait, selon certains témoignages, être rattachée à l'Amniyat.

Il faudra encore attendre deux ans pour lire, sous la plume d'un juge d'instruction, que « sous la houlette de l'AMNI (terme arabe signifiant "sécuritaire") Daesh se dotait d'un véritable département de sécurité chargé de protéger le califat, mais aussi de planifier des attentats à l'étranger ».

En cette fin juin 2015, tandis que nos services de renseignement en sont encore à se demander si l'Amniyat existe bel et bien, Nicolas Moreau se morfond dans sa cellule. Celui qui a déjà un casier judiciaire conséquent — seize condamnations — et une intelligence qu'une psychiatre qualifiera de « certaine » essaie de négocier sa liberté. Nous sommes quatre mois avant les attentats de Paris, neuf mois avant ceux de Bruxelles. En contrepartie de « garanties du magistrat », Nicolas Moreau promet : « J'ai des informations pour empêcher des attentats en Belgique et en France ».

On ne l'entend pas.

PREMIÈRE PARTIE

Le FBI du califat

I

L'agent provocateur du camp d'entraînement

À dix-neuf ans, Jejoen Bontinck envisage le djihad sur le mode du joli cœur. En Belgique, ce membre de l'association islamiste Sharia4Belgium apprend les sourates propres à réconforter les sœurs heurtées par l'hostilité d'une population qui, pensent-elles, les rejette à cause de leur voile. Après quelques belles paroles valant, selon lui, échange des consentements, ce métis aux traits fins et aux lèvres charnues fait croire à certaines qu'ils sont déjà mariés selon les conventions de l'islam dans la seule intention de coucher avec elles. Alors forcément, une fois en Syrie, la réalité de la guerre fait contraste.

Au départ, pourtant, les apparences sont trompeuses. Quand Bontinck débarque au Levant, en mars 2013, il atterrit dans une villa à Kafr Hamra, à une dizaine de kilomètres au nord-ouest d'Alep. Le quartier général du Majlis Shura al-Mujahideen, un groupe de combattants qui fleure bon le système D. Un arrêt de la cour d'appel d'Anvers décrira un mouvement djihadiste « sans structure de commandement, sans système de discipline interne, incapable de contrôler un territoire, de définir une stratégie militaire ou d'exécuter des actions militaires lourdes ». Le chef, le cheikh Abou al-Athir, pallie tant bien que mal le manque d'organisation, achète parfois les armes (les munitions sont toujours à la charge des moudjahidines), paye les factures en cas de maladie. Pour le reste, on pille, on kidnappe, on rackette. Le groupe vivote.

Mais le cheikh est un homme charismatique, dont la barbe et la tignasse noires se confondent pour manger un visage seulement éclairé par un regard que certains qualifient d'habité. Sa maigreur — « c'était le plus maigre de nous tous », dira Bontinck — trahit les cinq années passées à Sednaya, la sinistre geôle où le régime syrien torture ses prisonniers islamistes. Surtout, cheikh Al-Athir a une idée : il faut profiter du vivier constitué par l'afflux d'Occidentaux venus vivre leur guerre d'Espagne musulmane. Il décide de diviser le Majlis Shura al-Mujahideen en deux katibat[1]. D'un côté, les *Ansar*, les locaux. De l'autre, les étrangers réunis sous l'étendard de la katibat al-Muhajireen, la brigade des émigrés. « Il a vu que beaucoup de frères venaient d'Europe et qu'il pouvait les utiliser, les mélanger avec les locaux, racontera un djihadiste néerlandais. Et ceux qui venaient étaient enthousiastes, parce qu'il les traitait bien. » Approvisionné en jeunes Allemands, Belges, Français et Hollandais, le Majlis Shura al-Mujahideen gonfle de quelques dizaines d'hommes à une grosse centaine.

Quand Jejoen Bontinck est conduit à la villa où Al-Athir loge avec ses hommes, il découvre, éberlué, un jardin aussi grand que la moitié d'un terrain de football, une piscine couverte et, à l'intérieur, des téléviseurs à écran plat, une PlayStation. Et une règle de vie commune : pas d'armes dans le salon. Les kalachnikovs s'entreposent sur le mur d'entrée de cette pièce. Pour éviter les disputes, les noms de leurs propriétaires sont gravés sur la sangle de chaque fusil d'assaut. Aux côtés de l'arme de Bontinck, celles

1. Bataillons.

d'au moins deux des piliers belges des commandos qui, deux ans plus tard, ensanglanteront les rues de Paris et Bruxelles : le coordinateur Abdelhamid Abaaoud et l'artificier Najim Laachraoui, qui séjournent eux aussi, en ce mois de mars 2013, dans la maison de Kafr Hamra.

Une certaine torpeur règne dans la villa. Les djihadistes se lèvent pour le *fajr*, la prière de l'aube. Puis certains se recouchent, et ainsi filent les journées.

Cette oisiveté n'est pas pour déplaire à Jejoen Bontinck. Mais un jour, on lui suggère de devenir *inghimasi*, un soldat qui s'infiltre dans les lignes ennemies les armes à la main et une ceinture explosive autour de la taille. Contrairement au kamikaze, l'*inghimasi* a une chance de revenir vivant, mais la probabilité reste faible. « On pouvait soumettre sa candidature [...] via son propre émir, dira-t-il. Au moment approprié, on appelait la personne concernée et on te donnait une cible, à savoir un endroit où il y avait beaucoup d'ennemis. Aucune formation n'était prévue. »

Le fait est que Jejoen Bontinck a modérément envie de mourir. Et modérément envie de s'entraîner aussi. Au bout d'un mois à traîner la patte au *muaskar*, le camp d'entraînement situé à des kilomètres de la confortable villa, il entend retourner au plat pays. Cela tombe bien. Dans la tente qu'il partage avec d'autres apprentis djihadistes belges, un gamin originaire de Vilvorde lui fait une confidence : lui aussi « en a marre », il veut « rentrer à la maison ».

Et il a un plan.

Quelques jours plus tard, le samedi 20 avril 2013, les deux hommes attendent le coucher du soleil pour prendre leurs jambes à leur cou. Le frère de Vilvorde embarque, pour tout bagage, un sac à dos contenant une arme de poing. Sur le chemin, il demande à Jejoen :

— Quand on sera rentrés en Belgique, tu pourras me donner des garanties ?

— Comment ça ?

— Tu travailles pour l'État, non ?

Jejoen nie.

— Je n'ai pas envie de finir en prison, insiste le frère de Vilvorde.

Au bout d'un moment, une voiture s'approche des fuyards. Lentement, très lentement. Elle finit par se garer. En descendent des hommes. Encagoulés et armés. Jejoen Bontinck est menotté. Les mains derrière la nuque, le natif de Vilvorde est, lui, couché dans le véhicule. Il hoche la tête, pas trop inquiet.

Les fugitifs sont ramenés au camp d'entraînement où cheikh Al-Athir, appuyé sur des béquilles, les attend. Il souffre de sept côtes cassées, séquelles du dernier combat. Il frappe à la tempe Jejoen, qui tombe à la renverse. Le cheikh se saisit de l'arme de poing qui devait servir à l'évasion. Il fait monter une balle dans la chambre du pistolet automatique. Il pointe le canon sur Jejoen Bontinck à genoux devant lui. Jejoen ferme les yeux. BANG ! Jejoen rouvre les yeux. Il se touche la poitrine. L'arme avec laquelle ils étaient censés fuir était chargée à blanc.

« Alors, tu es mort ? » s'esclaffe Abou al-Athir.

Le frère de Vilvorde est, lui aussi, hilare. Jejoen comprend enfin : son complice d'évasion lui a tendu un piège.

Cela fait plusieurs jours que les moudjahidines nourrissent des doutes sur Jejoen. Juste avant sa tentative d'évasion, la police fédérale belge a cueilli plusieurs membres de Sharia4Belgium, accusés de participer à une filière d'acheminement de combattants en Syrie. Bontinck serait-il responsable de cette vague d'arrestations ? Les hommes d'Al-Athir savent qu'il a communiqué avec son père depuis la Syrie. Lors d'un appel téléphonique, il lui a indiqué qu'il dormait dans une villa. En retour, son géniteur lui a adressé un SMS suspect en anglais :

The Israelis are coming back.

« Les Israéliens reviennent. »

Alors, pour l'amener à se dévoiler, les djihadistes ont orchestré une très classique opération de contre-espionnage. Dans son *Manuel secret de manipulation mentale et de torture psychologique* rédigé en 1963, la CIA décrit comment « piéger une source qui dissimule des informations » : « Un officier traitant jusqu'alors inconnu [...] s'entretient avec la source de façon à la convaincre qu'elle discute avec quelqu'un appartenant à son propre camp. Elle est alors interrogée à propos de ce qu'elle a dit aux Américains et de ce qu'elle leur a caché. Une évasion mise en scène, manigancée par un mouchard, permettra de créer les conditions de la supercherie. » Cinquante ans plus tard, Jejoen Bontinck, victime de la même recette, est conduit, sous bonne garde, au cachot.

Le déstructuré Majlis Shura al-Mujahideen renforce ses mesures de sécurité. Tandis que Jejoen rêvait d'évasion, Abou al-Athir a reçu à Kafr Hamra, dans le plus grand secret, un invité très spécial. Un certain Abou Bakr al-Baghdadi.

Cet Irakien, qui aime à rattacher sa lignée à celle des descendants du Prophète, n'a pas encore fait la une des médias du monde entier. Il n'est pas encore à la tête du plus vaste territoire jamais administré par une organisation terroriste. Il n'est que le dernier chef en date de l'État islamique, une survivance d'Al-Qaïda en Mésopotamie, la filiale de l'organisation de Ben Laden qui conduisait avec fureur l'insurrection irakienne contre l'envahisseur américain au mitan des années 2000. Après une période moribonde, Abou Bakr al-Baghdadi lorgne sur le bourbier syrien. Alors, il vient à Kafr Hamra compter ses troupes. Et il se montre convaincant.

À l'issue de cette réunion secrète, Abou al-Athir professe le *bay'a*, le serment d'allégeance. Et Baghdadi annonce dans un message audio la fusion de son groupe, l'État islamique d'Irak, avec le Jabhat al-Nosra, le groupe dominant en Syrie.

Dès le lendemain, des frictions surgissent. L'émir du Jabhat al-Nosra, qui n'a pas été consulté avant ces grandes manœuvres, publie un communiqué dans lequel il refuse la fusion. Il en appelle à Al-Qaïda, dont son groupe deviendra la filiale officielle en Syrie. La communauté djihadiste se déchire. Mais pour les fidèles d'Abou al-Athir, bientôt promu *wali*[1] de la *wilayat*[2] d'Alep, les conditions matérielles s'améliorent : « Depuis que l'État [islamique] est là, on ne cuisine plus nous-mêmes sur place. On nous livre à manger », constate un djihadiste. Des *kamis* afghans sont distribués avec le logo de l'État islamique brodé sur la manche.

Dans le cachot du camp d'entraînement, Bontinck, lui, est à bout. Les pieds attachés à l'aide d'une sangle de kalachnikov, frappé aux jambes avec un morceau de bois, il ne sait plus quoi répondre à ses geôliers qui le renvoient sans cesse au SMS envoyé par son père. Bontinck plaide le contresens : « Il s'agit d'un diamant de mon père qui avait été volé pendant un braquage à l'aéroport de Zaventem ! »

Une explication confuse qui ne convainc pas. Le lendemain, les tortionnaires le réinterrogent avec un couteau sous la gorge. Des djihadistes allemands bodybuildés le fouettent jusqu'au sang.

1. Gouverneur.
2. Province.

Un an plus tard, un ex-otage de l'État islamique se remémorera le dos de Jejoen « couvert de cicatrices ». L'eau froide versée sur ses plaies n'apaise pas la brûlure.

Le 9 août 2013, Bontinck est transféré à Alep, où il se voit confié au nouveau responsable de la sécurité récemment nommé par Abou al-Athir : Abou Obeida al-Maghribi.

Le véritable interrogatoire va pouvoir commencer.

II

Sous la coupe des Beatles

Pendu au téléphone, à l'arrière d'un break Opel filant dans les environs d'Atmeh, ce 13 mars 2013, l'Italien Federico Motka a bien repéré les deux voitures noires aux vitres teintées qui les suivent, lui et son collègue anglais David Haines. Il fait signe au chauffeur d'accélérer sur le chemin de traverse, pour rentrer plus vite au bureau d'Acted, leur ONG française.

L'Italien et l'Anglais sont venus en mission dans cette petite bourgade de deux mille habitants qui, en un rien de temps, a grossi de vingt mille âmes, avec ses camps de réfugiés tout autour et ses pelotons de soldats de l'Armée syrienne libre, conduisant la rébellion contre le régime d'Assad. Mais Atmeh est aussi une zone de transit, une zone à haut risque. Les djihadistes qui atterrissent à l'aéroport d'Hatay, en Turquie, y passent pour rejoindre leurs katibat sur le front syrien. Et un bon millier de moudjahidines gravitent dans les parages.

On est à moins de trois kilomètres de la frontière turque et les deux véhicules sombres leur collent à présent au train. En plein désert. Le plus près des deux accélère, dépasse le break et pile en travers de la route. Federico Motka et David Haines n'ont pas le temps de bouger que quatre hommes encagoulés pointent leurs AK-47 sur eux tandis qu'un autre arrache le fusil d'assaut que l'interprète des deux humanitaires gardait entre ses jambes.

« Ils sont en train de nous enlever ! Mon Dieu, ils sont en train de nous capturer ! » s'époumone l'Italien à l'intention de son supérieur, à l'autre bout du fil.

Les otages sont sortis du break et balancés dans le coffre de l'une des voitures, où Federico Motka pianote aussitôt des textos de détresse. Qui n'atteindront jamais leurs destinataires.

Au fond du coffre, il fait une chaleur infernale, et tout tourne dans la tête de Federico. À chaque *check-point,* il entend ses ravisseurs crier *Allahû Akbar.* Quelle imprudence les deux humanitaires ont-ils bien pu commettre ? Jamais ils n'auraient pu imaginer que leur enlèvement était en fait programmé dès leur arrivée, trois jours plus tôt.

De retour d'un camp de réfugiés, ils s'étaient arrêtés manger un sandwich dans le centre-ville d'Atmeh. L'échoppe, recommandée par un membre de l'équipe, se situe au bord d'un rond-point à côté d'une mosquée. Ils ont commis l'erreur de s'attabler derrière la vitrine du restaurant, ignorant que, depuis la rue, des djihadistes ne perdaient pas une miette de ce qu'ils mangeaient, des vêtements qu'ils portaient, immortalisant la scène avec quelques photos.

Quatre mois plus tôt, un autre binôme, cette fois de journalistes, l'Américain James Foley et le Britannique John Cantlie, avait été kidnappé dans des circonstances similaires : sur la route, après un arrêt dans un cybercafé, à moins de quarante minutes de la frontière turque. Et par les mêmes hommes. Durant un peu plus de un an, au moins vingt-trois étrangers tomberont dans le même piège : le business des otages est pensé pour financer le djihad syrien.

Après deux heures de route, les voitures des ravisseurs s'arrêtent. Les hommes en noir en font descendre Federico Motka et David Haines, devant une maison perdue dans la campagne. Ils leur confisquent passeports, téléphones, tablettes et appareils photo.

Ils les déshabillent, les menottent et les enferment dans une pièce faisant office de cellule.

« Attendez ici. Demain, on va vous interroger », ordonne un djihadiste, avant de jeter un œil au passeport de David Haines et de lancer : « *Welcome to Syria, you mutt !* »

Une expression typiquement anglaise que l'on pourrait traduire par « Bienvenue en Syrie, chien ».

Le lendemain matin, Motka et Haines sont amenés dans deux pièces séparées. Devant eux, trois moudjahidines encagoulés portant des Glock à la ceinture. Ils parlent un anglais sans fautes, avec un accent cockney, ce qui laisse supposer qu'ils ont grandi dans les quartiers populaires de Londres. Plus tard, entre eux, les otages les surnommeront « les Beatles ». Il y a George, Ringo et John. Ce dernier est le plus grand et le plus posé d'entre eux. Il n'a pas encore fait parler de lui en tant que « Jihadi John », le bourreau de l'État islamique s'illustrant dans d'insoutenables vidéos de décapitation.

Un gros bonhomme habillé d'un épais manteau noir s'avance devant Federico. Son interrogatoire va commencer. C'est George qui traduit les questions posées par ce vétéran du djihad irakien, que ses hommes appellent respectueusement « Cheikh ». Les otages l'appelleront entre eux « Number One ». Les enlèvements, ce serait son idée. L'homme, qui arbore au poignet une volumineuse montre en or, est un amateur de bonbons, de fusils d'assaut et de torture. Une fois son cheptel d'otages constitué, il ambitionne de toucher cent millions d'euros de rançon. Mais avant de toucher l'argent, il faut d'abord s'assurer de l'identité des prisonniers.

Par principe, les moudjahidines envisagent tout Occidental comme un espion, a fortiori s'il se présente comme travailleur humanitaire ou journaliste. Des métiers qui offrent de solides couvertures pour les services de renseignement souhaitant infiltrer des agents dans des territoires hostiles. Cette méfiance ne date pas d'hier. À Kandahar, en mai 2001, Oussama Ben Laden avait réuni des dignitaires talibans et des islamistes pakistanais et ouzbeks afin de décider un contrôle plus étroit des ONG présentes en Afghanistan, imposant notamment à tous les travailleurs humanitaires de signer une charte de bonne conduite. Tout manquement à cette charte entraînerait un « châtiment islamique » qualifié d'« exemplaire ».

Face à Federico Motka, Number One fait une sale tête. Il s'étonne que les humanitaires ne soient pas rentrés dans le pays avec un permis délivré par Damas et demande à l'Italien de détailler sa mission, ainsi que l'activité de son ONG. Il va poser les mêmes questions à David Haines, dans la pièce d'à côté, histoire de voir si les versions se recoupent.

— Qui vous a capturés, d'après toi ? demande-t-il à Federico Motka.

— Un groupe islamique, répond l'Italien.

Number One le relance : de quel côté se range l'otage ? Celui de l'Armée libre ou du régime d'Assad ?

— Nous sommes neutres, répond Federico. Nous sommes du côté de ceux qui ont besoin d'aide humanitaire et qui ont tout perdu à cause de ce conflit. Ça ne nous intéresse pas de savoir à quel camp politique ils appartiennent.

Une déclaration qui n'a pas l'heur de convaincre Number One. « Ils insistaient, ils me poussaient, se souviendra l'otage. À un moment donné, j'ai dû donner une autre réponse, sinon la situation aurait dégénéré. »

Alors, Motka lâche :

— L'Armée libre ! Nous sommes pour la révolution !

À ces mots, Number One se lève et s'en va, laissant à George le soin d'achever l'interrogatoire. Pendant la nuit, Federico voit surgir Ringo et John. Qui le rouent de coups, parce qu'il n'aurait pas été respectueux avec le cheikh.

Les semaines qui suivent ne sont plus que brimades et sévices. Les geôliers se déchaînent. Le colérique George, avec sa peau dévorée par l'acné et ses poils au menton, se révèle être le leader des Beatles. Ringo, même s'il participe à la valse des coups, est aux yeux des otages le plus réfléchi, le plus cultivé. Et, comme son modèle original, « le seul qui était capable d'un peu d'humour ».

L'été 2013 s'annonce. Federico Motka et David Haines sont retenus depuis quatre mois par leurs ravisseurs. Comme nombre de djihadistes, les Beatles et leur cheikh décident de quitter le Jabhat al-Nosra, dont ils font partie, pour rallier l'étendard de l'État islamique.

Un beau matin, un ordre arrive. Ils doivent conduire leurs otages à Alep. L'EI a décidé de réunir tous ses prisonniers dans une prison installée dans les sous-sols d'un hôpital.

III

Le maître espion de l'hôpital ophtalmologique

Des jambes longues et élancées. La première chose que Jejoen Bontinck aperçoit d'Abou Obeida al-Maghribi, ce sont ses membres inférieurs. Les yeux du Belge ont été bandés avant sa première comparution devant le maître des lieux.

Le centre de détention de la Dawla[1] se cache dans les sous-sols de l'hôpital ophtalmologique d'Alep, dont l'enceinte est protégée d'une barrière et, en amont, de plusieurs *check-points*. Toutes les entrées, sauf une, ont été murées. Les Aleppins ignorent ce qui se trame dans l'hôpital ophtalmologique, ne perçoivent pas les hurlements des prisonniers.

L'hôpital n'est plus ce qu'il était, pas plus que la ville. Avant que la guerre n'éclate, Alep était le poumon économique de la Syrie. Elle est aujourd'hui défigurée. Les immeubles de bureaux sont vides et portent les stigmates des bombardements. Le bâtiment voisin de l'hôpital est occupé par l'Armée syrienne libre. Les différentes composantes de la rébellion cohabitent encore, tant bien que mal.

Le premier jour, les nouveaux détenus sont déférés devant Abou Obeida al-Maghribi. Grand, maigre, flottant dans une

---

1. En arabe, l'État islamique se dit Dawla Islamiya. Ses membres le désignent par le diminutif Dawla, signifiant « État ».

tunique beige, il apparaît le plus souvent encagoulé, parfois tête nue, laissant alors voir une peau mate, un visage allongé cerclé d'une barbe clairsemée, et de grands yeux marron s'associant à des joues creusées.

Disposés en rang d'oignons au milieu d'une grande salle, les détenus lui font face. Un djihadiste pointe son fusil d'assaut sur les uns et les autres, aboyant le nom du service pour lequel chaque détenu est censé œuvrer : « CIA ! » « FBI ! » « *Moukhabarat*[1] ! »

D'une voix douce et avec un vocabulaire châtié, Abou Obeida demande alors aux détenus de décliner leur identité et de justifier leur présence en Syrie. Il s'exprime, selon ses interlocuteurs, tour à tour en arabe, en anglais, en allemand ou en français. Et, quelle que soit la langue pratiquée, « sans accent », souligneront les prisonniers qui s'en sortiront vivants.

Quand Jejoen se retrouve face à lui, c'est en flamand qu'il lui fait remarquer, hormis le fameux texto dédié aux Israéliens, ses nombreux SMS effacés, depuis qu'il a rejoint la Syrie. Tétanisé, Jejoen s'emmêle dans ses explications, bafouille. Abou Obeida enregistre en silence, avant de conclure : « Nous nous reparlerons plus tard. »

Inquiet, Jejoen rejoint sa cellule, qui s'avère plutôt confortable. Des matelas, des tapis et des livres l'ornementent. Rien à voir avec les cachots où les Anglo-Saxons John Cantlie, James Foley et David Haines, l'Italien Federico Motka, mais aussi les quatre journalistes français Édouard Élias, Didier François, Nicolas Hénin et Pierre Torrès (kidnappés par un autre groupe que les Beatles) dorment par terre ou attachés au radiateur.

Si Jejoen jouit d'un statut de privilégié, c'est parce qu'il est toujours considéré comme un djihadiste, même s'il a cherché à

1. Appellation désignant les services de renseignement dans différents pays arabes.

fuir. Il n'est d'ailleurs pas le seul traître à la cause dans la prison. Il y a aussi Iliass le Belge, de son vrai nom Iliass Azaouaj, un prédicateur enlevé en avril, cantonné depuis à des tâches subalternes dans la prison. Azaouaj ne se cache pas derrière une *kounya*, encore moins derrière une cagoule. Il n'arbore pas de tenue militaire, mais une djellaba et des babouches. Sa voix est chantante, jamais menaçante. La nuit, il apporte aux détenus des rations alimentaires supplémentaires, leur chuchote de ne pas le répéter aux autres geôliers. D'après des notes de la Sûreté de l'État belge synthétisant des conversations entre djihadistes, on aurait trouvé dans son ordinateur des photos de frères prises en cachette. Questionné, il aurait avoué être un espion au service des *kouffar*[1], rémunéré tous les mois deux mille euros par les services belges et mille cinq cents euros par les services marocains. Avec, éventuellement, une prime de soixante-dix mille euros pour toute information sur des cellules terroristes actives en Europe.

Sur le point d'être exécuté, Iliass s'est repenti. La Dawla lui a imposé de participer à une opération suicide mais, quand Iliass a actionné son détonateur, sa ceinture explosive n'a pas explosé. C'était un leurre pour tester la sincérité de son repentir...

*

Sous l'autorité d'Abou Obeida, les gardiens francophones constituent le gros des effectifs de la prison de l'État islamique. Trois d'entre eux sont appelés à passer à une sordide postérité : les Français Salim Benghalem, premier Français à entrer dans la liste des terroristes les plus recherchés par les États-Unis, et Mehdi Nemmouche, futur tueur présumé du Musée juif de Bruxelles,

1. Mécréants.

45

ainsi que le Belge Najim Laachraoui, futur artificier des attentats du 13 Novembre à Paris et du 22 Mars à Bruxelles. D'autres membres des commandos des attentats de Paris et Bruxelles seront suspectés d'avoir séjourné à l'hôpital ophtalmologique d'Alep et travaillé sous les ordres d'Al-Maghribi.

De tous les geôliers, ce dernier se révèle le moins féroce, le plus civilisé. « Particulièrement intelligent par rapport aux autres », il est toujours « très calme, jamais agressif », confiera Édouard Élias aux policiers. « Il était obsédé par les détails, a fait installer des ventilateurs aux fenêtres, veillait à ce que nos cellules soient toujours éclairées de manière à pouvoir nous surveiller en permanence », témoignera Nicolas Hénin. Une gageure. Les coupures d'électricité sont monnaie courante en zone de guerre et offrent un repos aux yeux fatigués des otages.

Avec Bontinck, Abou Obeida souffle le chaud et le froid. Un jour, il lui annonce que tout « est presque prêt », sous-entendu pour son exécution. Des papiers compromettants auraient été retrouvés dans ses affaires… Une autre fois, il lui promet qu'il va, au contraire, être libéré, avant de le faire réintégrer sa cellule au bout de longues heures à patienter sur un banc dans un couloir de la prison.

*

Derrière ses bonnes manières, Abou Obeida al-Maghribi traque les taupes. Au journaliste Didier François, il demande : « Est-ce que tu es un agent de la DST[1] ? Est-ce que tu travailles pour les services de renseignement français ? » Le reporter de guerre a, dans la mémoire de son téléphone, les numéros personnels de François Hollande et du patron de la DGSE.

1. Ancêtre de la DGSI.

Il lui assure que c'est dans le cadre de son travail. « Réfléchis bien ! Je viendrai dans quelques jours et j'aimerais que tes déclarations évoluent… »

Abou Obeida renvoie le journaliste en cellule et convoque le photographe Édouard Élias, qui faisait équipe avec lui avant leur capture. Au cours de l'interrogatoire, il lui demande si Didier François connaît le président de la République française, s'il fréquente le chef des services secrets français : « J'ai toujours été correct avec toi, je ne t'ai jamais battu, alors ne me mens pas… » Ébranlé, Édouard Élias ne sait plus quoi répondre.

Au gré des interrogatoires et des confidences de certains djihadistes, les prisonniers de l'hôpital ophtalmologique d'Alep complètent l'énigmatique portrait de celui qui les passe à la question. Abou Obeida al-Maghribi serait un ingénieur diplômé, néerlandais d'origine marocaine, marié à deux femmes, la première un temps coincée en Turquie, la seconde née en Syrie. Il aurait trois enfants, dont le plus âgé aurait sept ans, venus le rejoindre « pour défendre la cause ».

Mais, s'il est présenté aux otages comme le responsable de la prison et du tribunal d'Alep pour le compte de la Dawla, ses prérogatives iraient bien au-delà. Selon Nicolas Hénin, il serait l'émir des Marocains au sein de l'organisation terroriste et à la tête de quatre mille hommes. Signe de l'importance d'Al-Maghribi, un tireur d'élite originaire du Val-de-Marne, Abdelmalek Tanem, confie à un interlocuteur, au téléphone, être préposé à la sécurité d'Abou Obeida : « À part l'entraînement, je ne fais pas grand-chose. […] Je suis plutôt accompagnateur avec Abou Obeida. Je suis plutôt garde du corps, tu vois ? Donc, ça veut dire que je peux pas trop aller à droite à gauche », se désole l'homme d'action.

Les moyens déployés pour protéger Abou Obeida al-Maghribi trouvent en réalité leur justification dans une note émanant du Service des renseignements intérieurs néerlandais : à Alep, le chasseur de taupes serait en fait « l'émir des Amniyyin », le chef régional des espions de l'État islamique.

IV

Guantánamo-sur-Euphrate

Le soir venu, Salim Benghalem traverse la cour où paissent des agneaux, des brebis, des chèvres, des chevaux ; il prête une oreille distraite aux bombardements lointains, qui ne cessent de se rapprocher. Le natif de Bourg-la-Reine, âgé de trente-cinq ans, grimpe au premier étage de son logement de fonction. Des bureaux qu'il a aménagés. Il dépose son pistolet au-dessus de l'armoire, où l'y attendent des armes américaines et turques, des AK-47 et AK-46, et des grenades. Le plus souvent déchargés et toujours en hauteur, à cause des enfants. Tous les matins, Salim Benghalem part. Tous les soirs, il rentre. « Tu vois, c'est comme si j'allais travailler ! » explique-t-il à son épouse Kahina.

Durant la journée, Benghalem officie en tant qu'adjoint d'Abou Obeida al-Maghribi à l'hôpital ophtalmologique d'Alep. Parti quelques années plus tôt avec Chérif Kouachi au Yémen, où il avait été missionné par un hiérarque d'Al-Qaïda pour participer au futur massacre de *Charlie Hebdo* — mission qu'il avait refusée —, Benghalem assure la logistique dans la prison d'Alep. Et participe aux interrogatoires. « Il m'a dit qu'ils avaient le droit de frapper. "Deux, trois patates", mais pas de tortures, détaillera sa femme. Ils n'avaient pas le droit d'égorger. »

Une vision des choses que ne partagent pas les otages, qui, depuis leur cellule, entendent les hurlements des autochtones victimes de séances de torture qui commencent vers 20 heures pour s'achever vers 4 heures du matin. Les coups de matraque succèdent aux coups de chaîne. Des câbles électriques tressés sont détournés de leur usage premier, des noyades simulées, des décharges électriques administrées. « Les prisonniers syriens étaient terrifiés de se faire torturer par des djihadistes qui leur hurlaient dessus en français, racontera Nicolas Hénin. J'ai clairement entendu les cris des suppliciés et les vociférations en français des tortionnaires. »

Les détenus occidentaux savent que, tôt ou tard, ce sera leur tour.

Et leur tour, c'est un bandeau imprégné de gaz lacrymogène sur les yeux durant quatre jours. Des ongles arrachés à la pince. Des coups portés avec un tuyau d'arrosage ou des joints d'étanchéité. Et divers objets introduits dans l'anus. Dans le but de leur « faire cracher la vérité », de leur faire avouer une collaboration avec les services de renseignement.

Poussé à bout, l'un des otages européens tentera de se suicider avant d'être sauvé par ses tortionnaires. Une fois remis, il s'adonnera au jogging pour survivre, s'entraînant à un « marathon en cellule ». Sept mille fois le tour de son cachot.

Un autre va avoir droit à un traitement particulier.

*

Ça empeste le formol. Une table chirurgicale compose le décor de la salle d'interrogatoire improvisée. L'otage est assis, les mains menottées derrière le dossier de la chaise. Ils lui font récapituler sa vie, son histoire, ses études, son parcours professionnel. Ses pieds sont entravés dans un carcan de bois. Ils le frappent à la plante des pieds avec un gourdin chaque fois que la réponse ne leur plaît pas.

Et, la plupart du temps, elle ne leur plaît pas. Alors l'otage est amené à l'extérieur de la prison, sous un portique. On passe une chaîne entre ses menottes. Les geôliers tirent sur la chaîne, le corps s'élève. Ils le laissent ainsi suspendu dans le vide. Durant deux heures. En plein soleil. « Je n'avais plus de force, plus d'énergie, pas même la force de déglutir. De toute façon je n'avais plus de salive. » Ils l'interrogent à nouveau, veulent des informations sur ses liens avec des services de renseignement. Les coups pleuvent. Au visage. Au thorax. À l'abdomen. Un coup de pied porté à la tempe lui fait perdre connaissance.

Une fois redescendu, il revient à lui. On lui présente un verre d'eau. L'otage s'apprête à le porter à sa bouche quand on menace de recommencer à le frapper : « C'est *haram* d'utiliser la main gauche ! »

L'otage bafouille qu'il ne peut utiliser sa main droite, elle a doublé de volume et bleui à l'issue de l'interrogatoire. Alors l'un de ses tortionnaires l'aide à boire. De la main droite.

Lors d'une troisième session, les geôliers s'amusent à faire ricocher sa tête contre le carrelage. De retour en cellule, ils lui mettent des chaînes aux pieds, verrouillées par deux cadenas. Ils démontent le tuyau de douche pour pouvoir relier ses pieds menottés au robinet de ladite douche. L'otage devra rester ainsi entravé durant onze jours. En guise de repas, un demi-concombre et une demi-tranche de pain.

Le 19 juillet 2013, en pleine nuit, la porte s'ouvre. Abou Obeida al-Maghribi se présente dans l'embrasure. Il vient chercher celui qui n'est plus que l'ombre de lui-même pour le mener dans la salle de torture de l'hôpital ophtalmologique, là où trônent cordes, câbles électriques et pneus. Al-Maghribi insiste : son prisonnier appartient aux services secrets occidentaux. Trois fois, l'otage nie. Trois fois, on le frappe en retour. Le premier coup occasionne un œil au beurre noir ; le deuxième le fait tellement saigner du nez que ses geôliers doivent lui retirer son bandeau des yeux pour qu'il s'éponge avec ; le troisième lui cause une douleur qui prendra ses quartiers dans les côtes durant huit semaines. Abou Obeida regarde le cadran de sa montre. Elle indique 2 h 10 du matin. La séance est finie. Ce soir-là, les coups sont portés par un Français qui arbore une ceinture explosive à la taille. À l'issue de l'interrogatoire, il pointe un pistolet sur la tempe de l'otage et s'adresse à un complice :

« Va chercher la caméra ! Je vais le tuer, on va mettre ça sur YouTube ! »

*

Le tortionnaire se nomme Mehdi Nemmouche[1]. Ce natif du Nord-Pas-de-Calais est l'un des seuls à se présenter avec sa kalachnikov en bandoulière dans les cellules. Il arbore un treillis noir, avec cartouchière, ne porte pas de masque, expose son visage rond, sa barbe clairsemée, au vu de tous. Pas inquiet pour un sou de pouvoir être par la suite identifié par d'éventuels survivants.

À ceux qu'il doit surveiller, il promet : « On va vous buter », « On va vous égorger ». Il s'amuse à répéter : « Vous êtes sortis de la Matrix ! » La référence au film de science-fiction est une manière de signifier que les otages ont quitté leur cocon protecteur et sont désormais à sa merci. À un journaliste qu'il s'apprête à tabasser, il exhibe une paire de gants.

« Regarde : je les ai achetés rien que pour toi… »

Une autre fois, Nemmouche chloroforme l'un de ses otages, fait croire le pire à celui qui partage la cellule avec l'homme évanoui : « Regarde ton copain : il est mort ! Je l'ai tué au couteau ! Et toi, je vais te décapiter et poser ta tête sur ton cul. »

Au détour de ses blagues d'un goût douteux perce souvent son

1. Mis en examen, Mehdi Nemmouche n'a pas encore été jugé pour le rôle dont il est accusé de geôlier des otages français.

52

antisémitisme — « Je suis en forme ce matin, je me verrais bien prendre une kalachnikov et aller fumer une petite Israélite » —, ainsi que sa vénération pour Mohamed Merah, le tueur d'enfants de l'école juive Ozar Hatorah, « le plus grand mec que la France ait produit ». Nemmouche, orphelin ayant viré petit délinquant, voudrait bien imiter le terroriste toulousain, connaître son quart d'heure de gloire télévisuelle. Passionné de faits divers, il fait souvent référence à l'émission *Faites entrer l'accusé,* plus particulièrement à celle qui a été consacrée à l'assassinat de la députée Yann Piat. Lorsqu'il découvre que le journaliste Didier François a couvert la guerre en ex-Yougoslavie, il le cuisine sur les brigades de volontaires étrangers. Quand, alors braqueur de supérettes, Nemmouche écumait les centres de détention français, il en profitait pour se documenter dans les bibliothèques des prisons.

À l'hôpital ophtalmologique, il organise, entre deux séances de torture, des quiz sur le conflit en Bosnie, sur les grandes affaires judiciaires. Il rêve de se retrouver acteur d'un grand procès d'assises. « Lorsque je serai sur le banc des accusés, vous viendrez témoigner », pronostique-t-il aux otages français. Mehdi Nemmouche ambitionne de passer à la postérité.

L'Anglais Jihadi John, lui, n'est pas issu d'un univers à la Dickens. Né au Koweït, Mohamed Emwazi, de son vrai nom, a grandi dans une famille unie dans les beaux quartiers de Londres. « Assidu, travailleur, charmant » selon un ancien professeur, ce timide collégien finit diplômé de l'université de Westminster en programmation informatique. Mais celui qui aime les fringues de marque a déjà cédé aux sirènes de l'islam radical. Il célèbre l'anniversaire du 11 Septembre et part pour un safari en Tanzanie, dans le secret espoir de rallier les Shebabs somaliens.

Quatre ans plus tard, il pose finalement ses valises en Syrie. Obsédé par la taille du pistolet-mitrailleur Uzi qu'il porte à la cuisse, le gaucher anglais ne se mélange pas aux autres, hormis ses fidèles Beatles. Méprisant, il détourne le regard pour ne pas avoir à dire bonjour aux djihadistes qu'il croise sur la route d'Alep. Il se révèle nettement moins réservé lorsqu'il s'agit de tabasser les otages ou de les étrangler jusqu'à l'évanouissement. Il ne rechigne pas non plus à pratiquer le *waterboarding*, la simulation de noyade.

Une certaine inimitié existe entre Nemmouche et Emwazi : le comportement de Nemmouche exaspère le taciturne Jihadi John, qui le juge, selon des notes des services de renseignement, « trop expansif » et « pas assez professionnel ». Mehdi Nemmouche entreprend par exemple de filmer, avec son téléphone portable, des otages en train de satisfaire leurs besoins aux toilettes. Il faudra l'intervention d'un djihadiste irakien pour l'en empêcher. Une autre fois, avec des geôliers francophones, Nemmouche fait s'agenouiller un otage, lui pose un sabre sur la nuque et fait mine de lui trancher la gorge, hilare. « C'est la vie d'artiste, mec. Elle est belle, elle est triste… » Nemmouche aime également fredonner : « Renart sacripant, renart chenapan », le générique du dessin animé *Moi Renart,* ou encore *Douce France* de Charles Trenet, et les titres de Charles Aznavour…

Au final, issus de milieux différents, Nemmouche et Emwazi révèlent le même penchant criminel. Quelques mois plus tard, l'un comme l'autre projetteront de déplacer cette violence dans leurs pays d'origine.

*

Il serait facile de ne voir dans cet enfer de l'hôpital ophtalmologique d'Alep qu'une reproduction de pratiques issues du Moyen-Orient. Certes, la prison jordanienne où a séjourné Abou Moussab al-Zarqaoui, le fondateur d'Al-Qaïda en Mésopotamie, l'ancêtre de l'État islamique, était surnommée « l'usine à ongles ». Certes, les *moukhabarat* syriens n'ont jamais été en reste ; Saïd Arif, une figure des filières tchétchènes, racontera à la justice française comment, retenu pendant un an dans les locaux des services secrets des Assad, il a été « torturé avec un câble de télévision alors qu'il avait été mis dans un pneu ». Mais ce sont surtout les violations des droits de l'homme sous l'administration Bush, de la publication des photographies d'humiliations sexuelles à Abou Ghraib[1] aux récits de simulations de noyade pratiquées à Guantánamo, qui imprègnent l'imaginaire djihadiste. Les otages occidentaux sont d'ailleurs revêtus de tuniques orange lors de certains transferts ou dans des vidéos de propagande. Les Beatles expliquent à l'otage italien Federico Motka que la couleur est choisie pour « reproduire les conditions [de détention] de leurs frères » dans la tristement célèbre prison basée à Cuba. Et le pénitencier le plus secret géré par l'Amniyat, qui se nicherait aux abords de l'Euphrate, a pour nom de code « Guantánamo ».

Les manuels de torture psychologique de la CIA, eux-mêmes inspirés des méthodes du KGB des années 1950, sont abondamment repris à leur compte par les terroristes. Ainsi, les techniques d'interrogatoire autorisées par le bureau de l'Attorney General en 2002 et 2005 — « gifle vexatoire », « confinement dans un lieu exigu », « privation de sommeil », « manipulation alimentaire » — ne diffèrent guère du régime imposé aux pensionnaires de l'hôpital ophtalmologique d'Alep. Jusque dans les coups dans l'abdomen que chérit Mehdi Nemmouche et qui, selon la doctrine américaine, « constituent la variante nécessaire pour maintenir dans le processus interrogatoire un haut niveau d'imprévisibilité ».

1. Pénitencier à l'ouest de Bagdad. La diffusion de photographies montrant des détenus irakiens torturés et humiliés par des militaires américains provoque un scandale international et deviendra un argument de recrutement pour les djihadistes.

Un ancien ponte de la lutte antiterroriste soupire : « Les sbires de l'État islamique utilisent des techniques occidentales d'interrogatoire, en un peu plus viril... » Et reproduisent les mêmes erreurs en matière de collecte d'informations opérationnelles. Car la violence échoue à produire des renseignements fiables. Sous la contrainte, les prisonniers affirment vrai ce qui est faux. Alors, au fil du temps, Abou Obeida et ses hommes vont, pour corriger le tir, avoir recours à des techniques de contre-espionnage plus sophistiquées.

V

Le service de vérification des sources

Patrick Calvar prend place face aux députés qui composent la commission d'enquête parlementaire relative aux attentats de 2015. Nous sommes six mois après les attaques qui ont fait cent trente morts dans les rues de Paris. Longtemps, le patron de la DGSI n'a été pour les médias qu'une ombre chinoise. Puis sa silhouette, massive, s'est esquissée dans la cour de la place Beauvau, s'est précisée à l'arrière-plan lors des réunions de crise, au lendemain des attentats ou bien au cours de voyages officiels. Là où certains hauts fonctionnaires arrivistes jouent des coudes, on le retrouvait en queue de cortège de la délégation, le plus loin possible du ministre de l'Intérieur et des objectifs.

Patrick Calvar est un maître espion et, comme tout maître espion, moins on parle de lui, plus il est heureux. Il fuit la presse, a fait passer le message par les communicants de Beauvau aux caméramans et photographes qu'il ne fallait pas immortaliser son image, ce qui est illusoire quand on a le titre de directeur général et que l'on dirige le principal service de renseignement intérieur français.

Son audition devant la commission d'enquête parlementaire se déroule à huis clos. Ce Breton né à Madagascar est là pour répondre de la connaissance que son service avait de ce qui se préparait en Syrie. « Les attentats de 2015 représentent un échec global du renseignement », concède-t-il. Avant d'ajouter : « Nous devons, par conséquent, nous interroger sur les raisons pour lesquelles nous n'avons pas pu l'empêcher. »

Il a bien sûr déjà son idée sur la question et esquisse l'une des principales difficultés rencontrées par les services occidentaux : le renseignement humain. « Il est particulièrement difficile, comme vous pouvez l'imaginer, de trouver des volontaires pour nous aider en se rendant en Syrie ou en Irak… »

Le rapporteur de la commission d'enquête le relance sur une éventuelle faillite dans le suivi des djihadistes français. Patrick Calvar lui répond par une autre question : « Que sait-on de ce qui se passe à Raqqa[1] ? Voilà le problème… »

Ce problème porte un nom : l'Amniyat.

Un an plus tard, un second haut gradé de la lutte antiterroriste me reçoit dans son bureau. Je l'interroge sur la déclaration de Patrick Calvar. Il comble les trous dans les propos tenus, *a minima*, par le patron de la DGSI devant la représentation nationale : « Le problème n'est pas tant d'infiltrer quelqu'un, mais comment va-t-il nous faire le retour des informations glanées ? Le téléphone ou Internet ? Ce n'est même pas la peine d'y penser. Il nous reste la vieille méthode des boîtes aux lettres mortes, mais c'est compliqué. Il faut reconnaître que les services secrets de l'EI sont performants. Ils font du bon renseignement en amont, auscultent les volontaires à leur arrivée. Leurs cadres sont très intelligents… »

Pour déjouer toute tentative d'infiltration, l'État islamique ne ménage pas ses efforts. Selon une note de la DGSI, il a mis en place « une méthodologie de contrôle aux frontières digne d'une structure étatique ». Entre la Syrie et la Turquie, la Dawla a disposé des mines et des barbelés. Ceux qui se présentent aux

1. Au moment où Patrick Calvar s'exprime, Raqqa est la capitale du califat.

postes-frontières de l'organisation terroriste sont conduits dans des maisons envahies de matelas à même le sol. Ils y patientent jusqu'à l'arrivée d'hommes encagoulés de noir. Ils doivent alors donner leurs passeports, leurs téléphones et leurs tablettes pour expertise. Et répondre aux questions. On leur fait remplir une fiche, on leur demande leur adresse, l'identité des membres de leur famille, leurs études, le métier exercé. Les empreintes digitales et un échantillon de sang sont collectés. Les dossiers constitués à l'entrée de l'État islamique sont enrichis au fur et à mesure et finissent dans les archives de l'Amniyat où, selon le témoignage d'un revenant français, un « groupe spécialisé » est chargé de détecter les anomalies. Rien ne se perd. Au sein du département contre-espionnage du service secret djihadiste, des hommes sont mobilisés pour collecter et analyser les informations puisées dans la presse du monde entier, d'autres se spécialisent dans la restauration et l'extraction de données informatiques effacées. D'autres encore ont la charge d'étudier la situation financière « des soldats de la Dawla » en vérifiant les raisons d'un éventuel enrichissement.

À l'hôpital ophtalmologique d'Alep, les otages sont soumis au même protocole de sécurité. Avant de débuter leurs interrogatoires, les contre-espions de l'État islamique s'adonnent à des recherches minutieuses. À peine kidnappé, le journaliste Édouard Élias entend des extraits sonores de l'un de ses anciens reportages dans la salle voisine où se sont réunis ses ravisseurs autour de son ordinateur. Les membres de l'Amniyat tracent les mails, les correspondants des messageries, exigent les codes d'accès des comptes sur les réseaux sociaux, épluchent le passé des otages.

Didier François se voit reprocher son passage de *Libération* à Europe 1, Mehdi Nemmouche lui fait aussi remarquer qu'il n'a jamais condamné dans ses articles les peines planchers. L'otage danois Daniel Rye Ottosen est, lui, accusé d'avoir pris des photos de maisons de moudjahidines ; en réalité, une mosquée ayant essuyé des tirs… Son appareil-photo lui sera retourné après sa libération. Reformaté. L'Italien Federico Motka doit détailler les documents qui se trouvent dans sa tablette : « Ils voulaient vérifier si je connaissais le contenu de mon ordinateur. » De celui du journaliste anglais John Cantlie seront exhumés ses procès-verbaux d'interrogatoire à Scotland Yard après que celui-ci avait été enlevé une première fois en Syrie. Les geôliers d'Alep évoquent, le sourire aux lèvres, une vidéo dans laquelle le Britannique parle à des confrères de « la bande d'amateurs » qui l'avait alors kidnappé…

Quant à Abou Obeida, toujours impassible, il filme, à l'aide de son téléphone, les réponses des otages, relève les incohérences d'un interrogatoire à l'autre. « Un enregistrement constitue par ailleurs un outil précieux pour les interrogateurs souhaitant se perfectionner. Ils peuvent ainsi étudier leurs erreurs et leurs techniques les plus efficaces », soulignait la CIA dans son *Manuel secret de manipulation mentale et de torture psychologique*.

À Alep, outre les enregistrements du maître espion de l'hôpital ophtalmologique, un gamin parfumé, les cheveux aux épaules, une moustache si fine qu'elle semble dessinée, prend des notes. Cet adolescent explique à un otage être préposé « à la rédaction des procès-verbaux » des auditions. Quand il n'est pas absorbé par sa tâche, il écoute Madonna à la radio. Des otages entendent également leurs geôliers disserter sur Angela Merkel ou les mérites comparés des diplômes universitaires belges et français. Les Amniyyin se dérobent à toute caricature.

Des profils variés mais une constante : ils inspirent une même terreur. Quand les espions de la Dawla débarquent aux postes-frontières, les populations locales baissent les yeux, terrorisées. On prête à ces hommes une qualité démoniaque, celle de sonder les âmes. Tous ceux qui sont passés entre leurs mains évoquent la désagréable sensation que leurs interrogateurs ont à l'avance toutes les réponses aux questions posées. Un repris de justice français s'étonne : « Les services secrets de l'État islamique connaissaient mon parcours carcéral… » Et même beaucoup plus. Ils lui parlent de sa sœur et de ses neveux, lui décrivent le parc à côté de leur maison en région parisienne, le menacent : « Si, un jour, tu parles de nous, on tuera ta famille ! »

Les espions de l'État islamique ne se contentent pas de passer au crible ceux qui veulent rejoindre les rangs de leur organisation, d'éplucher la moindre de leurs traces électroniques. Pour vérifier les dires de leurs clients, ils n'hésitent pas à mener des enquêtes de personnalité en Europe.

*

À dix-neuf ans, Réda Bekhaled ne se fait plus d'illusions. Les rapports de police le répertorient déjà comme « un membre de la mouvance islamiste radicale du Rhône ». Son implication dans le groupuscule aujourd'hui dissous Forsane Alizza lui a valu des ennuis judiciaires et une interdiction de franchir des frontières. Alors, c'est derrière son ordinateur, à Vaulx-en-Velin, qu'il participe au djihad, en tant qu'enquêteur de terrain pour le compte des espions de l'État islamique.

Le 7 octobre 2013, il échange sur Skype avec l'un de ses trois frères, geôlier aux côtés de Salim Benghalem. Son aîné lui demande de se « renseigner » sur une nouvelle recrue nommée Maxime. « Mais, Maxime, ça me dit quelque chose. Normalement, c'est clean », répond Réda, qui promet toutefois d'envoyer le fruit de ses recherches « par message » au plus vite. D'ici là, il exhorte son frère à faire « doucement avec Max ». Il ne voudrait pas que des conclusions hâtives soient tirées. « Attends les preuves, faites ça propre ! »

Réda Bekhaled témoigne d'une certaine expérience en matière d'investigation. Du temps de Forsane Alizza, l'émir du groupe lui avait confié la tâche de réunir des informations sur un rédacteur de Riposte Laïque, le site islamophobe. Une mission dont Réda, encore mineur à l'époque, allait s'acquitter, logeant l'individu en question. Bekhaled était même allé au-delà de la commande initiale en envoyant à ses complices un fichier intitulé « liste des fascistes qui appellent à l'extermination des musulmans en France. doc » dans lequel figuraient sept membres du Bloc identitaire ou du site Français de souche, accompagnés de leurs photos, adresses personnelles, voire professionnelles, et numéros de téléphone.

Parallèlement aux enquêtes du gamin de Vaulx-en-Velin, l'émir de Forsane Alizza recrutait des employés chez des opérateurs de téléphonie afin qu'ils lui fournissent les coordonnées de différentes personnalités. Il se vantait ainsi d'avoir récupéré les adresses du président de la République alors en exercice, Nicolas Sarkozy, et de trois anciens Premiers ministres, Édouard Balladur, Jean-Pierre Raffarin et Dominique de Villepin.

Les jours se suivent et l'enquête sur le dénommé Maxime se poursuit. Réda doit encore « fouiner », mais a un doute, le client n'est peut-être finalement « pas clean ». Il précise que son informateur est une cousine mariée au meilleur ami de « la cible ». Ses investigations méritent d'être affinées. « Pour le prisonnier, il me faut du temps, insiste-t-il. Dis-leur de ne pas faire de bêtise ! »

Son aîné lui répond qu'il a déjà interrogé Maxime une première fois. Il se pose une question : les réponses fournies n'auraient-elles pas été « toutes prévues » ? Autrement dit, l'histoire racontée par Maxime ne ferait-elle pas partie de sa légende, fabriquée par les services secrets des « From'[1] », qui l'auraient envoyé infiltrer la Dawla ?

Cinq jours plus tard, l'aîné fait parvenir à Réda l'adresse mail de son prisonnier : elle correspond à celle d'un certain Maxime Hauchard, originaire d'un quartier pavillonnaire d'un bourg de trois mille habitants au cœur du bocage normand.

L'enquête de personnalité menée sur place va, de toute évidence, finir par convaincre les Bekhaled. Un an plus tard, l'État islamique diffuse une vidéo de propagande intitulée *N'en déplaise aux mécréants*. On y voit dix-huit djihadistes avancer en file indienne, tenant chacun d'une main un prisonnier courbé en deux. À tour de rôle, ils saisissent un couteau. Puis égorgent les dix-huit militaires de l'armée de Bachar al-Assad. Parmi les bourreaux, un homme à la peau laiteuse, aux cheveux longs qui fuient sous son bonnet noir. Il porte un treillis militaire aux couleurs du désert, n'exprime aucun état d'âme au moment d'exécuter sa basse besogne. Au lendemain de la diffusion de cette vidéo, le ministre de l'Intérieur Bernard Cazeneuve annonce que ce bourreau a été identifié et qu'il s'agit d'un Français. Depuis, Maxime Hauchard fait l'objet d'un mandat d'arrêt international.

*

Sur sa page Facebook, l'homme a donné comme identité « Abou Djihad al-Mouhajir » et précisé « Travaille chez État islamique d'Irak et du Shâm ». À quatre reprises, il s'est rendu en Syrie. Il se promène en Europe avec des versions numériques du *Manuel du petit terroriste* et du *Manuel de survie en garde à vue*. Ce qui ne l'empêche pas, dans une cellule de la prison de Mons où il est entendu par la police fédérale belge, de pleurnicher. Non pas que

1. Abréviation de « fromage », terme désignant les Français.

les enquêteurs reproduisent les pratiques qui ont cours dans la salle de torture de l'hôpital ophtalmologique d'Alep. Non, s'il pleurniche, c'est que, depuis sa prison wallonne, Abou Djihad a peur des djihadistes en Syrie. Il implore les policiers de ne pas laisser approcher, au palais de justice, l'un de ses anciens complices, lui aussi incarcéré. Et indique qu'il souhaite ne jamais avoir à croiser dans la prison d'autres suspects dans des dossiers de terrorisme.

Abou Djihad al-Mouhajir craint pour sa vie. « Sur ce que je suis en train de vous dire, j'ai l'impression de ne pas me sentir en sécurité, par rapport à ce que j'aimerais vous raconter, car ces personnes sont dangereuses. » Il n'ignore rien des capacités d'investigation de la Dawla en Belgique. Elles s'incarnent, selon lui, en un homme : Khalid Zerkani. Ce recruteur ventripotent de Molenbeek, surnommé « Papa Noël », a embrigadé trois futurs terroristes des attentats du 13 Novembre, dont le coordinateur Abdelhamid Abaaoud et l'artificier Najim Laachraoui.

Papa Noël est très actif. Les enquêteurs belges vont déterminer que, sur une période de seulement dix jours, il a eu quarante-sept contacts avec des numéros syriens et quatre-vingt-neuf avec des numéros turcs. Il est « la source » de l'État islamique à Bruxelles. Abou Djihad est bien placé pour le savoir. Lors de son dernier séjour syrien, il a été un temps suspecté d'être un espion à la solde de la Sûreté de l'État belge. Les djihadistes francophones qui l'interrogeaient lui ont annoncé qu'ils allaient prendre contact avec « Khalid » pour avoir des informations à son sujet…

Quatre ans après son audition par la police fédérale, Abou Djihad est toujours vivant, et en prison. Les spadassins de l'Amniyat n'ont pas réussi à l'atteindre. Mais la peur non feinte d'un homme ancré de longue date dans la cause djihadiste, lui-même proche d'Abaaoud et dont les frères, tout comme lui, ont combattu en Syrie, témoigne du mythe à la Keyzer Söze répandu chez les déçus de l'État islamique : les services secrets de l'EI n'ont pas de frontières et sont capables de vous atteindre n'importe où, quelle que soit la protection policière dont vous bénéficiez.

Outre-Manche, un revenant britannique explique à son officier traitant que des espions sont dépêchés pour suivre les procès terroristes au Royaume-Uni et savoir ainsi qui a dit quoi… En Autriche, un moudjahid qui serait rentré chez lui avec dans son bagage les ordinateurs portables de plusieurs djihadistes fait l'objet d'une surveillance par des sympathisants de l'EI. Lorsque son cas est évoqué pendant une réunion de travail en Syrie, des Amniyyin se veulent rassurants auprès de leurs interlocuteurs : « On sait où il vit [en Autriche]. Nous avons des gars qui jettent un œil sur lui… » Un Allemand ayant participé à cette réunion et étant rentré à son tour en Europe se met à paniquer après avoir fait d'abondantes déclarations aux forces de l'ordre de son pays : « *ILS* ont un service secret aux États-Unis ! En Australie ! Au Canada ! *ILS* ont des gens en Asie du Sud-Est ! *ILS* ont des gens partout ! […] Bien sûr que j'ai peur ! Même si je suis à la maison maintenant, il peut encore m'arriver quelque chose. […] Demain, ils peuvent frapper à la porte de ma mère. Ou de ma femme. Ou de ma belle-famille… »

À bien y regarder, les espions djihadistes sont pourtant loin d'être eux-mêmes infaillibles. En Europe, Papa Noël, le référent Belgique de l'EI, va tomber parce qu'il essaye de convaincre un fidèle, au cours d'une fête de mariage, que le djihad est une obligation et qu'il est « taillé pour le rôle ». Le fidèle se révélera être un agent de la Sûreté de l'État belge.

Et puis, en Syrie, il arrive que les djihadistes accusés d'espionnage s'en sortent. Ainsi, l'odyssée de Jejoen Bontinck s'achève à un arrêt de bus, à la frontière de l'EI. Dans les couloirs de l'hôpital ophtalmologique d'Alep, Abou Obeida a tranché : le jeune Flamand n'est pas un infiltré, seulement un lâche. Il lui ordonne d'effectuer un *ribat,* un tour de garde. Le minimum syndical de tout moudjahid. Mais personne ne vient le chercher au rendez-vous supposé qu'a fixé Abou Obeida. Alors, Bontinck prend ses cliques et ses claques.

De retour en Belgique, il aspire à ouvrir un fast-food halal et pleure beaucoup en audition. « C'est sans fin : en Syrie on croyait que j'étais un espion », et en Belgique « le juge d'instruction croit que je suis un terroriste, mais en réalité je suis une victime », se lamente-t-il.

VI

Une terreur décentralisée

Si, à l'hôpital ophtalmologique d'Alep, Abou Obeida al-Maghribi interroge les hommes suspectés d'espionnage, le centre névralgique de l'Amniyat est à chercher ailleurs, dans une maison quelconque de la localité de Tall Rifaat, au nord d'Alep. Là où loge, anonyme, Haji Bakr, un ancien colonel des services secrets de l'armée de l'air sous Saddam Hussein.

Haji Bakr s'est installé à Tall Rifaat quelques mois plus tôt, en décembre 2012, pour préparer l'arrivée du groupe terroriste irakien en Syrie. Trois ans plus tard, le *Spiegel* le qualifiera de « cerveau de l'État islamique » et publiera ses notes révélant l'architecture du département de sécurité, « la Stasi du califat ». Cette structure que, bientôt, on appellera l'Amniyat.

C'est au stylo à bille et sur du papier à lettres que Haji Bakr a conçu les chaînes de commandement du futur appareil sécuritaire. Sur ces feuillets épars, qui seront retrouvés dans sa maison, il va jusqu'à établir des listes pour infiltrer les villages, décidant qui doit surveiller qui, prévoyant de sélectionner des « frères » pour épouser les filles des familles les plus influentes afin d'« infiltrer ces familles, sans que personne se doute de rien ». Les espions de l'EI doivent tout savoir des rapports de force au sein des plus petites collectivités, des rivalités entre clans, des vices des personnages publics. Ils sont chargés d'infiltrer aussi bien les autres brigades rebelles que les légions de Bachar al-Assad.

Ses instructions sont suivies à la lettre. Aucun détail n'est négligé, aucun pan de la société civile n'est épargné. Chauffeurs de taxi, gérants d'hôtel, manutentionnaires sont mis à contribution. En Irak, avant que l'État islamique ne lance l'assaut sur Mossoul, un ouvrier est par exemple chargé de collecter des informations au musée pour savoir où les œuvres d'art les plus chères sont entreposées.

Au sein de l'appareil de l'État islamique, les services secrets travaillent de façon indépendante. Un djihadiste allemand ayant reconnu avoir participé à des opérations de police pour le compte de l'Amniyat l'a expliqué : la sécurité intérieure fonctionne parallèlement à l'organisation militaire et administrative de l'État. Du moins, en principe. « Comme la plupart des administrations de l'État islamique, l'AMNI repose sur une organisation décentralisée », analyse la DGSI. Certaines de ses sous-directions doivent rendre des comptes au *wali,* le gouverneur de la province, ou à l'émir du district, dans des cas circonstanciés. Au niveau local, les émirs de l'Amniyat sont choisis par approbation conjointe de la centrale du service secret et du gouverneur de la province. L'émir doit ensuite envoyer des rapports mensuels à l'une et à l'autre.

Une imbrication de responsabilités à géométrie variable avec des espions sous les ordres du *wali* ; des espions qui espionnent le *wali* ; des espions qui espionnent les autres espions. Par la complexité de ses organigrammes et de ses contingences hiérarchiques, il y a quelque chose de kafkaïen dans cette organisation terroriste. Le frère d'un des kamikazes du Bataclan dénombrera ainsi « une vingtaine d'émirs et des sous-émirs » rien qu'à l'endroit où il combattait. « Ce n'est pas le club Dorothée, là-bas, résume-t-il. Il y a des traîtres, tout le monde suspecte tout le monde. »

Alimenté par la paranoïa ambiante, le département sécurité va voir ses prérogatives élargies. En 2015, un Amni ayant fait défection énumérera sur le site The Daily Beast les quatre branches composant désormais le service secret terroriste. D'après lui, il y aurait l'Amn al-Dakhili, faisant office de ministère de l'Intérieur chargé de maintenir l'ordre public dans chaque ville, l'Amn al-Askari (le renseignement militaire), l'Amn al-Dawla (le service de contre-espionnage), et l'Amn al-Kharji (le service chargé des opérations clandestines à l'extérieur de l'État islamique). Dans la répartition des tâches, les deux derniers départements correspondent à la classique séparation intérieur/extérieur des services secrets américains (FBI/CIA), anglais (MI5/MI6), français (DGSI/DGSE) ou israéliens (Shin Bet/Mossad).

L'Amniyat prend de plus en plus de place au sein de l'organisation terroriste, mais son créateur, Haji Bakr, ne change pas ses habitudes. Il occupe toujours sa discrète maison à Tall Rifaat, préférant rester dans l'ombre. Plus tard, quand la redoutable efficacité de son service secret sera avérée, certains y verront la preuve de l'influence persistante de l'ancien régime Baas. Haji Bakr n'est-il pas un ancien colonel de Saddam Hussein ? La DGSE elle-même ne manque jamais de souligner dans ses notes qu'Abou Bakr al-Baghdadi, le chef de l'État islamique, s'appuie sur des cadres expérimentés issus des hautes strates de l'armée et de l'administration baathistes. La sophistication de la structure de l'Amniyat serait forcément calquée sur celle des divers *moukhabarat* moyen-orientaux. Comme si le contre-espionnage ne pouvait être que l'apanage des États… C'est oublier que les groupes djihadistes ont, depuis près de quarante ans, dû se pencher sur la question pour survivre. Ils ont même été à bonne école : leur maître à penser s'est directement inspiré des services secrets occidentaux.

VII

Le père fondateur
des services secrets djihadistes

L'histoire du djihad s'est jouée il y a une trentaine d'années dans un magasin de reprographie dans les environs de Fort Bragg, en Caroline du Nord. Là où Ali Mohamed, le père du contre-espionnage djihadiste, miniaturisait et photocopiait les manuels « empruntés » au John F. Kennedy Special Warfare Center and School.

Né en 1952, Ali Mohamed est un major de l'armée égyptienne ayant à son pedigree la protection de diplomates ou la conduite d'opérations clandestines. Il est aussi, en sous-main, un partisan d'Ayman al-Zawahiri, qui n'est pas encore le chef d'Al-Qaïda.

Après une embauche comme expert contre-terroriste pour le compte de la compagnie aérienne EgyptAir, Zawahiri le charge d'infiltrer le renseignement américain. Ali Mohamed propose alors ses services à la CIA, mais l'expérience tourne court : l'agent double se fait griller lorsqu'il alerte l'imam de la mosquée d'Hambourg que l'agence américaine lui avait demandé d'espionner.

Censé être interdit de territoire américain, Ali Mohamed parvient à s'envoler pour les États-Unis et à séduire la célibataire californienne assise à ses côtés durant le vol. Six semaines plus tard, ils se marient et, au bout d'un an, l'infiltré réussit à s'engager dans l'US Army… Au vu de ses performances sportives exceptionnelles, l'armée américaine l'affecte aux forces spéciales à Fort Bragg. Celui qui fait son jogging quotidien en écoutant une récitation du Coran est même recruté pour donner une quarantaine de conférences à l'intention des équipes envoyées au Moyen-Orient. À cette occasion, il a accès à toute la documentation nécessaire.

En 1988, Ali informe ses supérieurs qu'il compte prendre un congé pour aller « tuer du Russe » en Afghanistan. En réalité, il part y former les premiers volontaires ayant rejoint Oussama Ben Laden aux techniques de la guerre non conventionnelle acquises auprès des services spéciaux américains. Dans les années 1990, il dépose sa candidature pour un poste de traducteur auprès du FBI, en vain cette fois. Qu'importe. Durant dix ans, jusqu'à son arrestation en 1998, Ali Mohamed entraîne les membres d'Al-Qaïda, leur apprend l'espionnage et le détournement d'avion.

L'agent double s'appuie sur les manuels dérobés à Fort Bragg pour illustrer ses cours, auxquels Oussama Ben Laden assiste en personne, aux côtés de tous les hiérarques de l'organisation terroriste.

Mourad Benchellali, un ancien détenu de Guantánamo, par la suite relaxé par la justice française et qui depuis s'emploie à faire de la prévention antiterroriste, se souvient du camp al-Farouk, en Afghanistan : « La formation de base durait deux mois. Un second stage, plus perfectionné, était dédié à la guérilla urbaine. Ceux qui y participaient suivaient des modules : comment déjouer une filature, comment filer quelqu'un, etc. Et puis, dans notre vie quotidienne au camp, tout le monde devait se méfier de tout le monde. Dans les conversations, on ne donnait pas sa vraie identité, seulement sa *kounya*. On devait mentir sur notre nationalité. Par exemple, si tu étais français, tu disais que tu étais belge. » Un Algérien lui aussi passé par l'Afghanistan évoque ces « cours en matière de sécurité dispensés aux recrues au camp al-Farouk avec des évaluations à la fin de chaque formation : "basique", "moyen", "expert"… Les meilleurs éléments étaient ensuite orientés vers des formations plus abouties et correspondant à leurs souhaits ou aux besoins du groupe après un entretien personnalisé ».

Forte des leçons d'Ali Mohamed, Al-Qaïda se dote d'un service de contre-espionnage en 1998. « Nous devons désormais disposer de rapports quotidiens sur les activités dans chaque camp, dit un ex-garde du corps yéménite du chef qaïdiste. Nous devons également collecter le maximum d'informations sur tous les membres. » Cinquante frères sélectionnés pour leur aptitude au renseignement suivent un stage. Ils sont ensuite placés dans différents secteurs, pour informer de ce qui s'y passe. Et malheur à ceux qui se font prendre. « Avant notre arrivée au camp, un homme présenté comme un espion avait été exécuté, déclare le Français Mourad Benchellali. Ils l'avaient relâché sur une colline et lui avaient ensuite tiré dessus au lance-roquettes RPG… » En tout cas, c'est ce qui se murmure parmi les nouvelles recrues.

À l'automne 1998, des bulletins sont placardés sur tous les bâtiments d'Al-Qaïda en Afghanistan. Ils rappellent de « ne pas parler de nos activités et aux djihadistes de faire attention à leur environnement proche ».

Les services de renseignement occidentaux vont mettre des années à percevoir cette préoccupation constante des djihadistes. Dans les notes que la DGSE consacre aux camps d'entraînement qaïdistes durant les mois qui précèdent le 11 Septembre sont soulignés des éléments comme les cours sur les produits toxiques ou les stages d'initiation aux explosifs — en résumé, l'attention est portée sur tout ce qui permet de réaliser un attentat. Jamais sur les enseignements en matière d'espionnage et de contre-espionnage.

Al-Qaïda a appris à ses dépens que ses membres devaient se méfier de tout le monde, y compris de leur famille. En 1994, alors que l'organisation terroriste a ses quartiers à Khartoum, au Soudan, le renseignement égyptien attire deux garçons de treize ans, le fils du comptable de Ben Laden et celui d'un dignitaire qaïdiste. Les agents les droguent, puis les sodomisent. Des photos sont prises. Sous la menace de voir ces clichés divulgués à leurs familles, les enfants sont contraints de placer des micros dans leurs propres foyers. Deux bombes destinées à Ayman al-Zawahiri leur sont confiées, mais les attentats sont déjoués et les enfants espions, appréhendés. Zawahiri instaure un tribunal de la charia. Plusieurs terroristes s'y opposent, estimant que juger des enfants serait contraire à l'islam. Mais Zawahiri n'en a cure. Il fait abattre les deux garçons, condamnés pour sodomie et trahison, filme les aveux et l'exécution, et distribue les bandes en guise d'avertissement à tous ceux qui envisageraient de le trahir.

L'épisode laisse des traces. Désormais, Al-Qaïda veillera à justifier, à travers des exemples puisés dans la vie du Prophète, l'espionnage, le contre-espionnage et l'élimination des « espions des vicieux croisés », y compris quand les taupes sont de confession musulmane.

*

Non content d'abreuver les camps afghans de la littérature volée et miniaturisée à Fort Bragg, Ali Mohamed se sert de cette base documentaire pour rédiger le manuel d'instruction terroriste d'Al-Qaïda : un précis de cent quatre-vingts pages intitulé *Études militaires dans le djihad contre les tyrans*, qui comporte divers chapitres sur la contrefaçon, la sécurité ou l'espionnage. Dans les rayons des bibliothèques des camps d'entraînement en Afghanistan, cette nouvelle bible du terrorisme islamique côtoie *La Révolte d'Israël*, du Premier ministre israélien Menahem Begin, ou les œuvres de Clausewitz et de Sun Tzu. Depuis, plusieurs haut gradés d'Al-Qaïda ont aussi produit à leur tour des ouvrages sur le thème spécifique de la sécurité.

L'héritage légué par Ali Mohamed est colossal. Et ses leçons ont porté leurs fruits, quand on songe qu'une chasse à l'homme longue de dix ans a été nécessaire aux Américains pour localiser Oussama Ben Laden, le terroriste le plus recherché de la planète.

En juillet 2009, après qu'une partie des cadres d'Al-Qaïda a été décimée par des attaques de drones américains dans les zones tribales du Pakistan, Ayman al-Zawahiri diffusera un tutoriel sur Internet, *Guidance on the Ruling of the Muslim Spy*. Dans l'introduction, il y écrira que la guerre contre les espions est « la mère de toutes les batailles, la plus féroce, la plus dangereuse, la plus difficile ».

« Au fil des années, les organisations djihadistes affinent leurs connaissances. Ils font des retours d'expérience qu'ils publient sur Internet, constate Kevin Jackson, le directeur d'études au Centre d'analyse du terrorisme (CAT). Il y a un savoir-faire qui se transmet ainsi de groupe en groupe, de génération en génération. En soi, la sécurité intérieure de l'État islamique n'apporte rien de neuf, les Shebabs somaliens avaient déjà un service qui s'appelait l'Amniyat. Ce qui est en revanche novateur avec l'État islamique, c'est la place de plus en plus prépondérante qu'une telle structure prend au sein d'une organisation terroriste. »

Les hauts responsables de l'EI ont même décrété qu'ils allaient produire des agents secrets en quantité industrielle.

VIII

« C'est pas le Club Med, ici ! »

Au bout d'une longue route en pleine campagne syrienne, la voiture s'arrête au pied d'un haut mur d'enceinte. Trois hommes armés de kalachnikovs campent devant le portail, constitué de lourds piliers en pierre. Le chauffeur sort discuter avec eux. À son retour, il explique au jeune Val-de-Marnais, qui l'attend dans le véhicule, que ce camp d'entraînement affiche complet. Les deux hommes font demi-tour.

Encore une heure de route, encore un arrêt au milieu de nulle part. On distingue un bâtiment, une cour avec un panier de basket, une dizaine de personnes armées. Cette fois, le chauffeur revient avec une bonne nouvelle : C'est bon, il y a de la place. Là, l'aspirant djihadiste pourra être formé durant un mois.

Pas de chance. Au bout de quatre jours, il craque et rentre dans son Val-de-Marne natal.

« C'est pas le Club Med, ici ! » s'énerve au téléphone Abdelmalek Tanem lorsqu'il apprend la défection de celui qu'il avait présenté comme son protégé.

Le garde du corps du chef de l'Amniyat à Alep a eu la mauvaise idée d'inviter plusieurs copains d'enfance à le rejoindre en Syrie. Et cela n'est pas une réussite. Le premier, un col blanc, a pris soin de venir avec son nécessaire de toilette et « des médicaments contre la diarrhée, contre les hémorroïdes, des antibiotiques contre les angines » mais, une fois en Syrie, a eu de gros problèmes de santé. Malnutrition, malaise : après deux jours en observation à l'hôpital, il a pris la fuite. Un autre est rentré lui aussi. Choqué qu'on ne lui serve que deux repas par jour. Mais, pour Tanem, là où la pilule est la plus dure à avaler, c'est pour le petit dernier, celui qu'il a fait conduire au bâtiment avec la cour et le panier de basket : « Ils lui ont même proposé un camp militaire de six mois, mon pote ! C'est un truc, tu sors, t'es genre une tuerie. Genre, tu apprends tous les trucs archi bien ! Tu vois ce que je veux dire ? Il fallait juste qu'il attende un peu. Mais il a dit "Non, finalement, vas-y ! Je reste pas"… »

Le camp d'entraînement de six mois où « tu sors, t'es genre une tuerie » permet d'intégrer les forces spéciales ou les services secrets de l'État islamique.

*

Les *muaskar,* les camps d'entraînement, ne manquent pas dans le ressort de l'EI. Ils ont poussé avant même l'entrée officielle de l'organisation terroriste dans le conflit syrien. C'est un passage obligé.

En mars 2013, un jeune Belge arrivé au Levant, Abdelhamid Abaaoud, téléphone à un ami pour lui annoncer avec fierté qu'il part « au camp ». Un autre candidat au djihad est, lui, largué par un chauffeur au bras paralysé en plein désert. « C'est ici », dit le conducteur handicapé. Le passager scrute l'horizon, n'y voit rien avant de finir par découvrir, dans les montagnes environnantes, des cavernes, des tentes recouvertes de boue. La nouvelle recrue est logée dans une cavité qui présente l'avantage d'être invisible depuis le ciel, mais a l'inconvénient d'être sans eau ni électricité. De toute manière, l'eau est rationnée. Pas plus de deux tasses par jour. À l'extérieur, de grosses citernes métalliques camouflées. Un livreur apporte de temps en temps la nourriture. Le vendredi, tout le monde se lave en se baignant dans l'Euphrate. Certains dorment à la belle étoile dans une forêt. Une usine désaffectée fait office de salle de sport et un ancien camp de l'armée de Bachar al-Assad de pas de tir.

Les téléphones, les ordinateurs sont proscrits. Les montres aussi. Les jours fériés, les permissions sont prohibées. Seuls les encadrants peuvent échanger au moyen de talkies-walkies et se déplacer à moto. Comme leurs élèves, ils viennent des quatre coins du monde. On dénombre des professeurs bosniaques, tunisiens, un ancien karatéka marocain, d'anciens militaires égyptiens ou bien ouzbeks. Ceux-là habitent une maison qui leur est dédiée, camouflée de vase. De jour comme de nuit, les instructeurs ne se présentent jamais devant leurs hommes sans cagoule. « Ils ont peur des infiltrés, résumera un djihadiste strasbourgeois. Ils nous avaient dit qu'ils avaient arrêté des agents saoudiens. » Ceux qui ont avoué leurs crimes ont été fusillés, les autres, égorgés.

À la fin de la formation, l'émir explique aux stagiaires que dix taupes avaient été placées dans chaque maison, avec pour mission de les espionner.

« Voici vos frères qui vous aiment. Pour l'amour d'Allah, ils ont dû vous espionner, pour voir qui était qui », explique-t-on aux stagiaires.

Exactement le piège dans lequel était tombé Jejoen Bontinck.

Quel que soit le camp, le déroulement des journées se ressemble. L'émir réveille ses troupes au son de la kalachnikov. Les candidats au djihad font leurs ablutions. Après la prière de l'aube, ils s'adonnent au jogging dans la montagne ou dans la forêt, pratiquent des exercices de renforcement musculaire (pompes, abdominaux, gainage). Au bout de trois heures de ce régime, les aspirants guerriers s'alimentent d'un petit déjeuner roboratif

— deux œufs durs, un pain, de la confiture et du fromage — pour enchaîner sur l'enseignement religieux. L'après-midi est dédié à l'apprentissage de la guerre proprement dite. Avec des cours de théorie militaire (les manœuvres tactiques) et d'autres sur des aspects techniques (maniement, montage et démontage d'armes). Les travaux pratiques sont pour la fin d'après-midi. La première semaine, on démonte, nettoie, selon un Français, « une kalachnikov, un M 16 [un fusil d'assaut américain], un pistolet Glock, un pistolet Browning, un PKC [une mitrailleuse russe], un RPG [un lance-roquettes et l'arme antichar de prédilection des combattants de l'EI, qui en a capturé des quantités], un 14,5 [une autre mitrailleuse] et un 23 [le ZU-23 est un canon antiaérien de fabrication soviétique] ». Pour certaines armes lourdes, les instructeurs apprennent comment entretenir la pédale du canon, le câble de la détente.

La nuit, quelques stagiaires sont envoyés faire le *ribat*, le tour de garde, sur les contreforts rocheux des environs, armés de fusils d'assaut. Mais sans munitions.

— À quoi ça sert si nous sommes avec un chargeur vide et que les ennemis viennent nous tuer ? s'étonnent certains d'entre eux.

— Et alors ? s'esclaffe l'émir. S'ils vous tuent, ce n'est pas une mauvaise chose, cela voudra dire que vous êtes *shahid* !

Le statut de martyr est censé accorder l'entrée au paradis.

La deuxième semaine, les apprentis djihadistes peuvent enfin utiliser les armes. À profusion. L'un d'eux estime avoir fait feu à cinq cents reprises : « Nous avons appris à tirer à la kalachnikov à deux cents mètres. Dans différentes positions : 1) debout, 2) un genou au sol en position haute, 3) un genou au sol en position basse, 4) assis sur les fesses, jambes croisées devant, 5) debout à une main avec chute au sol, 6) couché sur le ventre avec bascule sur le dos. »

Ça, c'est le grand récit commun, mis en scène par l'équipe média de l'État islamique, qui vient parfois filmer l'entraînement. Le jour du tournage, les stagiaires revêtent tous le même uniforme, enfilent la cagoule. À cette occasion, des tireurs d'élite sont disposés sur des promontoires. L'image est saisissante. Au bout du mois, les djihadistes sont munis d'un AK-47 et envoyés sur le terrain. Aptes au service.

Pour les meilleurs éléments, l'apprentissage se poursuit. Hors champ.

*

« Maintenant la récréation, c'est fini ! Cela va VRAIMENT commencer ! »

Vraiment, c'est tenir dix minutes sa kalachnikov bien droite, une pièce posée sur l'extrémité du canon. Si, par malheur, la pièce tombe, le fautif doit descendre une colline en roulé-boulé. C'est courir en plein cagnard sous le regard des entraîneurs en train de se désaltérer à l'ombre. C'est entendre les tirs à balles réelles siffler à quelques centimètres de sa tête, alors qu'on rampe sur le parcours du combattant. Ou encore les grenades jetées en pleine nuit dans les dortoirs. Un ancien stagiaire : « On n'arrivait même plus à dormir, on ne savait plus si c'était le jour ou la nuit. Un garçon s'est écroulé, un autre n'arrivait même plus à sortir de la chambre. On l'a quand même puni en l'attachant à un poteau et en le fouettant sous nos yeux. »

Des adolescents jettent l'éponge, ils doivent se présenter devant l'ensemble du camp et dire à tour de rôle : « Je suis un lâche, un bon à rien. Vous êtes les véritables, nous sommes des perdants, nous sommes trop faibles. » Ils finissent dans des cellules, de simples containers, recouverts eux aussi de vase. Pour ceux qui poursuivent la formation, le message est clair : « Si vous abandonnez, vous prendrez le même chemin. »

Le matin du dernier jour, l'émir du camp réunit ses stagiaires. Ceux qui ont rempli les papiers pour commettre un attentat suicide sont emmenés en bus. Ils seront cloîtrés dans une *madafa*[1]. Il s'agit de se purifier l'âme. « Vous devenez encore plus radicalisé, vous devenez leur instrument, confirmera le stagiaire précité. Vous lisez, lisez et lisez. Vous mémorisez toujours les mêmes versets [du Coran]. J'en ai vu, ils sont dans un autre monde. Dans leur tête, ils sont déjà au paradis. » Ceux qui n'ont pas le permis bénéficieront en plus de cours dans des écoles de conduite spécialisées dans les attentats suicides…

Au camp d'entraînement, les futurs kamikazes ayant débarrassé le plancher, l'autre sélection commence. Un homme descend de voiture, se concerte avec les formateurs et fait son marché : « Tu ne peux pas, toi non plus, ni toi… » Les recalés sont mis à la disposition des katibat ou reprennent à zéro leur formation.

Et puis il y a les heureux élus. À quelques mois d'intervalle, un coursier français de la Fnac et un facteur allemand qui travaillait à la poste de Londres sont sélectionnés pour passer à l'étape supérieure, celle qui vous destine aux *quwat khas,* les forces spéciales de l'État islamique.

Le facteur allemand est transféré sur une île à l'embouchure de l'Euphrate à proximité du barrage de Tabqa. Il y découvre un camp composé de vingt-huit casernements souterrains. Même les complexes d'entraînement sont construits à l'intérieur de la montagne. Pour éviter les bombardements. Et l'entrée du camp est strictement confidentielle. Appartenir à la Dawla ne suffit pas, seul le tampon des forces spéciales fait foi.

L'État islamique a encore calqué l'exemple du grand frère

1. Maison d'hôte.

honni Al-Qaïda. Oussama Ben Laden avait installé un complexe d'entraînement à côté du barrage hydroélectrique de Darounta, en Afghanistan. La proximité dudit barrage interdisait tout bombardement, des galeries creusées dans la roche servaient d'entrepôts. Son isolement et ses défenses naturelles compliquaient son observation. Tant et si bien que quelques mois avant le 11 Septembre la DGSE était obligée d'avouer son impuissance : les conditions de sécurité au sein du complexe de Darounta et « les mesures drastiques entourant la sélection des stagiaires » réduisaient à néant les velléités d'identification « des terroristes potentiels issus de ces structures ».

À l'intérieur du camp de Tabqa, changement d'ambiance. L'instructeur retire pour la première fois sa cagoule, et s'assoit au milieu de ses ouailles. « Bienvenue, vous êtes les meilleurs parmi les meilleurs. Ici, vous verrez, il y a plus de libertés. Vous aurez plus à manger et à boire. Ici, vous serez bien. »

La situation matérielle des stagiaires s'améliore. Ils perçoivent un salaire de cent dollars et ont droit à de solides repas. « Il y avait des protéines, des œufs et parfois du poisson », dira le facteur allemand. Des bonbons sont distribués tous les jeudis. Une consigne reste stricte : les stagiaires n'ont pas le droit de se marier tant que dure la formation.

Un professeur explique la stratégie à la craie sur une ardoise, enseigne comment se positionner à une distance suffisante les uns des autres pour ne pas tous mourir d'un coup en cas de tir adverse à l'arme lourde. On apprend aussi la manière de réagir en cas de bombardement aérien. Nicolas Moreau, qui avouera avoir effectué une formation commando, expliquera : « Je sais me servir du TNT[1] [...], j'ai appris à tirer avec le fusil des snipers. J'ai appris

1. Un explosif.

à me servir d'une *douchka*[1], d'un mortier, d'un RPG. J'ai appris le déplacement des commandos américains, leurs tactiques. C'était dur, mais c'était intéressant. » Les soldats du futur califat disposent « d'un solide savoir-faire dans le domaine de la guérilla », valide la DGSI dans une note consacrée aux « Entraînements dispensés au sein des groupes djihadistes en Syrie ».

Pourtant, l'essentiel est peut-être ailleurs. La formation se joue aussi et surtout dans la transmission du savoir qui se théâtralise. « La plupart des combattants qui vous entourent sont eux-mêmes membres d'autres *quwat khas*. Ils ont survécu au combat pour vous le raconter », annonce-t-on aux nouveaux arrivants sur l'île. Le coursier de la Fnac a pour instructeur un ancien commando ayant combattu durant la guerre en Bosnie. Le facteur allemand suit les cours du « Berbère », un ancien des services secrets tunisiens.

Parfois, les entraîneurs s'interrompent pour tomber dans les bras de prestigieux invités. Des vétérans d'Al-Qaïda. Comme ce Saoudien qui a côtoyé Oussama Ben Laden. Tous les stagiaires sont alors rassemblés sous une tente. Le Saoudien diffuse sur un écran géant des photos de lui en Afghanistan, montre son parcours, les endroits où il a combattu. « Regardez ! Vous aussi, vous devez être au rendez-vous », assène-t-il avant de répéter sa leçon : « Vous n'avez pas à contredire ou à critiquer. Vous écoutez et vous obéissez à tout ce que les émirs, enfin ceux qui sont au-dessus de vous dans la hiérarchie, disent. Tout échec a pour origine nos péchés. Les victoires ne tiennent qu'à l'obéissance à notre émir. Vous devez écouter et obéir pour être victorieux. » Un autre exhibe ses cicatrices : « Regardez-moi, j'y suis arrivé ! J'étais en Afghanistan ! J'étais en Tchétchénie ! »

Un ancien prisonnier d'Abou Ghraib, « là où tout a commencé »,

---

1. La DShK est une mitrailleuse antiaérienne russe surnommée, du fait de son abréviation, « *Douchka* », signifiant « chérie ».

prodigue ses conseils. Et, bien sûr, viennent aussi les Amniyyin.
« Ils sont très forts, témoigne le facteur allemand. J'ai rencontré
les hommes des services secrets, observé leur attitude corporelle.
Ces gens sont à un niveau très différent. Ils ont tout. Ils mettent
les portables sur écoute, ceux des milices chiites, ceux des chefs
de l'armée irakienne. Ce sont de vrais professionnels. »

Une fois sorti du camp, le facteur se retrouve à dîner avec l'émir
de la branche irakienne de l'Amniyat. Encore une leçon. « On
sentait, on voyait que c'était un homme d'un autre calibre. On le
voyait à son attitude, à son comportement. Il n'avait ni barbe ni
rien. » L'émir lui raconte qu'il habite chez l'ennemi, à Bagdad,
depuis plusieurs années. « Il rentre et il sort, personne n'a jamais
rien remarqué. » Pour ne pas se trahir, le maître espion sunnite
a appris les rudiments de la religion chiite. Selon l'Allemand,
l'Amniyat n'est pas composée uniquement d'ex-membres des
moukhabarat irakiens et syriens, mais aussi d'anciens des services
secrets libyens, nigériens, pakistanais, tchétchènes ou yéménites.
Et, bien sûr, de simples djihadistes ayant réussi les tests.

*

Le stage s'achève par une randonnée de cent cinquante kilomètres
dans le désert. Il existerait en tout dix modules — l'Allemand
et le Français jurent s'être arrêtés au deuxième. À l'issue de la
formation complète reste encore un ultime examen. Les aspirants
sont conduits, yeux bandés et oreilles bouchées, dans un bâtiment
secret. Ils sont fouillés et y entrent un par un pour se retrouver,
toujours aveuglés, en face d'Abou Mohamed al-Adnani.

Né en 1977 dans la province d'Idlib, dans le nord-ouest de
la Syrie, le cheikh Al-Adnani a d'abord fait ses armes sous la
bannière d'Al-Qaïda en Mésopotamie. Selon le département d'État
américain, le Syrien est l'un des premiers combattants étrangers

à s'opposer aux forces de la coalition en Irak. Capturé en 2005, il est détenu durant cinq ans dans le camp Bucca, une prison dans laquelle il rencontre le futur calife de l'État islamique, Abou Bakr al-Baghdadi. Une biographie réalisée à des fins de propagande et publiée en novembre 2014 sur Internet le décrit comme un fin connaisseur du Coran et du droit islamique, un enseignant permettant « l'éducation et l'enseignement des moudjahidines ». Officiellement, ce prédicateur respecté est le porte-parole de la Dawla. Les rares photos de propagande le mettent en scène pommettes hautes, mâchoire carrée, le regard portant au loin, recouvert d'une ceinture explosive et armes à la main, au milieu de ses moudjahidines encagoulés. Alors que des hommes comme Baghdadi et Haji Bakr se font discrets, Al-Adnani devient la vitrine de l'organisation terroriste. Au fil du temps, il s'impose comme le bras droit de Baghdadi et, à ce titre, a un droit de regard sur les forces spéciales et les services secrets.

Alors, quand l'élite des stagiaires des camps d'entraînement défile devant cet homme, c'est pour lui jurer fidélité et, à travers sa personne, pour jurer fidélité à « l'émir des croyants » Al-Baghdadi. Plus tard, ceux qui survivront aux combats les plus durs auront l'insigne honneur de devenir gardes du corps des deux dignitaires de l'organisation terroriste.

À leur arrivée, l'instructeur avait expliqué qu'à l'issue de la formation les stagiaires auraient la possibilité de travailler pour les services secrets. Le facteur allemand choisit de rester dans les forces spéciales, le coursier français intègre la police islamique, une branche rattachée à l'Amniyat.

Au moins deux kamikazes du 13 Novembre, ainsi que l'auteur de l'attentat qui fera trente-neuf morts sur la plage de Sousse, en Tunisie, ont suivi l'entraînement sur l'île à proximité de Tabqa.

IX

Un taf particulier

Certains n'ont pas besoin de passer par les camps d'entraînement pour intégrer les forces spéciales. Le 5 juillet 2013, Abdelmalek Tanem, le sniper du Val-de-Marne, passe un coup de fil à un djihadiste rentré en France. Il lui raconte qu'avec Mehdi Nemmouche ils ont été sélectionnés pour faire partie « des trois Français choisis parmi les dix », une troupe d'élite destinée à commettre des coups tordus. Abou Obeida, le maître espion de l'hôpital ophtalmologique d'Alep, vient de leur annoncer la nouvelle.

— C'est pour faire quoi ? l'interroge son interlocuteur.

— Assassinat, attraper des gens, tout ça…, détaille Abdelmalek Tanem. Ils ont pris dix voyageurs, ils les ont choisis, tu vois, genre jeune, sportif, tout ça.

— Ce n'est pas pareil que le front ? Genre : c'est plus des opérations spéciales ? C'est ça, non ?

— Oui.

Nemmouche, Tanem. Qui est le troisième Français sélectionné « parmi les dix » ? Celui choisi s'est désisté. Il est déjà rentré dans l'Hexagone. Un converti de vingt-trois ans — d'origine guadeloupéenne et témoignant, selon un expert-psychiatre, d'un « niveau intellectuel supérieur à la moyenne » — a le profil du remplaçant. Il s'appelle Tyler Vilus.

Le 9 juillet, quatre jours après l'appel de Tanem, Vilus envoie un message sur Skype à sa mère pour lui annoncer qu'il va « disparaître des combats et tout pendant au moins trois semaines ». Sans en dire plus. Une autre fois, Vilus explique : « On bosse avec un peu tout le monde. On a un taf particulier, nous : quand on a besoin de nous, on nous appelle. » Soit une définition de poste qui pourrait correspondre à celle du Jaysh al-Khilafa[1], une force spéciale de l'EI — et la seule à ne pas être directement rattachée à un secteur géographique, selon l'agrégé d'histoire qui, sous le pseudo d'« Historicoblog », analyse sur les réseaux sociaux les vidéos militaires de l'EI.

« Le regard mort » — selon l'expression de son demi-frère — sous un crâne rasé, Tyler est une montagne de muscles. Un adepte de la capœira, du free-fight et des armes à feu. Il impressionne tous ceux qui croisent sa route. Il est loin le temps où l'ado fumait des joints dans sa chambre à Troyes et envisageait de passer son BAFA pour pouvoir s'occuper de colos. C'est en Syrie que ce fils d'évangéliste antillais a trouvé sa voie. « Il est heureux dans ce qu'il fait, témoignera son demi-frère. Il a trouvé un bon moyen d'évacuer sa colère, sa rage. » Au Shâm, l'ancien postulant à la Légion étrangère se distingue par la haine qu'il affiche sur les réseaux sociaux et le plaisir qu'il prend sur le champ de bataille. « C'est le combat qui le motive », dira sa mère, avec laquelle il entretient une relation fusionnelle. Au point que celle-ci s'est convertie à son tour et l'a rejoint en Syrie, où elle porte une cein-

1. Un djihadiste belge désignera Tyler Vilus comme membre du bataillon Saqr Wahid, une unité d'élite subordonnée au Jaysh al-Wilayah. L'historien « Historicoblog », les experts du Centre d'analyse du terrorisme et du Geneva Centre for Security Policy ont été sollicités dans le cadre de cette enquête. Aucun n'a connaissance d'une unité de combattants de l'EI appelée Jaysh al-Wilayah. L'hypothèse la plus vraisemblable réside dans une erreur de retranscription, le djihadiste belge parlant du Jaysh al-Khilafa.

ture explosive, « pour sa propre sécurité », pour éviter de tomber dans les mains d'ennemis de l'État islamique.

La fin de l'été s'annonce. Mehdi Nemmouche et Tyler Vilus en ont fini de leurs missions confidentielles. De retour à l'hôpital ophtalmologique d'Alep, Nemmouche fanfaronne devant un journaliste otage. Il se définit comme « un criminel devenu nettoyeur ethnique islamique ». « Il nous a assuré qu'il menait des opérations dans les villages chiites de Syrie, raconte l'ex-otage, qu'il violait les femmes devant les hommes, qu'ensuite il fumait les hommes et qu'il revenait avec des camions vider les maisons, qu'il mangeait la bouffe qu'il y avait dans les frigidaires... »

Quant à Tyler Vilus, il annonce à sa mère qu'il est désormais « un flic ». Une promotion rare selon la DGSI, qui souligne que Vilus « a obtenu cette position eu égard à l'expérience qu'il avait accumulée, l'appartenance à la police secrète de l'EI étant pour les étrangers, notamment occidentaux, réservée aux individus bénéficiant d'une confiance totale de la part des cadres de l'organisation djihadiste ».

Tyler Vilus prend ce nouveau job très à cœur. Il va bientôt faire ses preuves quand il s'agira d'empêcher que des Français désertent l'État islamique pour rejoindre la concurrence.

X

Fitna, Fitna !

Cela devait être une photo pour l'Histoire. La preuve par l'image d'un Yalta du djihad francophone.

La lumière du soleil éclaire le salon à l'orientale à travers les persiennes. Les tapis se superposent. La plupart des invités portent des treillis militaires. On devine un blessé couché dans le coin droit de l'image, sa jambe dépasse d'une couverture. Les AK-47 reposent le long des murs ou à même le sol. Nous sommes bien au sein d'un conciliabule de guerriers. On affiche de grands sourires. On discute avec son voisin de droite ou de gauche. Parfois avec les deux. Tout va bien. En apparence.

Hilare, Mourad Farès pianote sur son téléphone portable. Ce Savoyard arrivé en Syrie il y a à peine un an est devenu l'un des principaux recruteurs français. Il passe son temps sur les réseaux sociaux et accorde une interview au magazine *VICE*. Dans la djihadosphère francophone, il est ce qui se rapproche le plus de la définition de célébrité.

Nous sommes le 7 décembre 2013 et c'est lui qui est à l'origine de cette réunion. Avec quelques amis, il s'est déplacé à Hraytan, une commune en périphérie d'Alep, pour exposer son projet. Son public ? Une dizaine de Français et des Belges. Dont deux personnages parmi les plus influents dans la communauté francophone en Syrie, ou du moins les plus actifs sur les réseaux sociaux : Abou Shaheed, l'un des émirs français de la katibat al-Muhajireen, la brigade des émigrés, « un gros bonnet de l'État islamique ». Et Tyler Vilus, qui exerce sur tous son charme et son influence. Quelques mois plus tôt, il a suffi à Vilus d'un seul coup de fil pour convaincre Mourad Farès de rallier l'État islamique plutôt que le Jabhat al-Nosra, comme c'était sa première intention. À l'arrivée de Farès en Syrie, Vilus lui a donné rendez-vous à l'hôpital ophtalmologique d'Alep. Le Savoyard le rencontre alors pour la première fois au sous-sol, là où sont emprisonnés les otages occidentaux.

À Hraytan, un combattant immortalise la scène. Il postera la photo de groupe deux jours plus tard, sur Facebook. Ce qui énervera certains participants à la réunion, qui ne s'affichent jamais de la sorte « puisqu'ils comptaient, pour certains en tout cas, rentrer pour commettre des attentats », racontera le photographe.

Puis viennent les choses sérieuses. Mourad Farès détaille son idée. Il veut que tous les francophones dispersés dans les diverses brigades de l'État islamique se réunissent pour former la première « katibat des Français ». En dehors du giron de l'État islamique. Depuis quelques jours, Farès fait le tour des popotes, rencontre une cinquantaine de djihadistes pour les convaincre de quitter l'EI, trop radical à son goût, et leur vendre son rêve.

L'époque est à la *fitna,* la discorde. Ayman al-Zawahiri, le successeur d'Oussama Ben Laden à la tête d'Al-Qaïda, a envoyé à la chaîne qatarie Al-Jazeera une lettre manuscrite annonçant la dissolution de l'État islamique et demandant à ses partisans de se retirer de Syrie au profit du Jabhat al-Nosra, reconnu ainsi comme l'authentique filiale de la maison mère du djihad.

Abou Bakr al-Baghdadi, le cheikh de l'État islamique, est passé outre et a brûlé les ponts. Il a publié un enregistrement audio dans lequel il a annoncé son maintien « au pays du Shâm », a dénoncé les erreurs d'appréciation d'Ayman al-Zawahiri. Et, pour que les choses soient claires, il s'est proclamé « commandeur des croyants ».

Ces bisbilles à la tête d'organisations terroristes censées ne former qu'une seule entité troublent ceux qui avaient répondu à l'appel du djihad contre le tyran Bachar al-Assad. « Il y a eu une période de flottement qui a duré environ deux semaines, liée au temps d'examen de la légalité de la lettre de l'émir d'Al-Qaïda, reconnaîtra plus tard Tyler Vilus. À la suite de cela, il y a eu une période de grand bazar, tous les petits groupes au sein de l'État islamique ont été en quelque sorte désorganisés. »

Mourad Farès veut rattacher sa katibat des Français au Jabhat pour suivre les recommandations du successeur de Ben Laden. Abou Shaheed, Tyler Vilus et leurs hommes (au rang desquels figurent Mehdi Nemmouche et Abdelhamid Abaaoud, tous les deux absents ce jour-là) acquiescent. Ils vont réfléchir, mais cela semble bien engagé. On se salue, on se quitte bons amis.

Une semaine plus tard, Mourad Farès doit réceptionner dix Strasbourgeois qui ont prétexté des vacances à Dubaï auprès de leurs familles. Des jeunes, justement, à propos desquels le Renseignement territorial du Bas-Rhin observe qu'ils « menaient auparavant pour la plupart une vie normale, avec des loisirs faits de pratique sportive, sorties en discothèque, et même consommation d'alcool et de tabac ». L'exemple « le plus frappant » : celui du cadet de la bande, un certain Foued Mohamed-Aggad, « qui ne pratiquait que peu la religion » et, un mois avant de partir, serait « devenu agressif dans ses attitudes », s'enfermant dans sa chambre « pour naviguer sur Internet et écouter des récitations coraniques ».

Ces Strasbourgeois, Farès veut les prendre en main dès leur arrivée à Alep, afin d'éviter qu'ils ne prêtent allégeance à l'État islamique. Mais il se fait doubler par le passeur, qui lui avait pourtant été recommandé par Tyler Vilus. Lorsque Farès se présente pour rencontrer ses recrues, on lui fait des difficultés. Et quand il parvient enfin à les voir, il est trop tard. Les Alsaciens se sont engagés auprès de la Dawla.

Plus rien ne retient alors Mourad Farès au sein de l'État islamique. Il se rend à Kafr Hamra, dans un entrepôt qui fait office de centre administratif de l'organisation terroriste, pour annoncer qu'il va rompre son serment d'allégeance. On lui répond de repasser le lendemain.

Lorsqu'il se présente, méfiant, avec une heure d'avance au rendez-vous au siège administratif de l'EI, il aperçoit un pick-up dans lequel se trouvent quatre Français et Belges, ceux-là mêmes à qui il a proposé la semaine dernière, lors de la réunion secrète, de quitter l'EI.

— Qu'est-ce que vous faites là ? leur demande-t-il.

— On rend visite à une connaissance…

Ils font la conversation, l'air de rien. Mourad Farès aime de moins en moins ce qui se passe. Il ne le sait pas encore, mais la rencontre, en effet, n'est pas fortuite. Les Francophones sont venus raconter les propos que Farès leur a tenus pour les convaincre de quitter l'EI.

Le Savoyard ne peut plus reculer. On l'appelle. Il pénètre seul dans l'entrepôt.

*

Abou al-Athir, le gouverneur d'Alep, accueille Mourad Farès à l'intérieur. Déboulent des hommes encagoulés et armés. Il ne s'agit pas du tout d'une entrevue pour régler un problème administratif. Mais d'un procès. Avec pour juge, selon Farès, l'« émir des services secrets ». Non pas Abou Obeida, mais un homme

94

encore plus haut placé au sein de l'Amniyat, peut-être le chef suprême, en tout cas « l'un des dix plus hauts personnages de l'EI ». Ledit émir est accompagné de Français membres de son service, parmi lesquels Salim Benghalem.

— Tu as un gros problème avec l'*aqida*[1], l'admoneste l'émir. Cela fait un moment qu'on est sur toi, qu'on te surveille, qu'on surveille tes propos, tes comportements. On se demande si tu ne travailles pas pour les services français. Comment dois-je comprendre qu'après avoir observé le fonctionnement de la Dawla tu cherches désormais à en partir ?

Mourad Farès bafouille une explication. Il n'est pas entendu.

— Tu es un semeur de troubles ! Tu pousses les autres à vouloir partir !

L'émir de l'Amniyat énumère les différentes visites rendues par Farès et les siens aux autres groupes de francophones. Farès comprend enfin. Lorsque Abou Shaheed et Tyler Vilus ont donné leur accord, à la fin de la réunion qu'il avait organisée pour créer une katibat de Français, il s'agissait en fait d'une ruse. Les deux hommes se sont empressés de transmettre l'information à l'Amniyat, qui a instruit un dossier contre lui.

Dans l'entrepôt, Mourad Farès marchande. C'est sa vie qu'il joue.

— Il y a beaucoup de problèmes au sein de la Dawla, c'est pour ça que nous souhaitons rejoindre le Jabhat. Mais nous pourrons revenir quand les choses se seront arrangées…

— L'émir du Jabhat al-Nosra est l'antéchrist ! le coupe son interrogateur.

Au bout de deux heures, le chef de l'Amniyat lui annonce que son allégeance est officiellement rompue. Il peut repartir. Libre.

1. L'idéologie.

— Mais, à partir de maintenant, il t'est interdit d'approcher la moindre base de la Dawla. Sous peine d'emprisonnement. C'est valable aussi pour tes amis.

Mourad Farès repart, la vie sauve.

Parce que l'organisation terroriste se veut la seule à être dans le droit chemin, se vit comme telle, elle veille à montrer ce qui lui semble équitable et juste. Parfois, même ceux qui sont suspectés d'espionnage peuvent s'en sortir.

De son côté, Tyler Vilus ne décolère pas. Comment Mourad Farès a-t-il pu s'en sortir à si bon compte ? Sur les réseaux sociaux, il s'en prend, sans le nommer, au Savoyard qui parle beaucoup mais combat peu : « Ça critique Dawla sous prétexte que ça fait des vidéos ou que ça distribue deux croissants en Syrie, mais taisez-vous ! On n'a pas besoin de l'avis de tafioles [*sic*] qui viennent au Shâm sans combattre ! »

Après le départ de Farès, Tyler Vilus va prendre sous sa coupe le plus jeune de la bande de Strasbourgeois qu'il a subtilisée au Savoyard : Foued Mohamed-Aggad, mentionné dans le rapport du Renseignement territorial du Bas-Rhin.

Deux ans plus tard, ce jeune radicalisé achèvera sa carrière de djihadiste au Bataclan.

XI

La retraite de Syrie

L'hôpital ophtalmologique d'Alep n'est plus. À l'entrée, la barrière a disparu, des gravats remplacent les *check-points*. Dans les étages, pas une fenêtre n'a survécu au souffle des bombardements répétés. La couche de peinture a été écorchée, les façades sont éventrées. Le squelette du bâtiment se devine plus qu'il ne se dessine. Le sous-sol subsiste, enveloppé d'un voile de plâtre blanc. Un verre d'eau y attend encore son propriétaire sur un bureau, un tampon repose sur les fiches d'inscription éparses, celles des nouveaux djihadistes. Dans un vestiaire, un drapeau de la Dawla trône entre une commode et des étagères où des treillis remplacent les blouses des médecins. Les derniers occupants des lieux ont oublié une palanquée de gilets pare-balles et quelques masques à gaz. Derrière leurs portes grillagées et rouillées, les cellules sont désormais silencieuses et vides. Accrochés à un mur, seuls une matraque et un fouet témoignent du calvaire vécu ici.

Au bout de six jours de combat, l'État islamique a été chassé de son QG d'Alep par une coalition de groupes rebelles. L'organisation terroriste a perdu quatre-vingt-dix-neuf hommes dans l'assaut qui s'est déroulé dans la ville et ses environs. Quand les rebelles descendent, ce 8 janvier 2014, au sous-sol de l'hôpital ophtalmologique, ils ne trouvent nulle trace des otages occidentaux. Plusieurs semaines auparavant, ces derniers ont été déménagés dans une prison jugée plus sûre. Ils ont même été brinquebalés d'un lieu de détention à un autre, en fonction des avancées de l'armée de Bachar al-Assad ou des rebelles.

L'EI est entré en guerre contre tout le monde. Trop de monde. Il a présumé de ses forces. Et dépassé les bornes lorsque le chef d'un mouvement djihadiste concurrent, médecin de profession, s'est proposé pour soigner les belligérants et que la Dawla rend son cadavre manifestement torturé. Les brigades rebelles, djihadistes ou non, ont décidé alors de faire front commun contre cet allié qui ne respecte rien. Elles ont lancé une grande offensive. Et ont frappé en même temps dans plusieurs régions de Syrie à la fois.

Le lendemain de la prise de l'hôpital ophtalmologique, un djihadiste téléphone à sa femme : « Tu as vu ce qui se passe un peu ici ? On est en alerte rouge. L'armée de Bachar et l'Armée libre se sont unies pour combattre la Dawla. »

Un matin, Tyler Vilus découvre en sortant de chez lui les cadavres de frères qui jonchent la rue. Des balles sifflent à ses oreilles. On lui tire dessus. Il arme son AK-47 et réplique. « On s'est fait littéralement attaquer chez nous », racontera-t-il.

*

Dans la zone industrielle de Cheikh Najar, les otages occidentaux entendent au loin les échos de la guerre. C'est leur troisième lieu de détention depuis le départ d'Alep. Dans l'un d'eux, une fabrique de meubles, Salim Benghalem et Mehdi Nemmouche avaient demandé à des ouvriers locaux de monter des cloisons avant de construire et de poser eux-mêmes des portes blindées. Ils avaient même poussé le raffinement jusqu'à aménager un sas d'accès sécurisé. À Cheikh Najar, les djihadistes n'ont plus le temps de finasser, ils enferment leurs otages dans un magasin d'électroménager, au-dessus d'un entrepôt. Des avions de Bachar al-Assad survolent la zone. La bombardent. Une nuit, les carreaux de la cellule de fortune se brisent. Les otages obturent l'ouverture avec des sacs plastique pour se protéger du froid. La guerre se rapproche.

Le 19 janvier 2014, Salim Benghalem écrit sur Skype à son épouse : « On est en train de se faire tirer comme des lapins. Tu ne dois pas être triste si je meurs en martyr. » Dans l'après-midi, les gardiens de la prison de Cheikh Najar détruisent toute trace de leur passage, y compris un tableau des tours de garde avec les noms des uns et des autres. Dans la soirée, un ancien geôlier d'Alep, le Belge Najim Laachraoui, réapparaît. « Il a changé de look : au préalable, il ressemblait à un modeste garde, décrit le journaliste Nicolas Hénin. Et là, il porte une combinaison à poches, des ceintures d'explosifs, il est habillé comme un chef. Il nous explique qu'il va falloir nous menotter deux par deux. Huit d'entre nous sont mis dans un pick-up avec Laachraoui qui est passager avant. »

Dans les camps d'entraînement de la Dawla, les aspirants djihadistes sont poussés dehors : « Prenez vos affaires, on évacue ! » On leur laisse tout juste le temps d'emporter leur sac à dos. On les entasse dans des camions à benne. On referme les portes, le moteur tourne, on va démarrer. Un bruit dans le ciel. Il se fait de plus en plus fort. Un avion de chasse passe en rase-mottes et mitraille l'un des poids lourds. Les balles sifflent à un mètre au-dessus des têtes de ceux que l'on vient de faire asseoir.

Les camions remplis d'otages, de moudjahidines et de munitions se retrouvent dans un lieu où règne un terrible capharnaüm. Les ordres en arabe sont donnés à des Européens qui n'y comprennent rien. C'est l'heure du départ. La destination et l'itinéraire sont gardés secrets.

La caravane s'ébroue dans la précipitation et dans la nuit. Une grosse centaine de véhicules s'éloigne d'Alep.

C'est officiel. L'État islamique bat en retraite.

XII

Destination Riverside

La Toyota Hilux avance dans la nuit noire, phares éteints. Les otages entassés à l'arrière du pick-up, ouvert aux quatre vents, ne distinguent ni la route ni ce qui se dit dans la cabine entre Najim Laachraoui et son chauffeur. En revanche, ils perçoivent leur inquiétude.

Ils sont huit à être menottés à l'arrière, dont les Français Édouard Élias, Didier François, Nicolas Hénin, l'Anglais John Cantlie et l'Américain James Foley. La vingtaine d'autres otages européens a été jetée à l'intérieur d'un camion de déménagement bâché, entre des paquets de dattes, des piles de couvertures, des tonneaux de produits inflammables et des cartons remplis de détonateurs.

L'EI a chargé Najim Laachraoui d'amener à bon port ses précieux otages occidentaux. Mais il fait nuit noire. Et dans sa course cahotante sur des pistes secondaires, le pick-up finit par perdre le camion qui transporte le reste des otages.

Le Belge de vingt-deux ans n'entend pas décevoir la confiance que l'EI a placée en lui. Scientifique de formation, il n'était encore qu'un simple lieutenant six mois plus tôt. Mais celui qui a, selon Nicolas Hénin, « des traits fins qui font penser à une statue grecque » et « une culture religieuse solide » s'est finalement substitué à Abou Obeida, affecté ailleurs. Ceinture noire de karaté, Laachraoui a toujours été très pieux. « Un jour, on avait vu à la télévision que quelqu'un avait brûlé le Coran aux États-Unis ou au Danemark et Najim avait pleuré toute la journée », se souvient son père, qui tentera de le raisonner une fois Najim en Syrie. En vain. « Lorsque je lui demandais de revenir à la maison, il raccrochait… »

Mais sur la piste du convoi perdu, le jeune Laachraoui ne sait plus où il faut tourner dans la nuit. C'est là qu'intervient le chauffeur du pick-up. Devant les otages, celui qui porte des lunettes de vue — chaque jour un modèle différent — ne s'exprime qu'en arabe. Il a pour *kounya* Abou Ahmed al-Iraki, ce qui laisse entendre des origines locales. Mais il cache son jeu. Au moment où le chauffeur rassure Laachraoui dans l'habitacle, un des journalistes perçoit ses mots : « Ça va aller, mec, ça va aller. » Abou Ahmed vient de parler en français.

Comme souvent avec les membres de l'Amniyat, les apparences s'avèrent trompeuses. Abou Ahmed ne serait pas qu'un simple chauffeur. « Je pense qu'il avait un rôle plus important, estimera le journaliste Didier François. Lorsque Laachraoui était énervé car il semblait perdu, [lui] était plus calme et semblait prendre le contrôle de la situation. »

L'otage français ne croit pas si bien dire. Un an et demi plus tard, celui qui se fait appeler Abou Ahmed al-Iraki pilotera depuis la Syrie les attentats de Paris et de Bruxelles, au cours desquels Najim Laachraoui, l'artificier du commando, appliquera à la lettre les instructions de celui qui était son chauffeur.

*

Le pick-up se gare dans un champ, à côté d'un village. Après deux jours de route, tout le monde doit patienter, le temps que le camion des otages et les autres véhicules qui constituent le convoi arrivent. Des dizaines de 4x4 remplis d'hommes en armes les rejoignent. Des poids lourds, des berlines, des camionnettes aussi. Dans le lot, il y a même une ambulance jaune avec conduite à droite. Par curiosité, un moudjahid l'ouvre. Le nécessaire médical a été remplacé par sept pains d'explosifs reliés par des fils et fixés tous ensemble par du scotch. « On m'a expliqué que cela faisait boum et que les explosifs étaient destinés à être utilisés lors d'un attentat suicide… », dira-t-il. La caravane repart avec son millier de soldats, ses émirs de l'EI et son ambulance piégée.

Le jour, les camions s'arrêtent en plein désert, le plus loin possible de toute habitation. Ceux qui n'arrivent pas à dormir s'abîment dans la contemplation du paysage aride, fait de terre et de cailloux, et de quelques oliviers. Au loin, on aperçoit des puits de forage. La caravane redémarre au coucher du soleil et interrompt sa course à l'aube. Une prudence nécessaire : les territoires traversés sont contrôlés par divers groupes rebelles en guerre avec l'EI. Mais le convoi bénéficie de la complicité de certains membres de ces mêmes groupes, probablement des espions infiltrés de l'Amniyat, qui leur remettent des étendards de leur mouvement pour faciliter le passage de certains *check-points*.

Dans un des pick-up qui roulent à la queue leu leu, Foued Mohamed-Aggad et ses amis strasbourgeois tout juste arrivés en Syrie le mois d'avant. Ils font le voyage à l'arrière, leurs AK-47 pointés vers le ciel. L'un d'eux filme la scène à l'aide de son téléphone et demande aux passagers :

— Un p'tit mot pour les Français ?

— Les Français, j'ai rien à leur dire ! Restez où vous êtes ! répond l'un des Alsaciens.

— Faites des manifestations pour les jeunes qui partent en Syrie, propose un autre.

— C'est Allah qui recrute, s'amuse un troisième.

— *Allahû Akbar !* concluent-ils tous en chœur.

Au bout d'une odyssée qui les verra parcourir deux cent

cinquante kilomètres en six jours, le contingent de djihadistes voit poindre, au sortir d'une autoroute, Raqqa. Une ville de province dans l'est de la Syrie, assez quelconque, mais devenue la capitale de l'État islamique. Les drapeaux noirs sont de sortie. Les moudjahidines à l'arrière des pick-up se tiennent droits, gonflent le torse, comme s'ils revenaient d'une victoire. Les automobilistes raqqaouis les accueillent avec des coups de feu tirés en l'air. Un signe de bienvenue.

Les djihadistes sont hébergés dans des baraquements ceinturés d'un grillage à proximité d'une usine de poulets. Un ponte de la Dawla prononce un discours sur le parking face à cinq cents hommes. La plupart des Français ne comprennent pas un mot de son arabe dialectal. Ceux qui se sont battus ont droit à trois jours de perm dans le centre-ville, les autres restent dans leurs cantonnements. Pendant ces soixante-douze heures, l'EI gère les nouvelles affectations. L'organisation terroriste est en train de répartir ses forces. Des Français partent en Irak. La plupart sont envoyés toujours à l'est mais en Syrie, à Shaddadi.

*

Les otages, eux, ne s'arrêtent pas à Raqqa. Le 25 janvier 2014, on les dépose une dizaine de kilomètres plus loin devant une maison cossue, coincée entre une piscine et un cimetière sur les rives de l'Euphrate. D'où le surnom qu'ils donneront à leur nouvelle prison, « Riverside ».

Le lendemain matin, Najim Laachraoui reçoit un par un chaque otage pour inscrire sur un registre toutes les informations personnelles nécessaires, adresses, numéros de téléphone des membres de la famille. Il faut relancer le processus de négociation. Les détenus portent leurs tenues orange. Jusqu'à ce qu'une épidémie de poux ne contraigne leurs geôliers à leur donner d'autres vêtements.

Fin janvier, les otages ont droit à la visite d'un Levantin au visage rond portant une grosse montre et plus de bagues qu'il n'a de doigts : c'est le retour de Number One, le supérieur des Beatles, celui qui a planifié la campagne d'enlèvements. Abou Ahmed, le chauffeur, l'accompagne, faisant office de traducteur quand Number One entreprend de disserter sur la religion avec les Français.

Les Beatles ont suivi leur chef et sont là, eux aussi. Ceux qui ont kidnappé les journalistes anglo-saxons et l'Italien Federico Motka logent dans un bâtiment non loin de là. Jihadi John est chargé d'organiser les preuves de vie et les négociations auprès des familles des détenus. La décision a été prise par Abou Bakr al-Baghdadi lui-même, sans que l'on sache si les deux hommes se sont rencontrés.

Quand il a fait ses adieux à ceux qu'il gardait prisonniers dans les sous-sols de l'hôpital ophtalmologique d'Alep, Abou Obeida a confié aux otages que, concernant les négociations, « il y avait des hauts et des bas ». Là, tout semble s'accélérer. Peut-être parce que l'EI a un impérieux besoin de liquidités avant de partir à la reconquête des territoires perdus. Entre les mois de mars et juin 2014, quinze otages occidentaux, dont les quatre journalistes français et l'Italien Motka, seront ainsi libérés pour un montant moyen de plus de deux millions d'euros, selon les témoignages d'anciens prisonniers et de leurs proches récoltés par le *New York Times*. Mais les otages britanniques et américains restent aux mains des Beatles ; le moral en berne, ils regardent partir leurs compagnons d'infortune.

*

Dans sa retraite précipitée d'Alep, l'État islamique a perdu beaucoup plus que des régions. Haji Bakr, le stratège, créateur de la « Stasi du califat », n'a pas eu le temps de fuir avec les autres. Lorsque les rebelles de l'Armée syrienne libre attaquent Tall Rifaat, la ville se retrouve coupée en deux et sa maison se situe du mauvais côté. Un voisin le dénonce : « À côté de chez moi, il y a un cheikh de Daesh… » Haji Bakr apparaît en pyjama dans l'embrasure de la porte. Les rebelles lui donnent l'ordre de les suivre. Bakr répond qu'il va juste s'habiller et s'entend répliquer :

— Non ! Tu viens ! Tout de suite !

Haji Bakr se recule, pousse la porte du pied.

— J'ai une ceinture d'explosifs ! hurle-t-il. Je vais tout faire sauter !

Puis il sort, une kalachnikov à la main. Les rebelles le fusillent. Il s'effondre. Ne voulant pas l'enterrer avant de l'avoir identifié, les rebelles disposent le cadavre du père de l'Amniyat dans un congélateur.

Sur un compte Twitter, Najim Laachraoui se vantera quelques mois plus tard d'avoir passé cinq jours dans le même *maqar*[1] que Haji Bakr. Le message de Laachraoui est ambigu. A-t-il fréquenté de son vivant un des fondateurs de l'État islamique ? A-t-il eu l'honneur de dormir dans la demeure du défunt ? Ou bien tout cela n'est-il que le fruit d'une vision ? Un de ses amis islamistes s'interroge. « Ce n'était pas un rêve », lui rétorque Laachraoui sans en dire plus. On sait que Haji Bakr préconisait, à propos des candidats au djihad qu'il estimait les plus intelligents, de « les entraîner pendant un moment avant de les lâcher dans la nature ».

Tandis que les dignitaires de l'EI pleurent la mort de leur maître à penser, Ayman al-Zawahiri, le leader d'Al-Qaïda, adresse un message audio, publié sur YouTube, à tous les djihadistes au

1. Maison.

Levant. Les luttes fratricides entre musulmans lui « brisent le cœur ». Il les exhorte à « cesser immédiatement les combats » et à s'unir contre Bachar al-Assad. L'EI, lui, fait savoir qu'il va « anéantir » tous ceux qui l'ont combattu…

XIII

L'État islamique contre-attaque

Le 28 mars 2014, Tyler Vilus partage sur son compte Facebook un reportage de BFMTV utilisant une vidéo « volée dans le téléphone [d'un] frère ». « Ils ont trouvé un beau cadeau, ironise-t-il dans son commentaire. Si vous saviez tout ce qu'on fait, mdrrr. Ce n'est qu'une petite partie qu'on voit là… Venez nous rendre visite. » Vilus précise qu'au moment où la vidéo a été tournée il se trouvait « au bout de la route filmée ».

La scène remonte à un mois plus tôt. Un 4x4 bleu sans plaque d'immatriculation déboule dans le cadre, s'arrête au niveau de la caméra, probablement un téléphone. Debout à l'arrière du pick-up, quatre djihadistes armés. Leurs visages sont floutés, mais pas celui du chauffeur, emmitouflé dans un gilet en laine épaisse. Il adresse un large sourire à l'objectif. Sous son *pakol*[1], un nez prononcé et des lèvres charnues.

Abdelhamid Abaaoud ricane.

— Avant on tractait des jet-skis, des quads, des motocross, des grosses remorques remplies de bagages et de cadeaux pour aller en vacances, lance-t-il.

Avant de désigner de la tête l'arrière du véhicule :

— Tu peux filmer ma nouvelle remorque !

1. Béret afghan.

La caméra pivote et l'on découvre, relié au pick-up à l'aide d'un câble en acier, un enchevêtrement de sept ou huit cadavres. Le 4x4 reprend sa route et traîne les défunts à travers champs jusqu'à une fosse commune.

Le carnage de Hraytan, le 12 février 2014, a fait une centaine de morts. L'État islamique est de retour dans la région d'Alep. Sa réponse après la débandade de janvier se veut impitoyable. Une cinquantaine de Français et de Belges sont en première ligne. Parmi eux, Abaaoud s'en donne à cœur joie. Et, dans le sillage de ses mentors français Tyler Vilus et Abou Shaheed, il monte en grade.

Abaaoud doit son ascension au sein de l'État islamique à son zèle et sa prodigalité. En Belgique, son père est un ancien mineur devenu notable à la force du poignet ; sa mère désormais « très riche », devenue « snob », ne parle plus au reste de la famille, selon le témoignage d'un de ses membres. Abaaoud se retrouve propriétaire d'une maison et de plusieurs magasins, à en croire un ami d'enfance qui estime qu'il avait « la belle vie, en vérité ». C'est avec cet héritage familial que le petit bourgeois de Molenbeek va gravir les échelons de l'aristocratie djihadiste.

Radicalisé lors d'un séjour en prison, il vend son fonds de commerce et s'envole début 2013 pour le Shâm, où il sait se rendre indispensable au sein de la katibat al-Muhajireen, la brigade des émigrés. Sur ses propres deniers, il achète les armes qui manquaient tant au début du conflit.

Avec sa panoplie de moudjahid afghan, Abaaoud joue à la guerre. Il prend désormais la pose sur Facebook, un pistolet en main, avec un ami converti. Et légende son selfie : « Les touristes terroristes. » Une autre fois, on le voit prier dans un champ d'oliviers avec ses compagnons d'armes. Et entre deux posts sur les réseaux sociaux, il tue, il massacre.

*

En matière de djihad médiatique, Abdelhamid Abaaoud est à bonne école. Quelques semaines auparavant, Vilus, Laachraoui et d'autres brûlaient un drapeau de l'Armée syrienne libre dans une ville détruite par les combats. « Dawla fait du nettoyage d'apostats et de mécréants », commentera sur Facebook un djihadiste belge. Interrogé deux ans plus tard sur l'intérêt de filmer des actes de guerre, Tyler Vilus répondra : « On est dans une époque du 2.0. Mener une action sans retombées médiatiques, ça ne sert pas à grand-chose. »

La mort les attire, la mort les inspire. Alors que sa famille s'inquiète de ce qu'il participe à la reconquête de la région d'Alep, en ce mois de février, Rached Riahi, un djihadiste cannois, inséparable complice de Tyler Vilus et d'Abdelhamid Abaaoud, est dans son élément. Quelques mois plus tôt, il a confié à son épouse qu'il se retrouvait de nouveau sur un champ de bataille après une vilaine blessure : « Il y a des bombes, ça pète, ça explose, tranquille quoi », raconte-t-il, avant de soupirer d'aise : « Ça faisait longtemps que je n'avais pas entendu le bruit des explosions et ça m'a manqué… »

De son côté, Tyler Vilus décrit sur les réseaux sociaux le décès d'un moudjahid au front : « La sensation quand tu entres dans un hangar au milieu des combats, des bombardements, des feux, des odeurs de poudre et j'en passe… Et que tu sentes cette odeur de musc que seul un frère tombé peut dégager… *Mach'allah,* ce frère sentait bon. Qu'Allah accepte ses actes. »

Déployé au même moment en Irak, Nicolas Moreau racontera avoir participé à une mission d'*inghimasi*. Il fonce sur l'ennemi lesté de six kilos de C4[1]. « Ce jour-là, je n'aurais pas dû revenir

1. Un explosif.

111

vivant. En face, ils étaient dix fois plus nombreux. Ils ont vu qu'on était un groupe d'émigrés complètement déterminés, et cela les a fait fuir... »

Des descriptions qui renvoient à celle de la bataille de Mu'tah, au cours de laquelle les compagnons du Prophète tenaient tête à l'armée romaine en surnombre. Dans un DVD de propagande, le narrateur de cet épisode épique glorifie le cri de ralliement des hommes envoyés par Mahomet — « La victoire ou le martyre » — et conclut par cette morale : « La minorité croyante a fini par vaincre la majorité mécréante. »

Ces récits sacralisés en Syrie rencontrent un écho en France. Au lendemain du massacre de Hraytan, Salah-Eddine Gourmat, un livreur de pizzas de Malakoff, s'envole vers la Syrie pour rejoindre Tyler Vilus et Abdelhamid Abaaoud. Sur les réseaux sociaux, il échangeait avec Abou Shaheed sous le pseudo « Ichigo Turn II ». Ses amis d'enfance, qui se sont eux aussi radicalisés, lui ont attribué un autre surnom : « GTA », en référence à « un jeu vidéo où le personnage principal ne se préoccupe de rien, prend tout ce qu'il veut par la force et sans se soucier des dommages ».

Ce personnage tue tout ce qui bouge, GTA Gourmat rêve d'en faire de même. Persuadé que commettre un attentat suicide est « la solution », il se justifie en évoquant ce compagnon du Prophète qui aurait enlevé son armure avant de se jeter, le glaive à la main, dans une foule d'ennemis, ou cet autre encore, qui avait pris place dans une catapulte.

*

La réalité syrienne se révèle moins glorieuse que les rêves épiques de jeunes gens au sortir de l'adolescence. La guerre n'a rien de romantique. De retour d'un combat, un djihadiste s'époumone auprès d'un proche : « Je suis dégoûté, j'ai tout perdu : mes clés de voiture et de maison ! Elles étaient accrochées à la ceinture d'explosifs, elles sont tombées… » Un autre combattant pleure un frère d'armes abattu après s'être « trompé de route » : « Il a pris tout droit, il devait tourner à droite en face. Les chiens, ils ont tiré quand il était près. Il en a pris une dans la tête et au ventre. »

Abou Shaheed a beau s'enthousiasmer de ses exploits guerriers sur les réseaux sociaux, les membres de son groupe ne sont pas convaincus de ses talents de meneur d'hommes. Une fois à Raqqa, Abaaoud et consorts le lâchent et sont affectés à une équipe de Libyens, la katibat al-Battar (en référence à l'épée du prophète). Abou Shaheed, émir déchu, finit par rejoindre lui aussi, simple soldat, cette katibat.

De nouveau réunis, sous l'étendard d'al-Battar, les franco-phones qui obéissaient aux ordres du Varois sont envoyés à la fin du printemps 2014 à Deir ez-Zor, où l'État islamique et l'armée de Bachar al-Assad se disputent un aéroport militaire. En soi, Deir ez-Zor n'est qu'une triste ville de béton isolée derrière un bout de désert. Mais, au-delà de l'aéroport, toujours stratégique, la région regorge d'exploitations pétrolières. Le conflit qui s'y déroule, selon le journaliste David Thomson, constitue « la bataille de Stalingrad de l'État islamique », qui remporte la victoire aux termes d'une boucherie.

Abou Shaheed est l'un des premiers à tomber, le 30 mai 2014, d'une balle en plein cœur. Deux semaines plus tôt, il avait meublé la maison où il accueillait sa famille. Il abandonne les premiers rangs du djihad francophone à d'autres.

Le Cannois Rached Riahi est, lui, blessé aux jambes et au dos. Au téléphone, sa mère se lamente : « Il a une tache provoquée par une bombe et des éclats dans le corps. » Selon l'Observatoire syrien des droits de l'homme, l'armée syrienne riposte aux attaques djihadistes à Deir ez-Zor par des bombardements et l'utilisation de gaz de chlore. Les analystes de la DGSI estiment que « les taches » mentionnées par la mère du Cannois ont pu être occasionnées par du gaz de chlore ou du gaz moutarde. À la fin de sa convalescence, un mois plus tard, il est de retour à Deir ez-Zor, où la bataille continue à faire rage. Au moment où Abdelhamid Abaaoud devient un émir au sein de la katibat al-Battar.

Désormais, cent soixante-dix francophones œuvrent sous ses ordres. Abaaoud planifie les combats sous la férule de l'émir militaire d'al-Battar, un vétéran algérien ayant vécu en France. Un homme aussi respecté que discret.

Dans quelques mois, celui-ci soufflera dans l'oreille du futur calife Abou Bakr al-Baghdadi l'idée de créer un bureau des opérations extérieures au sein de l'Amniyat. Il sera dédié à la perpétration d'attentats en Europe. Lorsque ce bureau verra le jour, les anciens d'al-Battar tiendront les premiers rôles.

XIV

Une nouvelle ère

Dans une note classée secret-défense datée du 3 septembre 2015, la DGSE insiste sur la spécificité militaire de l'État islamique : « Sur le terrain, [ses] combattants se distinguent par leur mobilité et leur capacité à se déployer rapidement sur l'ensemble des territoires contrôlés et sur plusieurs fronts. » Tout en consolidant ses positions à Raqqa, Deir ez-Zor et plus généralement dans tout l'est de la Syrie, l'organisation terroriste transfère une partie de ses troupes vers ce qui a toujours été son objectif : l'Irak. Ses katibat déferlent vers l'Orient. Falloujah tombe, Ramadi en partie. Les djihadistes tournent alors leur regard vers Mossoul.

Le 6 juin 2014, ils envoient sur les défenses de la ville des VBIED, pour *vehicle borne improvised explosive device* (selon le jargon militaire américain). L'utilisation de ces véhicules piégés produit un effet de sidération sur l'adversaire. En trois jours, la ville est prise. « Les forces irakiennes ont rapidement abandonné leurs positions, note la DGSE, alors qu'elles bénéficiaient d'un rapport de force nettement favorable, tant en effectif qu'en armement. » Entendu par un juge français, Nicolas Moreau estimera que, lors de la prise de Mossoul, les djihadistes étaient « seulement cinq cents [...], alors qu'en face il y avait entre sept mille et douze mille personnes ».

Les conquêtes en Irak sont la dernière étape du projet trans-frontalier de l'EI. Mossoul fait figure de symbole. La ville est instituée capitale religieuse de l'organisation terroriste. Deux semaines plus tard, le poste frontalier d'al-Boukemal, alors aux mains d'Al-Qaïda, tombe à son tour. Une prise stratégique, puisqu'elle permet d'assurer les communications entre le front syrien et le front irakien, mais aussi d'unifier les territoires de part et d'autre de la frontière, l'ancienne ligne Sykes-Picot imposée par les mécréants.

Trois jours plus tard, le 29 juin 2014, le cheikh Abou Mohamed al-Adnani proclame, dans un enregistrement audio, le « rétablissement du califat » — la Dawla s'approprie ainsi une appellation qui avait disparu depuis près d'un siècle et la chute de l'Empire ottoman. Son influence s'étend désormais du nord de la Syrie aux faubourgs de Bagdad, et son calife est tout désigné : Abou Bakr al-Baghdadi. Il exerce le pouvoir spirituel et temporel sur l'ensemble de l'*Oumma,* la communauté des musulmans.

Tout à leur joie, les djihadistes paradent à tombeau ouvert dans les artères principales des villes occupées en Irak et en Syrie. À bord de leurs pick-up et de leurs 4x4, ils agitent le drapeau noir, en tirant des coups de feu en l'air.

Deux jours après sa nomination en tant que calife, Abou Bakr al-Baghdadi dénonce « l'humiliation et le massacre des musulmans à travers le monde » et enjoint à tous les musulmans de faire leur *hijra* vers les terres du califat. Au passage, il pointe aussi d'un doigt vengeur la France, qui interdit le port du voile dans les lieux publics.

Voilà donc Baghdadi à la tête de vingt mille hommes, la plus grande armée de moudjahidines au monde. Il règne sur un terri-toire de près de soixante mille kilomètres carrés, le plus grand jamais dirigé par une organisation terroriste.

Reste à assurer la pérennité du califat. Pour ce faire, Abou Bakr al-Baghdadi va réformer ses services secrets. Et pour maintenir la population en coupe réglée, les nouveaux chefs de l'Amniyat vont s'appuyer sur ces petits Français qui ont déjà fait leurs preuves.

XV

Les shérifs du Shâm

À vingt-cinq kilomètres brillent les lumières de la Turquie. Au moindre véhicule suspect qui traverse les villages des environs, des gamins enfourchent une mobylette pour donner l'alarme. Et pourtant le 4x4 vert foncé s'avance sans inquiétude dans la nuit.

À l'entrée d'al-Bab, un djihadiste armé d'une kalachnikov fait signe au conducteur de baisser la vitre. L'homme exhibe une carte plastifiée blanche avec sa photo d'identité et un tampon de la Dawla Islamiya barré de la mention *quwat khas*, les forces spéciales. Le djihadiste s'écarte respectueusement. Le véhicule s'enfonce dans la ville, prend le rond-point qui structure ses artères, passe devant les kebabs, les supérettes, le souk. Excepté quelques riverains écrasés par la chaleur, qui dorment sur des matelas à même leurs balcons, les rues sont désertes. Mais il n'y a pas de couvre-feu qui tienne pour le 4x4. Son chauffeur travaille pour Salim Benghalem.

Al-Bab, ville frontière du califat, ses champs d'oliviers parcourus de tranchées, son hôpital aux murs ensanglantés, sa cage plantée au milieu de la place publique pour y châtier les fumeurs impénitents. Al-Bab et son shérif français.

Après l'évacuation forcée d'Alep, Benghalem n'est pas resté sans rien faire. Le Français a rejoint la police islamique de cette ville de deux cent mille habitants, où il est sous les ordres de celui qui l'avait recruté un an plus tôt à l'hôpital ophtalmologique, Abou Obeida al-Maghribi. Depuis une prison située sur une colline où flotte un gigantesque étendard noir, celui-ci distribue les affectations pour les différents postes de l'Amniyat dans la région.

Théoriquement, lors de son intronisation dans la police islamique, on donne au nouvel arrivant une arme de poing et un second chargeur. Pas à Benghalem. « Moi c'est un cadeau de l'Armée libre. LOL », écrit-il à son petit frère, manière de signifier que, son pistolet, il l'a récupéré sur le cadavre d'un rebelle syrien. Et lorsqu'il propose à un ami de le rejoindre à al-Bab pour faire « officier de police », mais que le candidat s'inquiète car il s'imagine qu'il « faut assurer en arabe », Salim Benghalem le rassure : « Tu peux faire plusieurs choses sans même dire un mot »…

*

À l'autre extrémité de la Syrie, Shaddadi a quelque chose d'une ville de western perdue dans le désert à la frontière irakienne. Une grande artère avec des maisons de part et d'autre d'un axe unique. Un complexe hôtelier désaffecté (où sont logées dans un premier temps les légions libyennes et francophones). Avec l'arrivée des Gaulois, Shaddadi reprend vie. Une centaine de djihadistes français et leurs familles ont débarqué dans cette zone résidentielle éloignée des combats. Une partie de ces ressortissants aurait participé à la prise de Mossoul. Pour l'organisation terroriste, la ville est un point stratégique, avec l'autoroute pour Raqqa qui la longe et une situation géographique lui permettant de projeter soldats et matériel sur les différents fronts.

Entre deux missions, l'Alsacien Foued Mohamed-Aggad se

photographie dans le désert de Shaddadi, bonnet noir aux armes du califat vissé sur la tête, ceinture explosive sur le dos — quand il ne s'immortalise pas en train de déguster une pizza dans une rue où toutes les échoppes sont fermées, avec l'un des frères de Réda Bekhaled.

Mohamed-Aggad sourit à pleines dents, il est sûr de lui. Depuis qu'il est là-bas, « il prend les gens de haut, il se croit supérieur », témoignera sa belle-sœur. Et quand son propre frère tout juste rentré de Syrie tente, au téléphone, de le convaincre de l'imiter, Foued s'emporte : « Tu crois que je suis dans Koh-Lanta ou quoi ? [...] Je suis venu pour tomber en martyr, pas pour faire demi-tour. » Alors que Foued se déplace en motocyclette dans les ruelles de la ville, il téléphone à sa mère, éructant que, s'il rentre en France, « ce sera pour faire un sale truc ». On est à quinze mois du Bataclan.

Dans le voisinage, un autre futur assassin de la salle de concert, Samy Amimour, traîne ses béquilles dans son appartement de Shaddadi. Après qu'il a été blessé au tibia lors de l'évacuation d'Alep, on lui a posé des broches de maintien. Il est désormais inapte aux combats. Habitué, lui aussi, aux blessures à répétition, le Cannois Rached Riahi, également présent, s'apitoie sur le sort d'Amimour. Il s'arrange pour qu'une enveloppe de cinq cents euros envoyée par la famille de Samy lui parvienne. De quoi améliorer l'ordinaire. Même si, depuis la proclamation du califat, l'organisation terroriste se structure en proto-État et veille à ce que les salaires soient désormais payés. Une femme mariée à trois djihadistes successifs témoignera ainsi que l'État islamique verse aux membres des services secrets cent dollars mensuels, et à leurs femmes, cinquante dollars. La Dawla ajouterait même mille cinq cents dollars à la corbeille des jeunes mariés dès lors que l'époux peut se prévaloir de six mois d'ancienneté au front... À la grande époque d'Al-Qaïda, dans les années 1990, chaque moudjahid bénéficiait de congés annuels, d'un mois de vacances et d'un billet aller-retour pour rentrer dans son pays d'origine. Ils étaient même affiliés à un système de sécurité sociale terroriste.

Dans les territoires contrôlés par l'État islamique, la vie est relativement peu chère — un poulet coûterait l'équivalent de trois euros. Mais les prix flambent sur le moindre produit d'importation. Avec quelques compensations pour l'élite djihadiste. Le facteur allemand servant dans les forces spéciales se souvient avoir eu droit à de la viande de mouton tous les jours, après la chute de Kobané.

En revanche, les djihadistes ont interdiction de se connecter à Internet ou de contacter leurs familles : « S'ils nous trouvaient dans un cyber, ils nous mettaient en prison, témoignera un Français. Ils ne voulaient pas qu'on sorte le soir, il y avait des couvre-feux, c'était très strict. »

Mais pour Foued Mohamed-Aggad, Samy Amimour, Rached Riahi et le frère de Réda Bekhaled, ce n'est pas un problème. Ils font probablement eux-mêmes partie de la police islamique et peuvent tous se prévaloir de l'amitié de Tyler Vilus, qu'une note d'un service de renseignement présente comme le référent de l'Amniyat en ville.

*

À al-Bab, Salim Benghalem se révèle être, selon la DGSI, « un tortionnaire sadique » répondant aux surnoms d'Assam al-Jazzar, Azzam le Boucher, et Dhabbah al-Kafara, l'égorgeur de mécréants... Fin septembre 2014, il devient le premier Français placé sur une liste désignant les terroristes les plus dangereux aux yeux du département d'État américain. L'ex-petite frappe de la région parisienne est, selon les États-Unis, devenu l'un des bourreaux de l'État islamique en Syrie.

Un échange Skype avec Kahina, son épouse, le 26 juin 2014, donne un aperçu d'une journée bien remplie selon les critères du shérif d'al-Bab :

— Aujourd'hui, j'ai eu une super journée, on a fait cinq perquis', se réjouit celui qui, en France, était un repris de justice. On a arrêté le plus gros vendeur d'héroïne de la région, on a récupéré de l'héroïne. Ce soir, on doit faire la suite.

— Vous la détruisez ?

— Oui, juste le juge doit la voir [avant que la drogue ne soit brûlée].

— Ah OK, et il y a quoi d'autre ?

— Ensuite, on a coupé la tête d'une personne qui a insulté Allah. Et on a arrêté une personne qui a aidé une autre à fuir. […] Un coup de sabre et voilà, plus de tête. Et toi, ta journée ?

— Ah, c'est chaud ! Ça ne te dégoûte pas, au début ? Moi, je ne sais pas, j'aurais envie de vomir ou de tomber dans les pommes.

— Non, pas du tout.

— Sûr qu'il y a des frères qui ne doivent pas supporter.

— Les frères kiffent, ça se fait en public, s'enthousiasme Salim avant de conclure : Là, on va aller manger chez un chef d'une tribu.

Le lendemain, Benghalem se vante d'avoir participé à la crucifixion d'un individu ayant volé un musulman. Le voleur était « un frère [qu'il connaissait] vraiment », mais qu'importe. « Qu'Allah accepte nos actes », déclare-t-il.

Même son épouse finira par le reconnaître : « Il était devenu insensible à la mort. » Kahina prend peur. Elle lit le testament de Salim, qui lui enjoint de prendre soin des enfants. Kahina lui demande pourquoi, s'il voulait mourir, il l'a épousée. Salim lui répond que « le geste de mourir est plus grand lorsque les biens terrestres sont plus importants ». Par conséquent, la récompense divine n'en sera que plus grande.

Dans le ciel, justement, on entend des avions survoler la ville.

*

Les exactions commises à Shaddadi ne diffèrent guère de celles qui se pratiquent à al-Bab. Une vidéo montrerait l'Amniyyin Tyler Vilus en train de donner des coups de fouet. Un djihadiste lyonnais, qui travaille sous ses ordres au sein de la police islamique, avoue à un proche qu'il s'est livré à des exécutions sommaires. Foued Mohamed-Aggad apparaîtrait, lui, sur une vidéo, en train d'égorger un prisonnier. Un voleur qui aurait tué un enfant se retrouve crucifié dans le souk de la ville.

Le 11 juin, deux semaines avant que Salim Benghalem n'expose à sa femme son activité policière, Tyler Vilus poste un message évocateur des pratiques qu'il considère comme « efficaces » pour faire régner l'ordre : « Lorsqu'on coupe des têtes rapide, pose la tête sur le dos avant de partir. » Efficace, effectivement. Sur une photo, on le voit assister au premier rang à une exécution publique. Deux hommes sont à genoux, les yeux bandés, dans leur tenue orange, des pistolets sur la nuque. Vilus, spectateur impassible, presque indifférent à la mort qui s'annonce, apparaît casquette vissée sur la tête et treillis couleur sable, à côté d'un djihadiste portant une veste du PSG.

L'une des premières obligations de la charia concerne la suspension de toute activité au moment des cinq prières de la journée. Aussitôt après l'appel du muezzin, les hommes de Vilus patrouillent dans les rues, vérifient que les commerces sont bien fermés, que les voitures sont à l'arrêt et que tous les hommes convergent vers une des deux mosquées de Shaddadi. La charia est appliquée, les contrevenants sont punis, mais Tyler Vilus a tout de même un problème.

Il a du mal à faire la police au sein de sa propre maison.

*

En attendant de rejoindre le paradis promis, Benghalem annonce à son épouse que les frères lui ont proposé de monter en grade et de devenir émir. Si le poste est vacant, c'est parce que celui qui, depuis l'hôpital ophtalmologique d'Alep, a toujours été son supérieur, Abou Obeida al-Maghribi, vient d'être arrêté. Mais le Français a rejeté la promotion, préférant rester à son « poste de second » afin de prendre des décisions « sans avoir à rendre de comptes ».

— Moi, je ne veux pas que ça change, explique-t-il à son épouse. C'est moi qui gère sans pour autant être l'émir. C'est un bon compromis.

— Genre tu es le bras droit ?

— Oui, c'est ça. Mais c'est pour fuir les responsabilités. LOL.

— Franchement, c'est chaud d'être émir...

— Non. C'est moi qui prends les décisions, lui il me suit. Si une chose se passe mal, c'est pour lui la responsabilité. Et les remerciements aussi, bien sûr.

À l'écouter, Benghalem complote... pour ne pas prendre le pouvoir.

*

Tyler Vilus aime trop les armes. Sur Facebook, sa mère affiche son arsenal. Sept fusils d'assaut, de marques et de calibres divers, adossés au canapé du salon. Mais il est dangereux de les laisser

traîner à la maison. Un jour, Tyler annonce à sa mère sur Skype :
« Au fait, Asma vient de tirer sur Inès ! »

La cohabitation entre ses deux épouses a dégénéré. Mais, à l'en croire, ce ne serait qu'un accident. « J'ai entendu le coup de feu. La balle est entrée et sortie sans rien toucher. Même pas de point de suture ! Une qui tombe dans les pommes, l'autre qui a un trou dans le bras… Bon, elles vont bien quand même. »

Les Amniyyin comme Vilus n'ont aucun mal à prendre une ou plusieurs épouses. Une convertie reconnaît être tombée sous le charme depuis la France d'un membre de l'Amniyat qui lui avait montré sa kalachnikov devant sa webcam. Doctorante en science des religions à l'université de Fribourg, Géraldine Casutt dialogue, dans le cadre de sa thèse qui leur est consacrée, avec les femmes qui gravitent dans la mouvance djihadiste. « Il existe une typologie des maris recherchés, constate-t-elle. Le membre des services secrets, le bourreau, voilà ce qui constitue pour beaucoup le fantasme. Le djihadiste de base, ça ne leur suffit pas. Il faut trouver l'homme tellement dangereux qu'il est craint au sein même de l'EI. Elles nourrissent l'illusion d'être la seule avec laquelle il serait gentil. Méchant à l'extérieur, un agneau à la maison. » Partager sa vie et un toit avec un agent secret du califat comporte toutefois certains risques.

*

Mariée de manière éphémère à un membre de la police islamique d'al-Bab, une convertie de Montceau-les-Mines reçoit la visite de Kahina Benghalem se plaignant de son mari qui travaille beaucoup et n'est jamais à la maison. Un soir, la convertie se tient dans la cuisine de son appartement, tout près du commissariat. Le souffle d'une explosion la renverse sur le carrelage. Elle s'apprête à se relever quand un second missile s'abat sur le commissariat. Il pleut souvent des bombes sur al-Bab, trois ou quatre fois par jour. Mais les engins largués par l'aviation de Bachar sont de faible amplitude, alors, on s'habitue. Là, c'était autre chose. Les Américains et les Français.

Salim Benghalem était la cible.

XVI

Raqqa Parano

L'Alsacien Foued Mohamed-Aggad patiente avec un ami dans une boulangerie de Raqqa. On est le 8 septembre 2014. Un missile s'abat sur la boulangerie. Mohamed-Aggad émerge des décombres. Indemne. L'immeuble abritant la boulangerie n'est plus. Foued Mohamed-Aggad repousse des gravats.

Au milieu des cinquante-trois cadavres, son complice. Sain et sauf. Les miraculés se carapatent sans demander leur reste. Ils claudiquent en direction de leur pick-up garé à proximité. Ils sont sur le point de l'atteindre. Un missile. Encore. Sur le pick-up. L'effet de souffle ramène les djihadistes au niveau de la mer. Foued Mohamed-Aggad se relève, se palpe. Des écorchures aux coudes. Et c'est tout. Deux missiles ont frappé à quelques minutes d'intervalle le commerce où il se trouvait et la voiture vers laquelle il se dirigeait.

Un hasard ? Les services de renseignement français viennent d'apprendre sa nomination à la tête d'un bataillon de trois cents combattants : à l'issue d'une « mission », celui qui est là depuis à peine huit mois a téléphoné à sa famille pour annoncer qu'on lui avait confié « de grandes responsabilités ». On l'a nommé émir. Trois jours avant la frappe sur la boulangerie, une note de la DGSI atteste que les services le savaient à la fois sur

Raqqa et sur le point de retourner auprès de ses hommes à Deir ez-Zor.

*

Raqqa s'enfonce sous un tapis de bombes et la mère de Mohamed-Aggad se meurt d'inquiétude.

— Tu as des nouvelles de Foued ? l'interroge une tante.

— Non. [...] Sa femme, elle n'a pas de nouvelles de lui et moi non plus... Et le problème, c'est qu'à Raqqa ça tape toute la journée. Toute la journée... Pratiquement vingt-quatre heures sur vingt-quatre, ils bombardent.

La veille, elle a réussi à lui parler. Un peu.

— Je lui ai dit : « Qu'est-ce que tu as fait aujourd'hui ? » Il m'a dit : « J'ai esquivé les bombes, les missiles, mort de rire »...

Mais l'Alsacien a tout de même jugé opportun de se mettre au vert et de couper ses communications.

Sa mère se désole.

— Avant, il me disait quand il était à Raqqa ou quand il allait au village de Shaddadi, je savais exactement où il était, donc je suivais sur Internet les infos pour savoir s'il y avait des trucs là-bas ou pas. Mais là, je suis dans le noir complet. Je ne sais pas dans quelle ville il est, ni rien du tout...

Au téléphone avec la famille du Cannois Riahi, Tyler Vilus annonce que la jambe de son ami est « complètement foutue » et qu'il souffre beaucoup. Ce jour-là, les forces américaines ont bombardé Raqqa afin de préparer une opération pour libérer un pilote jordanien, qui sera finalement immolé le lendemain dans une cage.

Il n'y a plus assez de matériel médical pour opérer Riahi. Il est transféré quatre cent cinquante kilomètres plus loin, à la frontière avec le Liban. Sur son lit de douleur, il fait une hémorragie et perd beaucoup de sang. Il est enfin opéré. Un tibia et un fémur ont été touchés. Ses jambes sont désormais paralysées.

Quelque temps plus tôt, l'une de ses trois femmes avait décrit à une amie l'ambiance à la maison, sans son époux : « Les avions, ils sont au-dessus de la maison. On entend les bombes. Ça tire à côté de nous. C'est la nuit. Il n'y a pas de lumière. On est toutes seules. Y a pas de frères avec nous. [...] J'suis en panique. Je panique. Je panique. JE PANIQUE ! »

Depuis début août, l'aviation américaine, rejointe par les douze chasseurs français et une flopée d'autres alliés dans une coalition internationale, pilonne la ville. Il s'agit de servir d'appui aérien aux offensives menées par les Forces de sécurité irakiennes dans la vallée du Tigre en Irak et par les Unités kurdes de défense du peuple (YPG) dans le nord de la Syrie.

Les frappes font des ravages. Depuis la proclamation du califat, l'État islamique est sorti de la clandestinité et s'offre aux attaques aériennes. Après chaque salve de bombardements, la Dawla effectue un recensement parmi ses soldats en ville. Pour savoir combien sont tombés. En l'espace de quelques mois, plusieurs hauts dignitaires de l'EI — de l'émir du pétrole au numéro 2 de l'organisation — périssent sous les bombes.

Ces frappes chirurgicales sont la preuve qu'il y a au sol quelqu'un pour les guider, en déduisent les djihadistes. S'il veut perdurer et préserver l'intégrité physique de ses chefs, le califat doit s'assurer la conservation de zones refuges. Aussi l'État islamique renforce-t-il ses mesures de sécurité interne. L'Amniyat est à la manœuvre.

*

Un immense étendard noir recouvre la tour de l'horloge, d'autres flottent sur les bâtiments les plus hauts de Raqqa, drapent le pont enjambant l'Euphrate et s'étendent sur des arches en bois à chaque porte de la ville.

Pourtant, les nouvelles recrues ne voient rien de tout cela. À l'approche de la ville, le chauffeur de la camionnette qui conduit les futurs djihadistes dans la capitale administrative du califat leur ordonne de baisser les stores installés aux fenêtres du véhicule. Il explique à ses passagers que des traîtres placent des puces électroniques dans les immeubles pour diriger les missiles, qu'un bâtiment vient d'être bombardé, que soixante-dix moudjahidines sont morts. En conséquence, les nouveaux n'ont pas le droit de regarder au-dehors. Sait-on jamais. La camionnette emprunte le rond-point al-Naïm, du nom d'un glacier de Raqqa. Les recrues devinent ce lieu emblématique où la Dawla a l'habitude de planter des têtes de soldats syriens sur des piques.

Raqqa se calfeutre, Raqqa se protège. Les rues de la ville sont bâchées pour empêcher les satellites occidentaux de voir ce qui s'y passe. Les combattants habitent dans les hôpitaux, installent leurs centres de commandement dans les écoles. Et font enlever l'antenne GPS de leurs mobiles. Les bouquets satellite sont retirés et interdits dans les locaux abritant des membres de l'État islamique.

L'Amniyat prend en charge la sécurité des hauts dignitaires du califat. Elle les fait régulièrement changer de *kounya* afin de compliquer leur identification sur des écoutes. S'occupe de l'organisation de leurs rendez-vous. Change à la dernière minute le lieu de réunion. Planifie des parcours de sécurité. Selon un Français, il est désormais impossible de s'approcher d'une zone où se trouvent des hauts responsables.

Premiers concernés, les membres des services secrets djihadistes se voient imposer « de strictes mesures de confidentialité », au premier rang desquelles figure le bannissement du moindre téléphone cellulaire. Les recrues de l'Amniyat sont sommées de ne pas déroger à la règle.

Parmi elles se trouve Abdelhamid Abaaoud. Lorsqu'un ami d'enfance lui rend visite, il n'a droit qu'à une journée avec lui. Le temps où le Belge s'exhibait dans des mises en scène macabres sur les réseaux sociaux est révolu. Abaaoud a beaucoup changé. Il se méfie de tout et de tous. « J'étais venu avec mon GSM, et il avait peur de se faire "droner" », se souviendra son ami.

*

Tout l'appareil sécuritaire est mis à contribution pour remédier à l'inflation présumée d'espions dans les rues. Un Français détaillera le quotidien des patrouilles de voie publique à bord des Nissan Patrol ou des Kia Rio de la police islamique : « Vers 9 h 30, nous partions en tournée. Nous étions cinq dans [notre voiture]. Nous avions chacun un Glock et une kalach (les fusils restaient après notre service dans le véhicule, mais nous gardions les pistolets avec nous). Nous contrôlions les gens suspects, notamment lorsqu'ils avaient de grosses valises. »

Des agents secrets habillés en civil, barbe rasée et cigarette au bec « pour ne pas attirer l'attention », se disséminent dans les lieux les plus fréquentés. Le moindre soupçon vaut arrestation — ainsi ce moudjahid qui se rend en moto au marché sans autorisation ou cet autre qui manifeste dans une discussion des connaissances militaires trop précises. Une mère de famille qui étend son linge sur le balcon peut être accusée de faire signe aux avions ennemis. « [Mon mari] m'a expliqué que certaines femmes posaient des puces électroniques dans des endroits où se trouvaient des frères combattants pour que ces derniers soient bombardés », raconte l'épouse de Salim Benghalem. La femme d'un Amni, qui ne manifeste pas un grand enthousiasme à l'idée de rester au califat, se voit quant à elle interrogée par son propre époux avant de passer dans les mains d'un duo d'enquêteurs du service secret.

Les journalistes Édith Bouvier et Céline Martelet racontent dans leur livre, *Un parfum de djihad,* qu'une Française a été interrogée et sermonnée parce qu'elle avait expliqué à une proche restée dans l'Hexagone que le prix du litre de lait augmentait dans sa ville. Un acte répréhensible selon l'Amniyat. Les mécréants ont là l'opportunité d'assurer que les choses vont mal au sein du califat. Comme pour d'autres expériences totalitaires du passé, la réalité rejoint la fiction décrite dans *1984* par George Orwell. 2 + 2 = 5.

Parfois, la population aide l'Amniyat. Une chirurgienne irakienne désigne son propre mari. « Elle l'a dénoncé à Daesh en disant qu'il était contre eux et ils lui ont coupé la tête… », témoignera l'ex-épouse de trois djihadistes. Des enfants sont mis à contribution pour écouter ce qui se dit dans les salons de coiffure, à la sortie des mosquées. Et le califat ne regarde pas à la dépense. Un espion démasqué peut rapporter jusqu'à cinq mille dollars à un indicateur.

*

On frappe à la porte.

— Qui est là ? demande l'habitant.

— Dawla Islamiya ! répond le membre des forces spéciales de l'autre côté de la porte, tandis que des hommes encagoulés de noir ceinturent la maison.

Pour interpeller les espions présumés, l'Amniyat convoque les forces spéciales du califat, et les habitants n'ont d'autre choix que de les suivre. Certains, parfois, tentent leur chance et essaient de fuir. On leur tire dessus. « La feuille de route nous ordonnait de seulement les blesser », précisera un Allemand ayant participé à une quinzaine d'opérations policières de ce type. Quand la cible est réputée dangereuse, les forces spéciales donnent l'assaut, sans s'annoncer. Un peu plus loin dans la rue, le délateur — un prisonnier ou un informateur spontané — patiente sous bonne garde dans une jeep noire.

Le suspect interpellé de gré ou de force est ensuite conduit dans une prison dans laquelle même les forces spéciales mobilisées pour l'interpellation n'auront plus le droit de lui adresser la parole. Sur la porte de la prison, on peut lire « AMNI ».

À Alep, la prison logeait au sous-sol de l'hôpital ophtalmologique. À Tabqa, elle s'installe dans les souterrains d'une grande tour à l'entrée de la ville, à Maskanah, dans une usine de bonbons.

À Raqqa, elle niche dans les entrailles du stade municipal al-Baladi, où l'on est censé jouer au foot. L'herbe ne pousse plus sur le terrain, où se garent les pick-up djihadistes. L'enceinte de ce que les Raqqaouis dénomment désormais « le stade noir » est suffisante pour accueillir, sous les gradins de pierre, les sièges des polices militaires, islamiques et secrètes, toutes des branches de la tentaculaire Amniyat, et leurs mille cinq cents détenus. La population carcérale y est variée. On y trouve un médecin accusé d'avoir trop d'argent, des drogués, beaucoup de gens qui ne savent pas pourquoi ils sont là.

L'ancienne salle de musculation fait office de pièce commune pour le tout-venant des prisonniers, les vestiaires servent de cellules individuelles pour les clients les plus sensibles. Le moindre déplacement à l'intérieur du stade se fait les yeux bandés.

Les femmes ont droit à un quartier spécifique. « C'est sous terre, dira une prisonnière. Il n'y a pas de fenêtre, rien. Le matin, on mange du pain syrien et le soir généralement un bol de riz, un concombre et une tomate. »

Les interrogatoires sont menés par des hommes encagoulés. Les questions aux détenus étrangers portent invariablement sur la raison de leur présence sur les territoires de l'État islamique.

Tous les vendredis, une commission se tient pour décider du sort des prisonniers. Et ses sentences ne laissent aucune place au doute. « Parfois on exécutait par deux ou trois. Parfois on abattait, parfois on décapitait. On se blinde avec le temps », précisera un repenti allemand.

*

À Genève, il arbore un crâne rasé, une chemisette à carreaux, une montre au poignet gauche et un accent chantant. L'homme qui s'assoit face à moi est un survivant des griffes de l'Amniyat. Il a été détenu cinquante-quatre jours durant à Raqqa.

Recruté par Mourad Farès, le dissident qui voulait créer une katibat de francophones indépendante de l'EI, ce converti suisse se faisait appeler Abou Mahdi al-Swissry. Il a eu le malheur de montrer à un frère d'armes les deux talkies-walkies dont il n'avait jamais mentionné la présence dans ses bagages. Un inconnu l'a plaqué au sol. On l'a roué de coups. Il a récité la *Shahada*[1] dans l'espoir que cela s'arrête. Des Amniyyin sont arrivés, ils lui ont arraché ses chaussures, enlevé ses chaussettes à la recherche d'hypothétiques micros. Dans son appareil-photo, des souvenirs de voyages au Mali, en Israël, en Égypte. Un espion, s'imaginent-ils.

Les jours suivants, Abou Mahdi al-Swissry va être questionné par « l'interrogateur des services secrets de la Dawla » sur son métier et même sur son épargne. « Des questions précises, pointues, toujours posées avec calme. » En apparence. « S'ils pensent que

---

1. Premier des cinq piliers de l'islam et profession de foi musulmane : « J'atteste qu'il n'y a de dieu que Dieu et Mohamed est son Prophète. »

tu mens, alors ta tête roule. Votre tête peut rouler avec chaque question », avouera un Allemand suspecté d'avoir mené de tels interrogatoires.

C'est Najim Laachraoui qui passe le Suisse à la question.

Après les premiers interrogatoires, classiques, on annonce au Suisse qu'il n'est pas un espion, et qu'il va être libéré. Le lendemain matin, il est déposé sur la banquette arrière d'un pick-up où l'attend Laachraoui. Celui-ci engage la conversation.

— Alors comme ça, tu es gay ?

Les Amniyyin ont trouvé sur son WhatsApp des clichés d'hommes dragués sur un site de rencontre dédié aux homosexuels musulmans. Abou Mahdi al-Swissry explique qu'il n'est plus homosexuel. Depuis qu'il s'est converti, il n'est plus attiré par les hommes.

— Décris-moi ta femme idéale, demande Laachraoui.

— Je ne sais pas… L'important, ce n'est pas le physique, mais le mental.

— Ne t'inquiète pas pour ça, on a le choix. Dis-moi à quoi tu voudrais qu'elle ressemble.

— Mince… Euh…

— Des yeux verts ?

— Pourquoi pas…

— Tu n'es pas très difficile… Viens chez nous, on a quelques questions à te poser sur la religion.

Le Suisse accepte, il ignore qu'il n'a pas le choix. Le pick-up les débarque devant un ancien poste de la police de Bachar al-Assad, occupé par l'Amniyat. Au commissariat, on bande les yeux d'Abou Mahdi al-Swissry et on le fait descendre à la cave, où on l'enferme dans une cellule aux murs envahis de moisissures et de dessins de sabres et de décapitations. « Laachraoui m'avait dit : "Viens chez nous", il ne m'avait pas précisé que, chez eux, c'était en prison… »

Le Suisse y passera son trentième anniversaire. Pour l'occasion, il aura droit à du thé « dans une vraie théière » et un biscuit. Il pleure. Persuadé qu'on l'exécutera le lendemain. Il sera encore interrogé avant que le juge d'un tribunal islamique de Raqqa ne le fasse finalement libérer et qu'il puisse quitter la Syrie. Il sera l'un des derniers détenus de l'Amniyat à y parvenir.

*

Tandis qu'en place publique on exécute, et que dans les vestiaires on torture, des vétérans du djihad et de jeunes recrues prometteuses travaillent dans des appartements discrets à proximité du stade à la réponse que doit apporter l'État islamique aux bombardements de la coalition internationale. Ils songent à une série d'attentats.

Deux semaines après que Foued Mohamed-Aggad a été pris pour cible dans une boulangerie de Raqqa, Tyler Vilus évoque les bombardements sur son Facebook. « Cette nuit, à 4 heures du matin, le silence a été déchiré par le bruit de l'apostasie et de la mécréance, de la faiblesse, de la traîtrise et de la lâcheté. Une odeur nauséabonde. [...] Les représentants de la mécréance et leurs alliés essaient de contrôler le ciel sans penser qu'Allah est plus haut que leurs avions et que, par Sa grâce, ils continueront de s'écraser. Qu'Allah accepte nos frères tombés parmi les oiseaux verts du paradis ! »

Le membre du service secret djihadiste appelle à la riposte sur le sol même de ceux qui mènent les attaques : « Je demande à Allah de me permettre de voir mes frères et sœurs d'Europe perpétrer des attentats terroristes sur le territoire européen, ressentir la fierté que nous avait fait ressentir Mohamed Merah. »

XVII

La défection de Mohamed Amine Boutahar

Toujours très actif sur les réseaux sociaux en cette fin d'été 2014, Tyler Vilus poste, le 20 août, une vidéo intitulée *Message à l'Amérique*. Et il la commente : « Comme j'aime trop notre émir[1] [des croyants] ! Qu'Allah le préserve, cette dernière vidéo est magnifique ! »

Sur les images, on voit l'intervention télévisée de Barack Obama annonçant le déclenchement des frappes aériennes en Irak. Puis on bascule sur une séquence en plein désert. Sur une butte, un homme en tenue orange, à genoux. Debout, à ses côtés, un individu encagoulé de noir, portant un treillis de la même couleur. Seule la sangle marron de son holster d'épaule détonne.

Un micro-cravate fixé au col de sa tunique, l'homme à genoux prend la parole pour dire que le gouvernement américain est son véritable assassin. Le journaliste James Foley, l'un des otages enlevés par les Beatles, s'adresse maintenant à son frère militaire dans l'US Air Force. Il évoque l'Irak bombardé. « Je suis mort ce jour-là. Quand tes collègues ont lancé ces bombes sur ces gens, ils ont signé mon arrêt de mort. »

Plan suivant. Un couteau apparaît dans la main gauche de l'homme en noir, qui pose sa main droite sur l'épaule de l'otage

1. Abou Bakr al-Baghdadi.

à genoux. L'homme s'exprime en anglais avec un accent cockney, menace l'Amérique qui ose s'en prendre à l'État islamique. Puis, sans précipitation, le bourreau accomplit sa sale besogne.

La vidéo reprend l'imagerie (un homme en noir et une victime en orange, dans l'immensité du désert) qui, dix ans plus tôt, avait assuré la renommée d'Al-Qaïda en Mésopotamie (matrice de l'État islamique) et de son leader, Abou Moussab al-Zarqaoui, surnommé « le cheikh des égorgeurs ». Dans les semaines qui suivront l'assassinat de James Foley, au moins vingt-sept otages, selon le décompte des autorités américaines, seront décapités, le plus souvent par le même Britannique à l'accent cockney : Jihadi John, l'un des trois Beatles.

*

Le lendemain de la publication sur YouTube de la mise à mort de James Foley, les réseaux sociaux djihadistes bruissent d'une autre nouvelle qui a l'effet d'un coup de tonnerre : une taupe est morte.

Abou Obeida.

À l'image d'un Kim Philby, le patron britannique du contre-espionnage antisoviétique à la solde des Russes, les services secrets de l'État islamique ont découvert que la taupe qu'ils cherchaient était… le chasseur de taupes. Sur Internet, certains saluent la mort de « ce traître d'Abou Obeida ». Le site jordanien Al-Kawn publie une photo de son cadavre supposé. Une note de la DGSI confirme que celui qui était « présenté comme un des chefs de la Sécurité de l'État islamique aurait été exécuté […] pour trahison à l'été 2014 ».

Les services secrets néerlandais écriront qu'il aurait été suspecté d'avoir « fourni des renseignements à un service de renseignement d'un pays européen ». Manière elliptique de dire que leur ressortissant œuvrait, en réalité, pour le Secret Intelligence Service de Sa

Majesté britannique, le MI6. Premier journaliste à s'être intéressé au personnage, Guy Van Vlierden révèle, dans le quotidien flamand *Het Laatste Nieuws*, que serait visé « le service de renseignements d'un pays européen d'où était originaire un otage qui a été détenu en même temps que James Foley » à l'hôpital ophtalmologique d'Alep. Il y avait plusieurs otages anglais. Deux ans plus tard, *The Independent* publiera le témoignage d'un repenti confirmant qu'Abou Obeida a été tué car accusé d'être un « agent du MI6 ».

Durant deux ans, j'ai interrogé une dizaine d'officiers de renseignement, de magistrats et d'ex-otages, sur ce qu'ils savaient de la taupe Abou Obeida. Tous (sauf un) tiennent pour acquis qu'il était un espion à la solde des Anglais. Sans pouvoir préciser son rôle. Sans pouvoir dire s'il était infiltré de longue date par le MI6 ou s'il a livré des informations sur la fin pour acheter son exfiltration de Syrie. Un des magistrats interrogés est convaincu d'avoir décelé une allusion transparente à la carrière d'espion d'Abou Obeida dans la troisième saison du *Bureau des légendes*, cette série si bien informée sur les méthodes de la DGSE, à travers le personnage de l'interrogateur djihadiste raffiné, en réalité agent infiltré du FSB russe. J'ai posé la question à Éric Rochant, le *showrunner* du *Bureau des légendes*, il m'a juré que non.

Dans ce théâtre d'ombres qu'est le monde du renseignement, on en est souvent réduit à formuler des hypothèses fondées sur l'étude des documents de justice. Les informations fournies par Abou Obeida al-Maghribi pourraient expliquer que Jihadi John, le bourreau masqué de James Foley et des autres otages occidentaux, soit identifié par les services secrets britanniques comme étant Mohamed Emwazi ; que Mehdi Nemmouche ait eu l'impression, comme on le verra un peu plus loin, d'être filoché lors d'un périple en Asie au lendemain de son départ de Syrie ; que Salim Benghalem se soit retrouvé sur la liste des terroristes les plus dangereux du département d'État américain à une époque où les services français le considéraient encore comme un djihadiste sans envergure ; que le commandant de la DGSI ayant rédigé la note concernant la mort d'Obeida reprenne la plume dix jours plus tard pour constituer subitement une liste très précise de vingt-huit geôliers potentiels de l'hôpital ophtalmologique à soumettre aux ex-otages, à rebours des fourre-tout habituels recensant les quelque sept cents Français identifiés comme membres de l'EI. Cela expliquerait aussi pourquoi, depuis son élimination, les services occidentaux ont été tragiquement moins performants.

*

Dans les semaines suivant la mort présumée d'Obeida, la DGSI va en apprendre plus sur la fin du chef déchu de l'Amniyat par l'entremise de la voix qui, un an plus tard, revendiquera les attentats du 13 Novembre : Jean-Michel Clain, l'ancien mentor de Mohamed Merah.

Le 24 octobre 2014, un téléphone portable sonne dans une cellule de la maison d'arrêt d'Osny, dans le Val-d'Oise. Clain appelle, depuis la Syrie, un certain Imad, un ami toulousain alors incarcéré à Osny.

Avant d'intégrer les cellules françaises, Imad a goûté, au printemps 2014, aux geôles syriennes, et plus particulièrement à « la pire des prisons ». Le pénitencier secret géré par l'Amniyat sur les rives de l'Euphrate, celui que les djihadistes surnomment « Guantánamo ».

Déçu par l'EI, Imad s'est adressé au mauvais passeur et a fini à Guantánamo avant de parvenir à s'en échapper, selon ses dires, dans un épisode aussi rocambolesque que peu crédible : une porte laissée ouverte à la fin d'un interrogatoire.

Lorsque Jean-Michel Clain appelle, il veut comprendre pourquoi son ami s'est évadé de Guantánamo, pourquoi il en a profité pour déserter le califat.

— C'est de qui, l'idée de s'échapper de prison ? demande-t-il.

Imad répond qu'un codétenu marocain accusé d'espionnage lui aurait fait comprendre, à travers la porte de sa cellule, que personne ne ressortait vivant de cet endroit.

Ce prisonnier se nommait Abou Obeida al-Maghribi.

— Tu sais qui c'était, lui ? tente de se justifier le détenu toulousain. C'est un Marocain qui vivait en Hollande, ça faisait trois ans qu'il était [en Syrie] et c'était le chef AMNI du Shâm ! Eh bien, lui, il est tombé ! Ils l'ont attrapé, ça fait trois mois qu'il est là-bas, trois mois qu'il tourne dans les prisons. Dès qu'on lui a raconté notre histoire, il m'a dit : « Les frères, le fait qu'ils vous ont mis là [à Guantánamo], c'est très chaud. C'est fini pour vous… » C'était chaud ce bordel, il nous a refroidis, le type. On s'est dit : on va se faire tuer par les frères. C'était possible. Il faut comprendre le contexte…

Jean-Michel Clain acquiesce :

— Oui, à cette période, ils commençaient à nettoyer tous les services de sécurité, les responsables, etc.

L'Amniyat a, en son sein, trié le bon grain de l'ivraie. Jean-Michel Clain et le détenu toulousain sont d'accord pour dire que cette purge est menée par un certain Abou Ayoub al-Ansari, « un des chefs des AMNI » et patron de la prison de Guantánamo. Un repenti allemand le désigne d'ailleurs comme l'homme ayant ordonné l'arrestation d'Abou Obeida. Et son exécution.

Ce jour-là, quelque part entre le printemps et l'été 2014, les Amniyyin sont tous convoqués en rang dans une cour de la prison. Quelqu'un lit à voix haute un jugement. L'ancien patron de l'hôpital ophtalmologique d'Alep doit être décapité, mais il se débat. Ses anciens subordonnés le jettent à terre. L'un d'eux lui tire une balle dans la tête. « Abou Obeida a été abattu devant nos yeux, racontera le repenti. Cela devait sans doute nous servir d'exemple. Ensuite, son corps a été jeté dans un puits. »

Au printemps 2017, un écho d'un service de renseignement occidental laisse pourtant entendre qu'Obeida serait vivant. Sa voix aurait été identifiée sur une écoute. Les différentes sources déjà sollicitées sur son cas pendant cette enquête, elles, persistent à le considérer comme mort.

Et puis, *The Independent* publie un article dans lequel l'analyste turc Uluk Ultas affirme avoir parlé à plusieurs combattants jurant avoir croisé Al-Maghribi. Un rapport de la police néerlandaise retranscrit également l'entretien, en 2015, d'îlotiers de la police d'Utrecht avec le père d'une jeune femme ayant rejoint l'État islamique. Selon lui, sa fille aurait pour voisine une femme dont le mari correspond au profil d'Abou Obeida. Enfin, les services de renseignement néerlandais ont dû avouer leur impuissance à authentifier le cadavre dont la photo avait circulé : il n'existerait aucune photo de lui dans les fichiers néerlandais accessibles à la police.

Un faisceau d'indices, des témoignages contradictoires amènent à se poser une question vertigineuse, aussi séduisante qu'improbable.

Abou Obeida al-Maghribi était-il un agent double ? Ou triple ?

*

« Il est mort. Pour nous, il est mort. Cela ne fait aucun doute. »
Printemps 2018, une terrasse, quelque part en Europe. J'ai rendez-vous avec un membre de sa famille. Abou Obeida al-Maghribi s'appelait, de son vrai nom, Mohamed Amine Boutahar. Et, comme l'avaient deviné les otages, il était hollandais d'origine marocaine. Né le 4 avril 1983 à Rabat, Boutahar était le fils de

l'ex-consul du Maroc à Bois-le-Duc[1]. D'ailleurs, jusqu'à son départ pour la Syrie le 1er avril 2013, il travaillait lui-même en tant que collaborateur du consulat à Utrecht. « Cette affaire a plongé le consulat […] dans l'embarras, commentera le service régional de renseignement du Brabant. Pour les autorités marocaines, c'est une affaire pénible qu'un […] collaborateur et fils d'un ancien consul […] combatte actuellement en Syrie. »

La personne rencontrée est formelle : la photo d'un cadavre postée sur les réseaux sociaux djihadistes censée illustrer l'exécution d'Abou Obeida ne correspond pas à celui qu'elle désigne par son second prénom : Amine. Pour autant, il ne saurait être question, selon elle, de remettre sa mort en cause.

D'abord parce que la première femme d'Amine a téléphoné en septembre 2014 à la mère de celui-ci pour lui annoncer : « Notre prochain rendez-vous sera désormais au paradis. » Ensuite parce que, deux ans plus tard, la veuve a rappelé pour annoncer : « Au fait, je vais me remarier. » Et que, dans ce laps de temps, Amine ne s'est jamais manifesté. Pas même auprès de sa mère, « sa confidente, sa meilleure amie ».

Né après quatre filles, Amine était « le garçon désiré », celui à qui on cède, on pardonne toutes les foucades, toutes les voitures embouties (il en a eu deux à son compteur). Aux otages de l'hôpital ophtalmologique et peut-être aux autres djihadistes, il faisait croire qu'il était ingénieur de formation. Mohamed Amine Boutahar était en réalité diplômé de l'école buissonnière, n'ayant jamais validé aucun cursus, même s'il était inscrit dans les meilleures écoles françaises d'Allemagne puis des Pays-Bas.

Musulmans très pieux « mais modérés », le père barbu et la mère voilée tiquent quand Amine s'attarde à la mosquée plus que

1. 's-Hertogenbosch en néerlandais.

de raison. Cela fait mauvais genre, estime le père, pour un fils de consul. Amine s'inscrit pourtant dans une *madrassa,* une école coranique, à Rabat. Il apprend à lire l'arabe littéraire, ambitionne de devenir imam. Mais même à la *madrassa,* où il est pour une fois assidu, on se moque. On le traite de fils à papa parce que, tous les soirs, un chauffeur vient le chercher.

De retour aux Pays-Bas, il fait la connaissance d'une psychologue pour enfants et l'épouse. Ils ont très vite deux premiers enfants. Amine doit se trouver un emploi.

Le père le pistonne pour intégrer le consulat d'Utrecht. « On a trop de Boutahar », lui répond-on. Alors le paternel, qui s'apprêtait à être nommé ambassadeur, accepte de partir en retraite anticipée. Et Amine est embauché. Il classe les archives, colle des timbres, traîne sa langueur.

Arrive la guerre en Syrie. Durant six mois, il va participer à des entraînements paramilitaires avec des aspirants djihadistes dans la forêt d'Utrecht. Après plusieurs séjours « pour faire de l'humanitaire », dit-il, Amine rejoint le Majlis Shura al-Muja-hideen d'Abou al-Athir. Sans sa femme et ses enfants qu'il a refusé d'amener avec lui. Comme s'il voulait les préserver.

Mais son épouse est têtue. Quand elle apprend qu'il est sur le point de se marier avec une Syrienne blonde aux yeux bleus, elle part le rejoindre avec les enfants. Trop tard. Amine se fait désormais appeler Abou Obeida, en référence à Obeida, le prénom choisi pour le bébé qu'il vient d'avoir avec la Syrienne. Par la suite, il tentera de nouveau de faire partir sa famille néerlandaise, mais son épouse s'obstinera à rester à ses côtés.

Des enfants tout sourire en train de déguster des glaces ou de chevaucher des poneys. Loin de l'image véhiculée par les repor-tages consacrés à Alep sous les bombes, Amine envoie au pays des photos riantes. Il appelle tous les deux mois, depuis un toit, car la connexion est mauvaise. Parlant à sa mère, il prétend faire office d'imam dans une mosquée. Il lui cache sa réelle activité : diriger une prison dans les sous-sols d'un hôpital ophtalmologique.

Lui qui, plus jeune, dans la bibliothèque de ses parents, s'absorbait dans la lecture de *Tazmamart cellule 10,* le livre d'un survivant du bagne secret dans lequel le roi Hassan II du Maroc enfermait les auteurs d'un coup d'État, se retrouve du côté des geôliers qu'autrefois il réprouvait. Début 2014, le ton toujours si posé d'Abou Obeida se voile de tristesse alors qu'il téléphone à sa mère : « Ce n'est pas si facile », lui explique-t-il. « On avait l'impression qu'il n'était plus convaincu du bien-fondé de ce qu'il faisait », m'explique mon interlocuteur.

Les dernières photos envoyées par son épouse hollandaise montrent les enfants, habillés de tenues traditionnelles afghanes, en train de jouer avec des kalachnikovs en plastique. Abou Obeida a-t-il l'impression de revivre les pages lues de *Tazmamart cellule 10* ? Commence-t-il à douter, comme d'autres, du bien-fondé des exactions commises par l'État islamique ?

Lors de ses auditions, le facteur allemand qui avait intégré les forces spéciales a raconté les confidences d'un émir canadien désabusé : « Il m'a dit que, s'il avait su ce qui se passait ici, il ne serait jamais venu. C'était la première fois que quelqu'un me disait qu'il doutait du système : "Maintenant c'est trop tard pour moi. J'ai tellement [commis de crimes] que, si je rentre au Canada, je vais être en prison pour la vie. Je ne peux pas y retourner… " »

Si Mohamed Amine Boutahar faisait, lui aussi, partie du lot de ces désenchantés du califat, cela expliquerait qu'il ait pu être recruté par le MI6. Peut-être a-t-il également été missionné, lui le fils de diplomate, dès l'origine, pour infiltrer d'abord une *madrassa* marocaine, ensuite les milieux islamistes radicaux hollandais et enfin les groupes djihadistes syriens. Peut-être est-il l'un de ces nombreux héros oubliés de la guerre secrète que se livrent les services de renseignement occidentaux et l'Amniyat.

Au bout de deux jours d'entretien, j'ai abandonné le membre de la famille Boutahar à ses interrogations, et moi aux miennes. D'après mon interlocuteur, le père d'Amine n'a jamais cherché à savoir, n'a jamais posé la moindre question. Depuis la mort de son fils, celui qui a sacrifié sa carrière de diplomate s'est refermé sur lui-même. Il vit cloîtré dans sa villa de Rabat, où les onze chambres ne résonnent plus de rires d'enfants et restent inoccupées. L'une a été aménagée en studio de peinture pour la mère, une autre en salle de prière pour le père.

XVIII

La pédagogie de la terreur

Un homme habillé de noir suspendu à un fil. Il ne porte pas de cagoule. Il ne fait même pas partie de l'Amniyat. Il s'appelle Tom Cruise et il est en train d'escalader le Burj Khalifa de Dubaï, le gratte-ciel le plus haut du monde.

Ces extraits du making of de *Mission : Impossible, protocole fantôme* alternent avec une séquence dans laquelle des hommes encagoulés interpellent des suspects et les balancent à l'arrière de leur pick-up, tandis qu'une voix off détaille les diverses missions du service secret djihadiste. Comme dans n'importe quelle entreprise totalitaire, l'organisation terroriste, pour asseoir son autorité sur son territoire, s'appuie sur une propagande bien huilée. Dans chaque ville du califat, une « maison des médias » distribue les dernières productions de l'EI. Les sympathisants viennent avec leurs clés USB, on leur enregistre dessus les versions dans la langue souhaitée. Les Amniyyin, eux, reçoivent tous les mois un CD rempli des informations estimées nécessaires concernant l'actualité de la région où ils exercent.

Dès lors que les services occidentaux n'ignorent plus rien de l'existence de l'Amniyat, le service secret a droit à des vidéos à sa gloire distribuées sur le ressort du califat. Un film, sous-titré en français, expose les interrogatoires menés par un Amni en treillis militaire, visage masqué, sur deux jeunes de dix-neuf et vingt ans, dont les tuniques orange constituent les seules touches de couleur parmi les images froides, cliniques.

Dans la pénombre, l'interrogateur tourne lentement les pages de leurs dossiers, consulte un ordinateur qui enregistre les auditions. Il pose des questions simples et les gamins avouent sans difficulté avoir pris des photos de djihadistes à l'aide d'une montre espion. La scène est reconstituée et le modèle de montre, exposé. Les jeunes majeurs se repentent. Ils finiront exécutés dans un bois avec, en fond sonore, le bruit des cigales. Toutes les vidéos de l'Amniyat véhiculent un même message, celui d'un service secret high-tech qui veille sur la population du califat.

Un échelon supplémentaire dans l'horreur est franchi avec la multiplication de films de propagande dans lesquels des enfants tiennent le rôle de bourreau lors d'exécutions filmées. Plus particulièrement lorsqu'il s'agit d'abattre des espions.

Le 10 mars 2015, un enfant de douze ans loge une balle dans la tête d'un otage, accusé d'être un agent du Mossad israélien. Le tout sous la direction de son beau-père, Sabri Essid, membre de l'Amniyat, mais aussi ancien mentor et beau-frère éphémère de Mohamed Merah. Les images tirées de cette macabre vidéo font le tour du monde. Elles sont lourdes de sens : continuation de l'œuvre morbide de Merah et surtout adhésion d'un enfant à l'idéologie de son beau-père, la religion se révélant supérieure aux liens du sang.

*

Devenu califat, l'État islamique s'est structuré, a développé sa propagande, fait de l'Amniyat la plus influente de ses administrations. Et en son sein, un nouvel homme fort : Abou Ayoub al-Ansari, celui qui a ordonné l'exécution de la taupe Obeida. Il remplace, au poste de gouverneur de la région d'Alep, Abou al-Athir, l'homme qui réservait si bon accueil aux djihadistes européens, mais qui est tenu pour responsable de la piteuse perte d'Alep.

Abou Ayoub cumule les fonctions. Il est aussi et surtout le patron de l'Amniyat pour l'ensemble de la Syrie. Un nom nouveau mais un visage ancien. Abou Ayoub al-Ansari n'est qu'une *kounya* de plus pour Ali Moussa al-Shawak, plus connu sous le nom d'Abou Lôqman. L'EI fait courir la rumeur de la mort d'Abou Lôqman, qui sévissait jusque-là à Raqqa, tandis qu'Abou Ayoub est appelé à jouer les pompiers dans la région d'Alep. Mais, comme finiront par le comprendre les différents services de renseignement occidentaux, il s'agit bien du même homme.

Membre de la tribu des Aqeedat, ce Syrien d'une quarantaine d'années, diplômé de l'académie militaire de Homs, aurait été lieutenant dans le renseignement militaire syrien avant de se radicaliser et de devenir proche d'Abou Moussab al-Zarqaoui, le fondateur d'Al-Qaïda en Mésopotamie. Ancien avocat et professeur de droit, habitué des geôles syriennes, il a bénéficié d'une amnistie en 2011 de la part de Bachar al-Assad. Le dictateur syrien avait décidé de vider ses prisons de ses détenus djihadistes, faisant le pari qu'ils allaient alors rejoindre les rangs de la rébellion, ce qui lui permettra d'affirmer, face à l'opinion publique mondiale, que la révolte était gangrenée par les terroristes et que, lui, le Boucher de Damas, était un moindre mal.

Après la débâcle d'Alep, Abou Lôqman/Ayoub planifie la reconquête, supervise les assauts des djihadistes francophones à Hraytan et ailleurs. Il interdit tout déplacement sans laissez-passer, multiplie les barrages sur les routes. « L'ambiance était très tendue, témoignera un repenti allemand. Il nous faisait très peur. Nous ne pouvions ouvrir la bouche, au risque d'être écrasés. Au début, il était seulement l'émir d'Alep, puis bien plus que ça. »

Abou Lôqman/Ayoub a désormais les pleins pouvoirs.

« Après l'arrestation d'Obeida, des restructurations ont été engagées. [...] La situation s'est alors détériorée », poursuivra le même repenti, estimant que « les méthodes de la police de l'EI s'étaient durcies ». Par paquets de vingt, les prisonniers sont pendus par les bras tandis que d'autres passent leur journée enfermés dans des cages dans lesquelles ils ne peuvent ni se tenir debout ni faire leurs besoins.

À Manbij, la Française aux trois époux djihadistes successifs décrira « les têtes coupées posées sur le rebord d'un rond-point », « des corps embrochés comme le Christ ».

Alors qu'il porte le nom d'un sage pré-islamique qui donne son patronyme à la trente et unième sourate du Coran, Abou Lôqman n'hésite pas à participer lui-même à des séances de torture.

Ce serait lui Number One, l'émir des Beatles, qui se vantait d'avoir planifié les enlèvements d'Occidentaux. Lui qui aurait décidé de la mort de l'Américain James Foley. « À la mi-2014, Al-Shawakh[1] a ordonné la décapitation de deux otages », écrira le département du Trésor américain quand il l'inscrira sur une liste de terroristes dont les avoirs doivent être gelés. À la fin 2014, il fait partie des huit membres qui composent le conseil d'administration de l'État islamique présidé par le calife Al-Baghdadi. Il est tout-puissant.

*

Dans l'unique café d'al-Bab, un homme aux jambes plâtrées a ses habitudes. Pendu à son talkie-walkie, il donne ses ordres en arabe. Salim Benghalem a survécu au bombardement de son commissariat.

1. Son véritable patronyme.

Après l'exécution d'Abou Obeida, le Français a fini par accepter le poste de celui qui fut son mentor. Benghalem chapeaute plusieurs commissariats de la région. Signe de son importance, il bénéficie de sa propre voiture, un modèle automatique. Ce qui lui permet, malgré la broche dans sa jambe, d'effectuer de réguliers allers-retours à Raqqa pour rendre compte à ses supérieurs. Il y va aussi parce qu'il réalise des missions ponctuelles pour la branche des opérations extérieures de l'Amniyat. Ce qui l'accapare de plus en plus. Lors d'une fête organisée à son domicile en l'honneur d'un de ses collaborateurs, Benghalem confie à un Français de passage qu'il va « prochainement quitter ses fonctions » à al-Bab.

Toujours à al-Bab, en septembre 2014, deux djihadistes allemands croisent Abdelhamid Abaaoud et son unité de francophones. Comme en atteste l'un des Allemands qui a partagé un repas dans un appartement avec le Belge et ses hommes, dont certains ont des jambes amputées. « Il avait toujours quelque chose d'intéressant à dire, témoigne-t-il. Lorsqu'il parlait, les gens l'écoutaient. »

À la même période, le Strasbourgeois Foued Mohamed-Aggad se trouve, lui aussi, à al-Bab. Il est passé y déposer son épouse, avant de partir « on ne sait pas où » selon la mère de l'Alsacien.

Abdelhamid Abaaoud, Salim Benghalem, Jihadi John, Najim Laachraoui, Foued Mohamed-Aggad, Mehdi Nemmouche, Tyler Vilus. Le puzzle est en place.

Débarrassés de la férule d'Abou Obeida, encouragés par Abou Lôqman, un Britannique et des francophones s'apprêtent à basculer dans la branche des opérations extérieures de l'Amniyat. Ils se sont fait les dents dans le contre-espionnage djihadiste, ils ont abandonné tout respect de la vie humaine dans des combats sans pitié. Depuis des années, ils ne rêvent que d'une chose : marquer d'un sceau sanglant leur détestation du mode de vie occidental, celui dans lequel ils ont grandi. Ils sont prêts à enfin passer à l'acte. Ils n'attendent qu'un ordre.

Celui-ci intervient le 22 septembre 2014. Le porte-parole de l'organisation terroriste, Abou Mohamed al-Adnani, déclare dans un message audio : « Si vous pouvez tuer un incroyant américain ou européen — en particulier les méchants et sales Français [...] —, alors comptez sur Allah et tuez-le de n'importe quelle manière. [...] Frappez sa tête avec une pierre, égorgez-le avec un couteau, écrasez-le avec sa voiture, jetez-le d'un lieu en hauteur, étranglez-le ou empoisonnez-le. »

Interlude

COURRIER ARRIVÉ AU CABINET D'INSTRUCTION AYANT EN CHARGE LE DOSSIER DE NICOLAS MOREAU

Le 17 août 2015

Madame,

Je vous écris pour vous signifier que je ne souhaite plus être auditionné. À la lecture de cette présente, vous pouvez considérer que vous savez tout sur mes tribulations djihadistes. [...] J'aimerais aussi vous rappeler que j'ai des informations concernant DAESH *mais que, le temps passant, certaines positions de Dawla ont dû évoluer et je crains que certaines indications deviennent désuètes. Quoi qu'il en soit, il me reste beaucoup à vous dire et des renseignements vérifiables. Si toutefois vous vous décidiez à accepter ma collaboration, je n'accepterai en contrepartie que ma libération et le nécessaire pour refaire ma vie en Corée ou au Qatar, ce qui est peu au vu des risques encourus. [...] Dans l'attente d'une réponse, je vous prie d'agréer mes salutations distinguées.*

Monsieur Moreau

SECONDE PARTIE

La CIA des terroristes

I

9 janvier 2015

Un cadavre derrière le rideau de fer. Un cadavre à côté des Caddies à l'entrée du magasin. Un cadavre le long d'une gondole près des caisses. Un cadavre à côté d'une palette de sacs de farine. Une quinzaine d'otages assis le long du rayon alcool/gâteaux apéritifs de l'épicerie juive de la porte de Vincennes.

Face à eux, le tueur. Son portable collé à l'oreille. On est le vendredi 9 janvier 2015, il est 15 h 10. Et, depuis l'Hyper Cacher, Amedy Coulibaly téléphone à BFMTV pour revendiquer l'attentat en cours.

— Vous voulez des informations pour votre chaîne ou pas ? Je suis là parce que l'État français a attaqué l'État islamique, le califat.

— Est-ce que vous avez reçu des instructions pour mener cette… cette opération ?

— Oui.

— De qui ?

— De la part du calife […]. Je demande que l'armée française se retire de l'État islamique !

En raison d'un antécédent judiciaire en matière de terrorisme, Amedy Coulibaly n'a pas tenté de rejoindre la Syrie, ce qui ne l'a pas empêché de visionner encore et encore la vidéo d'Abdelhamid Abaaoud tractant des corps derrière son 4x4. Il a communiqué sur une messagerie sécurisée avec un membre de l'État islamique[1] qui l'a piloté à distance.

Le 7 janvier, l'homme a annoncé à Coulibaly des renforts : « Indications bientôt pr recup amis aider toi ». Et le 8, il l'a prévenu que finalement, il devrait commettre l'attentat en solo : « Pas possible amis, travailler tt seul ».

Dans l'Hyper Cacher, le standard sonne. Le terroriste, sur le point de mourir lors de l'assaut des forces de l'ordre, répond à un appel de la radio RTL :

« Des comme moi vont venir, et il y en aura de plus en plus ! »

---

1. Plus de trois ans après les faits, celui-ci n'a pas pu être identifié. Les noms d'Abdelhamid Abaaoud, de Salim Benghalem et d'un proche de Coulibaly ayant rejoint la Syrie une semaine avant la tuerie de l'Hyper Cacher ont été avancés sans que rien l'établisse judiciairement.

II

Notre agent à Verviers

Trois jours après l'Hyper Cacher, les « amis[1] » attendus en vain par Amedy Coulibaly perdent patience à quatre cents kilomètres de la porte de Vincennes.

« Pachtoune », un ancien conducteur de tramway de Bruxelles, fait partie de la cellule de Verviers, une commune-dortoir des environs de Liège. On lui « fait une surveillance », et ça l'agace. Il a envie d'aller trouver les policiers qui le suivent « pour leur dire de faire leur boulot correctement ». Surtout, « ça le retarde de un ou deux jours… »

Le coche parisien étant raté, les terroristes envisagent de s'attaquer à des commissariats de police sur le territoire belge. L'État islamique mandate la cellule de Pachtoune, dont les membres sont rompus à la clandestinité et multiplient les mesures de sécurité. Ils changent régulièrement de véhicules, de téléphones portables. Pachtoune excelle dans l'art de la « contre-filoche » — en argot policier, les techniques déployées par les délinquants pour repérer les surveillances policières. Au volant de sa Renault Mégane de

---

1. Les policiers et magistrats français considèrent, sans pouvoir l'établir judiciairement, que les Belges de Verviers s'apprêtant à passer à l'acte une semaine après l'Hyper Cacher étaient les « amis » qui devaient épauler Amedy Coulibaly dans son « travail ».

location, il change parfois subitement d'itinéraire, multiplie les demi-tours intempestifs.

De nombreux djihadistes sont rompus à ces techniques. Durant le procès des attentats de Toulouse et Montauban, le directeur départemental du renseignement intérieur à Toulouse dira notamment de Mohamed Merah : « Il vit cloîtré mais reste d'une vigilance extrême, ouvre les volets pour observer la rue, descend sur le parking inspecter les véhicules. Il utilise le téléphone de sa mère, privilégie les cabines téléphoniques. Au volant, Merah use de tous les codes pour casser les filatures. Dans la répétition des mesures de sécurité, il applique une sorte de catéchisme appris. Comme tout clandestin, comme tout homme déjà versé dans la lutte armée. »

*

Depuis un appartement à Athènes, un mort tente de circonscrire l'incendie qui menace la cellule de Verviers. Quelques mois plus tôt, une liste de djihadistes décédés en Syrie a circulé sur Internet. Noyée en onzième position, la *kounya* d'Abdelhamid Abaaoud. Une ruse pour berner les services de renseignement occidentaux. Bien vivant, le petit bourgeois de Molenbeek profite de ce leurre, en ce mois de janvier 2015, pour poursuivre ses activités en toute discrétion.

Pour l'aider dans sa tâche et assurer sa sécurité dans les planques qu'il fréquente, l'EI l'a même flanqué d'un garde du corps marocain. À l'automne 2014, le duo a d'abord pris ses quartiers à Edirne, une ville-préfecture turque à la frontière avec la Grèce et la Bulgarie. Ils ont occupé un appartement d'où l'on apercevait la mosquée Selimiye, le monument le plus imposant de la ville. Abaaoud a mandaté le Marocain pour se renseigner sur la prise d'empreintes des personnes à l'entrée de la Serbie et de la Hongrie, et la circulation des trains entre la Grèce et le nord de l'Europe, tandis que lui-même prodiguait ses derniers conseils à deux membres de la katibat al-Battar[1], qu'il s'apprêtait à envoyer en Belgique, auprès de Pachtoune. Il leur a fait se teindre les cheveux, les a accompagnés en taxi jusqu'à Salonique. Puis il s'est installé à Athènes, d'où il supervise désormais la cellule de Verviers.

Pachtoune s'inquiète d'avoir « détronché » une filature policière ? Abaaoud ordonne à ses clandestins de « couper » avec lui. Un second membre du réseau, également « trop cramé », est transféré dans une autre équipe.

« Ils sont très méfiants, voire paranoïaques, et font régulièrement état de filatures dont ils feraient l'objet, résume sur procès-verbal un officier de la police fédérale belge. Ils semblent conscients de la possibilité de localisation de leur véhicule par la police et évoquent les vérifications d'usage à effectuer pour s'assurer que ce n'est pas le cas. »

Quelques mois plus tôt, des Toulousains pensant être dans l'œil du cyclone n'ont pas hésité à désosser leur voiture afin de vérifier si une balise n'avait pas été fixée dessus. « Certains se la jouent tout de même un peu James Bond », ironise un haut gradé de la lutte antiterroriste.

*

Abdelhamid Abaaoud a un bon réflexe en cloisonnant son réseau, en isolant ceux qui sont susceptibles de faire l'objet d'une surveillance policière. Mais il fait une erreur. Il n'envisage pas que, le problème, c'est lui.

Un analyste de la direction du renseignement de la DGSE a étudié un flot de communications entre l'Europe et la Syrie, il en a tiré une conviction. Son service a contacté le parquet de Paris, la DGSI et les autorités belges : Abaaoud serait en Grèce

1. Voir première partie, chapitre XIII, « L'État islamique contre-attaque ».

et animerait une plate-forme de transit de djihadistes. Il est déjà arrivé que des candidats au djihad rejoignent la Syrie via Athènes. Sauf que là, prévient la DGSE, « cela va dans l'autre sens » : cette fois, des moudjahidines rentrent en Europe.

La police belge travaille déjà sur la cellule de Verviers, il s'agit désormais de localiser Abdelhamid Abaaoud. Son téléphone borne dans un quartier d'Athènes. Il faut affiner la géolocalisation, trouver où il loge.

Mais, le 15 janvier, le bel ordonnancement de cette enquête internationale est bousculé. Dans la planque de Verviers, sonorisée par les forces de l'ordre, un complice surnommé « le Gros » arrive. Avec les deux membres d'al-Battar envoyés par Abaaoud, on les entend manipuler des armes, envisager de scier un canon. Les terroristes se gargarisent de leur future action.

— Impossible de ne pas avoir du flic à Molenbeek !

— Je t'en massacre un !

— Ce sera une grosse fête !

L'attentat est imminent, les autorités belges décident d'y couper court. Tout de suite.

*

Verviers, 15 janvier 2015.

Il est 17 h 42. Les fenêtres de la façade de l'habitation, rue de la Colline, explosent. L'assaut des unités spéciales de la police fédérale belge a commencé.

Viennent les sommations d'usage :

— POLICE ! POLICE !

Des fusils d'assaut répondent depuis l'intérieur du bâtiment.

Et une invocation :

— Il n'y a de dieu que Dieu et Mohamed est son Prophète !
Allahû Akbar !

Le tueur d'al-Battar numéro 1 riposte à quatorze reprises depuis la fenêtre d'une chambre à coucher située à l'arrière de l'habitation. Il s'expose trop, un tireur d'élite le neutralise. Le terroriste s'écroule en travers d'un matelas. Le tueur d'al-Battar numéro 2 fait feu, vide un premier chargeur depuis la salle de bains. Il recharge son AK-47 et fonce dans le couloir.

Il est 17 h 43. Une grenade assourdissante est lancée par les forces de l'ordre dans la cuisine, là où se dirige le tueur numéro 2. La grenade fait son office. Le réfrigérateur prend feu.

Il est 17 h 44. Des gémissements émanent du tueur d'al-Battar numéro 2 qui est aperçu allongé avec une arme en main. Depuis l'immeuble d'en face, un tireur d'élite l'achève.

Encore quelques tirs provenant de la planque.

Il est 17 h 48. Un corps massif s'échappe dans un halo d'épaisses fumées par l'arrière du bâtiment. Le Gros est plaqué au sol.

Une fois l'incendie éteint, les policiers perquisitionnent le logement. Sur un canapé brûlé, des vêtements provenant du fournisseur officiel des forces de l'ordre belges. Un peu partout, des pistolets-mitrailleurs, des fusils d'assaut et les produits chimiques nécessaires pour confectionner du triperoxyde de triacétone, dit TATP, un explosif ayant une force déflagratoire équivalant à 88 % de celle du TNT. Pachtoune et ses complices sont interpellés. Les regards des services de lutte anti-terroriste européens se tournent alors en direction du Parthénon.

*

Dans la foulée, tout un quartier d'Athènes est bouclé. La police grecque, prévenue à la dernière minute de l'intervention des Belges, procède au contrôle d'identité de près de cent soixante-dix résidents et perquisitionne deux appartements. Un complice d'Abaaoud est interpellé. Un autre, un gamin de Trappes, est relâché le lendemain grâce à de faux papiers. Mais point d'Abdelhamid Abaaoud. Il est déjà trop tard.

Cela pour la version officielle. Un détail n'a jamais été révélé : les policiers grecs n'étaient pas seuls pour localiser le terroriste belge. La CIA, le Mossad et la DGSE étaient également présents à Athènes. Toutes ces agences ont réuni leurs forces pour mettre le petit bourgeois de Molenbeek hors d'état de nuire.

En vain.

III

Padre

Tout n'est pas perdu. Les enquêteurs récupèrent, dans le disque dur d'un ordinateur qu'Abdelhamid Abaaoud a abandonné dans sa fuite, la capture d'écran d'un dessin montrant un homme aux cheveux longs en train de pousser un chariot. À côté du chariot, une flèche indique : « BOMBE ». Il s'agit d'un plan d'attaque de Zaventem, l'aéroport de Bruxelles. Un plan qui sera appliqué à la lettre un an plus tard, dans ce même aéroport, par des complices d'Abaaoud.

Le matériel informatique saisi permet aussi d'éclairer le rôle d'Abaaoud au sein de l'organisation terroriste : celui d'un « sous-officier sur le terrain », me résumera un magistrat français. En tant que tel, il a des comptes à rendre à ses supérieurs hiérarchiques. Le Belge prend régulièrement contact sur Skype avec un certain Amirouche, basé à Istanbul, afin de l'informer des avancées du projet d'attentat de la cellule de Verviers. Abaaoud, qui sur certaines messageries prend pour pseudo « Mon Fils », évoque également un certain « *Padre* ». Un jour, Abaaoud annonce à l'un des deux membres d'al-Battar présents dans la planque : « *Padre*, il dit que, dès que vous êtes dix, tu préviens ! »

Huit autres combattants exfiltrés de Syrie devaient rejoindre les deux déjà logés à Verviers…

Padre et Amirouche sont les pseudos des véritables commanditaires de l'attentat déjoué de Verviers. Abdelhamid Abaaoud n'est que leur relais sur le terrain. Et, comme vont bientôt le découvrir les services de renseignement occidentaux, les deux hommes ne sont pas de jeunes écervelés partis en Syrie au sortir de l'adolescence, mais des quadragénaires vétérans du djihad algérien, rompus, depuis vingt ans, à la clandestinité.

En attendant, les policiers belges interrogent les proches des terroristes. Le 28 février, ils entendent un vieux copain du coordinateur de la cellule de Verviers.

— Connaissez-vous le dénommé Abdelhamid Abaaoud ?

— Oui, c'est un chouette gars. Je le connais depuis plus de dix ans. À l'époque, c'était un bon ami. Je traînais tout le temps avec. C'est un gars du quartier. Mais avec qui j'avais plus d'affinités.

— Saviez-vous qu'il allait partir en Syrie ?

— Je ne sais pas comment l'expliquer, mais on s'est perdus de vue avec les années. Mais j'avais un pressentiment, car la prison, selon moi, l'avait changé.

— Avez-vous déjà parlé de djihad avec Abdelhamid Abaaoud ?

— Non, jamais.

— Que pensez-vous d'Abdelhamid Abaaoud ?

— En dehors du djihad, c'est quelqu'un de bien. Maintenant, je ne tolère pas ce qu'il fait.

À l'issue de son audition, le témoin signe son procès-verbal.

Salah Abdeslam.

IV

Le classeur vert

Comme on le lui a appris, l'apprenti terroriste chiffre une première fois son message, puis une seconde, avant d'envoyer sa production sur une boîte de stockage : « J'aurais besoin de quelques réponses pour le bon déroulement, *inch'Allâh* ! [...] J'aurais besoin que le frère me ramène une arme que je dois garder avec beaucoup de balles (je ne veux pas être une cible facile)... »

Et, pour se rassurer, il souhaiterait qu'« Abou Omar[1] ou Amirouche restent en contact permanent avec [lui] ».

Le jeune homme a rencontré Abaaoud, Amirouche et un certain Abou Mouthana au cours de deux séjours en Turquie en octobre 2014 et début février 2015. Lors de la seconde rencontre, Mouthana le mandate pour commettre un attentat contre la gare de Villepinte.

De retour dans l'Hexagone, l'apprenti terroriste va repérer les lieux. Mais le projet initial est vite écarté. « Pour la station du RER, je suis parti une fois il y a deux ou trois semaines. Le matin, je suis resté jusqu'à 8 h 45 et, la plupart, c'était des Arabes », indique-t-il dans un message.

Abou Mouthana le relance : « *Salam* mon frère, j'espère que tu vas bien. Nous, ça va, mais ici on traverse une période difficile,

---

1. Abou Omar est la *kounya* utilisée par Abdelhamid Abaaoud.

on a besoin de quelque chose pour nous soulager. Il faut travailler par la volonté d'Allah. Essaye de trouver une bonne église avec du monde et aussi regarde pour que tu puisses repartir rapidement et facilement. Quand tu auras trouvé, fais-moi signe pour que je t'explique la suite. »

L'apprenti terroriste est encore hésitant. « C'est difficile, *akhy*[1], pour repartir. Les bonnes églises ou paroisses sont toutes près d'un commissariat ou d'une gendarmerie et l'église, ça prend plus de temps pour les tuer… »

Puisqu'il rechigne à passer à l'action, les commanditaires le délaissent, ne répondent plus à ses mails. Alors, l'apprenti terroriste panique : « Je t'en supplie, mon frère, réponds-moi ! Où est Abou Mouthana ? Qu'est-ce qui lui arrive ? Il m'a fixé un rendez-vous depuis déjà une semaine et il n'est plus apparu… »

Abou Mouthana finit par reprendre contact avec lui. Après avoir eu peur d'être abandonné, le jeune djihadiste donne désormais des gages de bonne volonté. Il propose de s'en prendre à la basilique du Sacré-Cœur, il a même des conseils à donner aux « frères qui vont taper en même temps » que lui. Par exemple, un train dans lequel ils peuvent « tuer au minimum 160 personnes, au max 400, cette opération demandera deux frères, pas plus ». Mais ses commanditaires n'en démordent pas. Cela doit être un lieu de culte anonyme. Alors, le dimanche 12 avril 2015, l'apprenti terroriste s'en va repérer l'église Sainte-Thérèse à Villejuif, dans le Val-de-Marne.

Deux jours plus tard, Abou Mouthana lui envoie un message chiffré détaillant ses instructions pour récupérer, sur un parking d'Aulnay-sous-Bois, les gilets pare-balles et les armes cachés dans une voiture volée : « OK, *akhy*, maintenant fais bien attention : tu vas trouver dans cette rue une sandwicherie qui est dans un

---

1. « Frère ».

angle, ça s'appelle Atmosphère, je crois. Une fois que tu as trouvé la sandwicherie, tu traverses la grande route et tu vas juste en face, tu vas trouver une cité. Tu rentres à l'intérieur, tu vas trouver des places pour garer les voitures, normalement il y a un terrain de foot. Tu regardes parmi les voitures qui sont garées là, proches de la grande route et tu cherches une Renault Mégane, soit le dernier modèle, soit le modèle juste avant. Une fois que tu as trouvé la voiture, tu regardes sur la roue avant droite, tu vas trouver les clés posées dessus. Dès que tu as les clés, tu ouvres, tu récupères le sac et tu vas le ranger dans ta voiture. »

Le samedi 18 avril, le jeune djihadiste fait un dernier repérage devant l'église Sainte-Thérèse de Villejuif. Le lendemain matin, il esquive les caméras de vidéosurveillance à la sortie de son domicile, monte dans sa voiture et s'apprête à passer à l'acte.

*

— Le Samu de Paris, bonjour.

— Oui, bonjour… Au secours…

À l'autre bout du fil, la voix est essoufflée. Son propriétaire souffre.

— Dites-moi, vous êtes dans quel arrondissement, monsieur ? relance l'opératrice.

— Je suis… dans le XIIIe… On m'a…

— Vous êtes sur la voie publique, monsieur ?

— Oui, sur la voie publique… On m'a tiré dessus !

— On vous a tiré dessus ?

— Oui ! Ahhh…

— Qu'est-ce qui se passe, monsieur ?

— Je ne sais pas, je suis sorti de chez moi… Ils m'ont tiré dessus !

— Ne quittez pas, monsieur.

Un répondeur automatique, une musique d'ascenseur. Dix secondes qui s'éternisent.

— Monsieur, vous restez là où vous êtes ! On vous envoie quelqu'un. D'accord ?

— Ahhh… Oui…

Dans les minutes qui suivent, au petit matin de ce 19 avril 2015, Sid-Ahmed Ghlam, étudiant en électronique de vingt-trois ans, est secouru devant son domicile pour une blessure par balle à la cuisse.

La nuit suivante, une enquêtrice de la Crim de Paris se présente pour poser des questions au blessé sur son lit d'hôpital.

— Comment vous sentez-vous ?

— Je suis choqué.

— Par quoi êtes-vous choqué ?

— C'est le fait d'être ici qui me choque ! D'être enfermé ici avec la police, ça me choque ! J'ai du mal à respirer. Les médecins ont dû me donner de la Ventoline.

— Vous nous avez déclaré vous être tiré dans la jambe[1], comment cela s'est-il produit ?

— Je souhaite maintenir le silence.

De la Pitié-Salpêtrière où il a été soigné en tant que victime, Sid-Ahmed Ghlam a été transféré à la salle Cusco, l'unité médico-judiciaire de l'Hôtel-Dieu. Désormais, l'étudiant en électronique est entendu sous le régime de la garde à vue.

La veille, tandis que l'ambulance l'emmenait, l'équipage de police secours a suivi des traces de sang conduisant à son véhicule. Dans l'habitacle, au pied de la banquette arrière, ils ont découvert un gyrophare bleu. Ce qui les a décidés à fouiller la voiture, dans

1. Après avoir indiqué au Samu avoir été victime d'une agression, Sid-Ahmed Ghlam est revenu sur ses déclarations en garde à vue.

laquelle patientaient dans des sacs une kalachnikov, un pistolet Sig-Sauer, un pistolet Sphinx, les munitions afférentes et, sur le siège passager, un classeur vert.

Après leurs trouvailles dans la voiture de Ghlam, les effectifs de la préfecture de police de Paris ont investi la résidence étudiante où il loge. Dans la chambre 310, ils ont mis la main sur trois nouvelles kalachnikovs, trois gilets pare-balles, trois gilets tactiques, trois cartouchières, trois chasubles jaunes de la police, mais également, plié dans un tiroir sous le lit, un drapeau noir. L'oriflamme de l'État islamique.

Les enquêteurs font le rapprochement avec le meurtre d'une jeune femme, Aurélie Châtelain, tuée le matin même dans sa voiture sur un parking à proximité de l'église Sainte-Thérèse à Villejuif. L'ADN de l'étudiant en électronique est retrouvé dans le véhicule de la victime et une douille, à côté de la défunte, correspond à celles du pistolet Sphinx de Ghlam.

Cette fois, c'est une certitude. Le meurtre d'Aurélie Châtelain est un attentat (du moins un attentat qui n'est pas allé à son terme — une tuerie dans une église — par la faute d'un impondérable : après avoir abattu la jeune femme, Sid-Ahmed Ghlam s'est malencontreusement tiré dessus). Les enquêteurs de la Crim en ont la preuve. Elle se niche dans le classeur vert qui reposait sur le siège passager de sa voiture. À l'intérieur, vingt-sept feuillets. Le vade-mecum du parfait terroriste, « une succession d'énumérations d'actes techniques voire tactiques à effectuer, préalablement, pendant et à l'issue de la réalisation [de l'attentat] », notera un brigadier.

Ghlam devait notamment vérifier l'emplacement des caméras de vidéosurveillance de la ville. La page 16 récapitule les actes « à faire et à ne pas faire » en dissociant l'« avant », le « pendant » et l'« après ». La page 20 est dédiée à la façon dont il doit s'habiller de la tête aux pieds. Les jours précédant l'attentat, le terroriste doit chausser du 43, porter un pantalon serré et une veste cintrée, des lunettes de soleil et une casquette, privilégier tout ce qui affinera la silhouette ; pendant l'attentat, ce sera des baskets taille 44, un jean, un survêtement, une capuche, des vêtements amples... Et, entre les deux étapes, il lui faut changer sa démarche. Autant de consignes respectées par Ghlam, qui avait emporté à Villejuif des baskets et un coupe-vent de taille XXL à capuche. Mais le méticuleux Abou Mouthana et ses amis n'ont pas songé à rappeler à leur apprenti terroriste de remettre le cran de sûreté de son arme après un premier usage.

Deux mois plus tard, Sid-Ahmed Ghlam, acculé par les preuves matérielles, lâche du lest dans le bureau du juge. À l'en croire, ce ne serait pas lui qui aurait tué Aurélie Châtelain, mais un complice, jamais identifié. En revanche, il confirme avoir participé à un projet d'attentat[1]. Et, pour faire bonne figure, l'étudiant en électronique livre quelques indications sur le commanditaire. Abou Mouthana serait un Français d'origine algérienne de plus de quarante-cinq ans, emprisonné un temps en Algérie pour des faits de terrorisme. Il aurait choisi un attentat contre la gare de Villepinte parce qu'il est originaire de cette ville.

Grâce à ces détails biographiques, les services de renseignement ont une idée plus que précise de l'homme qui se cache derrière cette *kounya*. Une idée très précise.

---

1. Sid-Ahmed Ghlam n'est pas jugé et bénéficie donc de la présomption d'innocence.

V

Protocole fantôme

Côté état civil : Abdelnasser Benyoucef.

N'habite plus à l'adresse indiquée. Inconnu en qualité de salarié au registre de la déclaration préalable à l'embauche. Inconnu en qualité de gérant au registre du commerce et des sociétés. Inconnu des opérateurs en téléphonie. Inconnu des compagnies aériennes.

Côté casier judiciaire : Abdelnasser Benyoucef.

Très défavorablement connu des services de police. Condamné à une peine de douze années de réclusion criminelle pour des faits d'association de malfaiteurs en vue de préparer des actes de terrorisme, financement d'entreprise terroriste, vols commis en bande organisée. Condamné par défaut. Absent.

Sur l'unique photo que les services de renseignement ont de lui, l'homme a l'air de sortir à peine de l'adolescence, arbore une barbe de trois jours, les cheveux sagement coiffés. C'est Monsieur Tout-le-Monde.

Abdelnasser Benyoucef, alias Abou Mouthana al-Djaziri.

Né à Aït Enzar, dans la montagne kabyle, âgé de quarante-deux ans, emprisonné en Algérie pour des faits de terrorisme et ayant résidé à Aulnay-sous-Bois, une commune jouxtant Villepinte.

Le pedigree colle avec la description, par Sid-Ahmed Ghlam, du commanditaire de son attentat raté. Par ailleurs, l'un des hommes ayant déposé l'arsenal récupéré par Ghlam dans une Renault Mégane est un vieux copain de Benyoucef. Et celui qui a fourni le pistolet Sphinx ayant tué Aurélie Châtelain est le beau-frère d'un de ses anciens complices.

Cet homme, Abdelnasser Benyoucef, qu'Abdelhamid Abaaoud surnomme affectueusement « le Vieux », pourrait correspondre, imaginent les services de renseignement, au *Padre* évoqué sur des écoutes par différents membres de la cellule de Verviers.

La cellule de Verviers et l'apprenti Sid-Ahmed Ghlam sont les derniers jalons laissés par celui qui est considéré comme l'un des principaux cadres de l'État islamique, un terroriste haut placé, mais qui adopte, selon le contre-espionnage français, « une posture discrète ».

Toute la carrière de terroriste d'Abdelnasser Benyoucef a été placée sous le sceau de la disparition. Fils de bonne famille algérienne ayant grandi en Seine-Saint-Denis, il verse dans le hold-up et le trafic de drogues puis enseigne à des candidats au djihad, au début des années 2000, comment braquer un convoyeur de fonds, avant de suivre lui-même un entraînement dans les gorges de Pankissi, en Géorgie, base arrière d'Al-Qaïda. Il y peaufine, après un premier stage en Afghanistan, ses connaissances militaires, mais échoue à rejoindre la Tchétchénie en guerre, la faute à un hiver précoce qui rend impraticables les routes de montagne. De retour en France, le reste de son groupe, suspecté de fomenter un attentat chimique, est interpellé en décembre 2002. Lui échappe au coup de filet.

Deux ans plus tard, les policiers découvriront lors d'une perquisition à son domicile d'Aulnay-sous-Bois une éclairante revue de presse, du numéro 1 de la revue du Groupe salafiste pour la prédication et le combat (GSPC) au numéro 11 de la revue du comité militaire d'Al-Qaïda en Arabie saoudite.

Mais point d'Abdelnasser Benyoucef, qui a fui en Algérie au lendemain du braquage bidon d'un convoyeur de fonds complice. Un million d'euros sont dérobés à la Brink's. Un magot destiné au financement du Groupe islamiste des combattants marocains (GICM), qui, quelques mois plus tôt, a commis l'attentat de Casablanca (quarante-cinq morts) et s'apprêtait à réaliser celui de Madrid (cent quatre-vingt-onze morts). Benyoucef est finalement arrêté par la police algérienne avec quarante mille euros en poche — le reste du butin n'a jamais été retrouvé — et incarcéré deux ans dans son pays d'origine.

Sa — courte — peine purgée en Algérie, Abdelnasser Benyoucef se fait oublier pendant près de dix ans avant de se réinventer en Abou Mouthana al-Djaziri en Syrie, reprenant contact avec des terroristes dont il a fait la connaissance lors d'un premier voyage dans le pays, en 1995. Lui dont le mentor disait que « c'est la violence d'État qui a conduit [les groupes djihadistes] à se constituer, ce qui rejoint l'idée de légitime défense » trouve dans la lutte armée contre Bachar al-Assad un théâtre à sa mesure.

En 2013, Benyoucef retrouve des complices du temps des filières tchétchènes. Eux aussi ont rallié la Syrie. Les uns ont choisi de rester fidèles à Al-Qaïda, lui a opté pour l'État islamique, ce qui ne l'empêche pas d'apporter à l'occasion à ses anciens camarades son savoir-faire en matière de logistique. Après vingt ans, les fraternités d'armes demeurent plus fortes que les querelles idéologiques.

Vétéran du djihad afghan et tchétchène, Abdelnasser Benyoucef est nommé émir militaire de la katibat al-Battar, l'unité d'élite du califat, qui compte une centaine de Libyens et une vingtaine de francophones. Benyoucef a alors sous ses ordres plusieurs membres des futurs commandos de Verviers et du 13 Novembre.

À ses côtés, les enquêteurs retrouvent la trace d'Amirouche. Et découvrent son vrai nom, Samir Nouad. L'homme, qui supervise Abaaoud et les membres de la cellule de Verviers, est un vieil ami de Benyoucef. Un ancien collecteur d'armes du GIA[1] algérien passé lui aussi par l'Afghanistan. Interpellé fin 2014 en Turquie avec de faux papiers, Samir Nouad est relâché, sa véritable identité n'ayant pu être établie par les forces de l'ordre locales. Il rentre à Raqqa, d'où il participe au pilotage de Sid-Ahmed Ghlam.

Avec les Benyoucef, Nouad et consorts, l'État islamique dispose d'un vivier de djihadistes expérimentés, alléchés par la perspective de bénéficier enfin des moyens et des effectifs dont ils ont toujours rêvé pour commettre leurs attentats.

Au printemps 2015, des renseignements parviennent aux services français, selon lesquels le califat forme des commandos capables de préparer des attentats complexes sur notre territoire en se reposant sur le recyclage des anciens réseaux du djihad mondialisé. La DGSI et la DGSE font remonter à leurs autorités de tutelle des notes soulignant le rôle d'une vingtaine de vétérans français d'Al-Qaïda « parvenus à se greffer au terreau djihadiste particulièrement fertile en Syrie et en Irak » et exerçant désormais des responsabilités dans la planification d'opérations extérieures.

La DGSE a acquis la conviction que ces vétérans ont monté une structure basée à Raqqa fonctionnant sur le principe de la « maison des Algériens » en Afghanistan. Dans les années 1990, cette maison située à Djalalabad était le point de chute des ressortissants algériens qui se voyaient ensuite orientés dans les différents camps d'Al-Qaïda ou des talibans. Une fois qu'ils

---

1. Groupe islamique armé, organisation terroriste qui cherchait à renverser le gouvernement algérien dans les années 1990 et au début des années 2000.

étaient formés, on les envoyait dans des zones de conflit comme le Cachemire. Sinon en Europe, afin de constituer des cellules dormantes attendant d'être sollicitées pour commettre un attentat.

Cette structure calquée sur la maison des Algériens a germé dans l'esprit d'Abdelnasser Benyoucef. C'est là que serait née l'idée des attentats dans l'Hexagone. Au cours de réunions dans plusieurs ministères régaliens, la DGSE tient le même discours : « Après la vague d'attentats de 1995, c'est la deuxième manche. Les Irakiens s'en moquent de notre pays. Si on est pris pour cible, c'est parce que les Algériens arrivent et disent : "Nous, on va s'occuper des opérations extérieures. Et l'ennemi, c'est la France." »

Les attaques déjouées de la cellule de Verviers et de Sid-Ahmed Ghlam étaient placées sous l'égide de l'équipe de Benyoucef, la katibat al-Battar assurant la logistique.

Ensuite, d'après des notes émanant de différents services français, Abdelnasser Benyoucef soumet à Abou Bakr al-Baghdadi l'idée, calquée sur sa maison des Algériens, de créer au sein du califat une entité dédiée à la projection d'opérationnels hors de la zone syro-irakienne. Le calife, séduit, retient le concept. Et place cette nouvelle entité sous l'égide de l'Amniyat.

VI

« C'est un ordre de l'émir des croyants ! »

Abou Bakr al-Baghdadi n'a pas été difficile à convaincre. La Dawla se prépare aux attentats depuis longtemps. Dès le début de l'année 2014, soit neuf mois avant la déclaration de guerre d'Al-Adnani appelant « à tuer de méchants et sales Français », l'organisation terroriste a missionné des moudjahidines en Europe, tout en prenant garde à ne pas revendiquer leurs actes. Le premier d'entre eux à avoir frappé est l'ancien geôlier de l'hôpital ophtalmologique d'Alep, Mehdi Nemmouche.

Lors d'un contrôle de routine du bus en provenance d'Amsterdam, via Bruxelles, des douaniers l'ont interpellé à la gare routière de Marseille. Dans son sac, une arme de poing, une kalachnikov, une caméra miniature GoPro, et un drap transformé en drapeau à la gloire de l'EI. Autant d'éléments matériels qui, associés à des images de vidéosurveillance, désignent Nemmouche comme le principal suspect du quadruple assassinat du Musée juif de Bruxelles venant de se dérouler le 24 mai 2014.

Dans le train qui le ramène de Marseille à Paris, où il doit être interrogé, Nemmouche parle de sa passion pour le chanteur Aznavour et énumère ses épisodes préférés de *Faites entrer l'accusé*... Exactement comme le tortionnaire décrit par les ex-otages français d'Alep. Lors de son audition à la DGSI, les enquêteurs affichent aux murs les articles de presse consacrés au terroriste afin de flatter son ego. En vain. Il ne desserre pas les dents. Même attitude lors de son défèrement devant la justice.

Peu loquace dans le cabinet du juge d'instruction, où il invoque son droit au silence tandis que son avocat répète son innocence dans la tuerie du Musée juif, Mehdi Nemmouche va se révéler une vraie pipelette en prison.

*

28 juillet 2014. Cela fait deux mois que Nemmouche croupit dans une cellule du quartier d'isolement de la maison d'arrêt de Bois-d'Arcy. Sur le point d'être extradé vers la Belgique, le numéro d'écrou 84972 s'ennuie dans sa cellule jusqu'à ce qu'un détenu, alors en cour de promenade, se colle contre le mur, au pied du bâtiment. Le taulard, incarcéré pour être allé combattre en Syrie, entame avec Nemmouche une très longue conversation.

Les deux détenus, qui ont pour ami commun Salim Benghalem, ignorent qu'un surveillant écoute à la porte de la cellule du terroriste et retranscrit leurs propos. Son résumé finira dans un rapport de l'administration pénitentiaire, signé de la main du directeur de la maison d'arrêt de Bois-d'Arcy.

Au cours de cette conversation très écoutée, Mehdi Nemmouche raconte comment il a détecté la surveillance policière dont il aurait fait l'objet en feuilletant... le *Guide du routard*.

Flash-back. Après son séjour d'une année en Syrie et un passage en Turquie, Nemmouche s'envole le 21 février 2014 pour la Malaisie. Il y séjourne un mois et demi, effectuant de courtes escales à Singapour et à Bangkok, avant d'atterrir à Francfort et de se perdre dans la nature jusqu'à la tuerie du Musée juif.

Depuis sa cellule, Mehdi Nemmouche narre par le menu à son auditeur un épisode de son périple à Singapour. Il y a rencontré

« un Japonais » — le terroriste désigne là un Asiatique francophone — qui l'aurait, selon ses dires, « roulé ». Le Japonais, soi-disant un étudiant en médecine âgé de vingt et un ans, l'invite à passer la soirée au casino.

Là, il se serait montré insistant. D'abord pour regarder le passeport de Nemmouche, au prétexte qu'il n'en a jamais vu de français. Le terroriste obtempère, tout en prenant soin de masquer son identité. Ensuite, le Japonais l'interroge sur les visas algériens, libanais et turcs tamponnés dessus, lui demandant ce qu'il est allé faire dans ces pays. Nemmouche prétend être un commerçant dans le textile et se rendre là où les tissus sont le moins chers.

Face à ces questions, l'ancien braqueur de supérettes reconverti en terroriste a alors le sentiment d'avoir été piégé par un policier. Aussi, lorsqu'en fin de soirée le Japonais cherche un moyen de rester en contact, Nemmouche lui refile une fausse adresse mail, avec la ferme intention de ne plus jamais revoir l'étudiant en médecine trop intrusif.

Le lendemain, le djihadiste, en train de prendre en photo une des plus belles mosquées de Singapour, se retrouve nez à nez avec le Japonais. Interloqué, Nemmouche lui demande ce qu'il fait là, l'Asiatique répond que la mosquée figure parmi les monuments recommandés par le *Guide du routard*. Nemmouche va vérifier, il se procure un exemplaire du *Routard* consacré à Singapour : c'est faux, la mosquée en question ne figure pas dans les pages du guide touristique…

L'histoire de l'étudiant en médecine fait penser à une légende mal fagotée d'un espion pas très discret. Touriste solitaire et suspect, Mehdi Nemmouche a-t-il fait l'objet d'une filature de l'Internal Security Department (ISD), les services de renseignement intérieur de Singapour ? Ou a-t-il été pris en charge par des services occidentaux en tant que djihadiste connu et répertorié[1] ? Son identité avait-elle été donnée par la taupe Abou Obeida ?

Nemmouche est en tout cas persuadé d'avoir démasqué un agent secret. Après avoir pris ses distances avec ledit étudiant, il rallie l'Europe et commet son attentat.

*

Lors de sa conversation avec le détenu de Bois-d'Arcy, Mehdi Nemmouche ne se contente pas de se plaindre des surveillances policières dont il aurait fait l'objet en Asie, il avoue aussi son crime et inscrit son action dans un projet terroriste concerté.

« Tout en rigolant », insiste dans son rapport le directeur de la maison d'arrêt, le terroriste se dit heureux parce qu'il y a « quatre juifs de moins sur terre qui [sont] repartis dans un cercueil en Israël », dans une référence glaçante aux victimes du musée de Bruxelles. Il se compare au cerveau du « gang des barbares », Youssouf Fofana, qui « lui n'a fumé qu'un seul juif ».

À l'issue de la discussion à travers les murs gris de Bois-d'Arcy, Mehdi Nemmouche conclut, à propos des policiers : « Tant qu'ils ne démantèlent pas la filière, tout ira bien. » Laissant entendre que d'autres projets sont en cours.

---

1. Deux services français disposent d'une antenne à Singapour : la DGSE, les services secrets extérieurs, et la Direction de la coopération internationale (DCI), l'organe rattaché au ministère de l'Intérieur, gérant les officiers de liaison de la police française dans les ambassades à l'étranger. Jointe, la DGSE, comme à son habitude, refuse de commenter une éventuelle opération extérieure. Cependant, un connaisseur du dossier assure que « la DGSE n'a rien à voir avec ça et, de toute manière, la scène décrite par Mehdi Nemmouche ne correspond pas aux modes opératoires d'approche ». La DCI, elle, fait valoir que ce ne sont « ni ses méthodes ni son métier ». Contacté par l'intermédiaire de l'ambassade, le porte-parole du ministère de l'Intérieur de Singapour nous fait savoir qu'il « s'abstient de tout commentaire sur le sujet [...] évoqué ».

*

Officiellement, l'État islamique n'a jamais endossé la paternité de la tuerie du Musée juif de Bruxelles commise par un soldat de son califat. En revanche, plusieurs djihadistes proches de Nemmouche célèbrent sur les réseaux sociaux le carnage attribué à leur ami. Le soir même de l'attentat antisémite, des membres de la katibat al-Battar se photographient dans un kebab de Raqqa et sous-titrent l'image publiée sur Twitter : « Mort aux juifs »... Deux jours après l'attentat de Bruxelles (et quatre jours avant l'arrestation de Nemmouche, qui n'a pas encore été identifié), Tyler Vilus se félicite de la tuerie sur son compte Twitter : « Morts de juifs en Belgique, c'est du propre. Qui doit-on remercier ? Telle est la question. Kalash pliable, GoPro, ça sent bon :). »

On sait que Nemmouche, Vilus et Abaaoud étaient ensemble en Syrie. La propre mère de Vilus avoue à un proche bien connaître Nemmouche, elle aussi. Son interlocuteur s'inquiète de ces terroristes envoyés par l'État islamique, la mère de Vilus le rassure : « Ce sont des frères qui rentrent parce qu'ils ont envie de faire un truc eux tout seuls. C'est des trucs perso quoi, c'est leur choix à eux, tu vois ? »

À l'entendre, les djihadistes rentrés en France seraient des loups solitaires auxquels l'organisation terroriste aurait lâché la bride.

La réalité est plus complexe.

Sur le point d'entamer son périple asiatique qui devait le conduire incognito jusqu'au Musée juif de Bruxelles, Nemmouche a téléphoné durant vingt-quatre minutes à Abaaoud, comme le feront plus tard les membres de la cellule de Verviers.

Et puis il y a cette écoute téléphonique, le 5 juillet 2013, au

185

cours de laquelle Abdelmalek Tanem[1], le garde du corps d'Abou Obeida, annonce à un ami en France, concernant Nemmouche toujours en Syrie à ce moment-là : « Finalement, son truc, il est retardé à largement plus tard. Tu vois ? »

À l'autre bout du fil, l'interlocuteur s'inquiète : le retour de Nemmouche en Europe pour commettre « son truc » semble compromis. Le principal intéressé s'invite dans la conversation en prenant le téléphone des mains du garde du corps. « Tout ce que je t'ai dit, quasiment tout, c'est auto-annulé, explique Nemmouche. Tout ce dont on avait parlé, il n'y a pas réellement de date, tu vois. »

Mehdi Nemmouche devra effectivement patienter plusieurs mois avant d'obtenir la permission de commettre son attentat en Europe.

Toujours en ce mois de juillet 2013, une conversation entre Tanem et un autre islamiste resté en France laisse entendre que le projet de renvoyer des moudjahidines en Europe est validé par les plus hautes autorités de l'organisation terroriste. Le garde du corps demande à son ami s'il connaît quelqu'un qui fait des faux passeports. L'ami lui répond que « c'est coûtant », cinq mille euros… Tanem se moque du prix : « Ce n'est pas grave, c'est un ordre de l'émir des croyants ! »

Abou Bakr al-Baghdadi. Le chef suprême de l'État islamique. Le futur calife.

On est en plein cœur de l'été 2013. Ces djihadistes français, ceux que l'on retrouve geôliers des otages occidentaux à l'hôpital ophtalmologique d'Alep, peinent alors à joindre les deux bouts. Mais, dès lors que l'on agit sur ordre de l'émir des croyants, payer cinq mille euros pièce n'est pas un problème.

Dans le même registre, l'ex-otage Federico Motka racontera, lors de son audition par les carabiniers italiens, qu'un interrogateur de

1. Voir première partie, chapitre VIII, « C'est pas le Club Med, ici ! »

la Dawla posait plein de questions sur les réfugiés qui demandaient l'asile politique en Europe, cherchant à savoir comment fonctionnait la procédure. Ainsi, un an avant le début des bombardements de la coalition, un an avant que le porte-parole Al-Adnani ne menace l'Occident, l'État islamique se renseignait déjà sur la façon dont il pourrait faire passer les frontières à ses tueurs.

Enfin, de retour en France, Mourad Farès, ce Savoyard dissident de l'EI, rapportera une entrevue avec un Saoudien chargé de recruter, de former et de renvoyer chez eux des moudjahidines étrangers en vue de constituer des cellules dormantes prêtes à commettre des attentats. Le Saoudien lui aurait ordonné de ne parler à personne de ce « projet secret ». On est à l'automne 2013.

Dès cette époque, les services de renseignement ont conscience du risque représenté par les soldats du califat à l'intérieur de nos propres frontières. Au lendemain de l'attentat attribué à Mehdi Nemmouche, la DGSE recense dans une note les Français représentant, selon elle, un danger. Y figure, un an et demi avant le Bataclan, le Strasbourgeois Foued Mohamed-Aggad. Dans cette liste, parmi ceux qui sont susceptibles de piloter un attentat depuis la Syrie, on retrouve aussi le Cannois Rached Riahi, qui écrit sur les réseaux sociaux que « le terrorisme a besoin d'employés en France, *inch'Allah,* bientôt des attentats, chez les Gaulois » ou détourne la devise de la République : « LA FRANCE = LIBERTÉ, ÉGALITÉ, ÇA VA SAIGNER. » Dès le mois de février 2014, Riahi annonce, avec son complice Vilus et un troisième larron, être en train de recruter une équipe afin d'attaquer un commissariat à Lyon. Le trio passe son annonce pour l'opération suicide contre les forces de l'ordre sur Facebook. C'est peu discret et le projet n'ira pas à son terme.

Jusqu'ici, les attentats reposant sur des initiatives individuelles étaient peu coordonnés, sans référent pour guider depuis la Syrie les terroristes sur le terrain. Lors de sa conversation à Bois-d'Arcy, Mehdi Nemmouche se plaint qu'une fois en Europe « tout le monde l'avait abandonné », prétendant s'être retrouvé à la rue avec soixante-quinze euros en poche.

Une fois le califat officiellement en guerre contre l'Occident, il va se donner les moyens de son ambition. Aussi la suggestion d'Abdelnasser Benyoucef de créer un bureau des opérations extérieures tombe-t-elle à point nommé. Et, pour se faire épauler, Benyoucef prend avec lui un autre Français, une vieille connaissance des plus hauts dignitaires de l'État islamique, un vétéran du djihad habitué à jouer depuis plus de dix ans au chat et à la souris avec les services de renseignement du monde entier.

VII

L'émir à la Kia blanche

C'est une petite échoppe ayant pignon sur rue, juste en face du tribunal islamique de Raqqa. Chez Abou Sayf, spécialité cuisine marocaine. Aux fourneaux, un Nantais d'origine coréenne. Nicolas Moreau fait tourner sa boutique malgré les aléas de la guerre.

Conséquence des bombardements, le store ne ferme plus. Les coupures d'électricité sont fréquentes. Les panneaux publicitaires commandés ne seront jamais livrés et le petit personnel ne brille pas par sa compétence.

Il faut croire que ce qui se trouve dans l'assiette est bon, car les djihadistes s'entassent dans l'échoppe. Des Saoudiens, des Américains, des Anglais. Et surtout des Français et un Belge.

Abdelhamid Abaaoud vient manger tous les jours chez Moreau, la nourriture lui rappelle la vallée du Souss d'où est originaire sa famille au Maroc. Parfois, il vient avec deux Tunisiens « dont l'un parlant très bien le français ». Les deux hommes sont chargés d'envoyer des clandestins « pour attaquer la Belgique, voire la France », à en croire Moreau lorsqu'il se confiera à la DGSI. Nicolas Moreau évite de préciser s'il connaît l'identité des individus qui accompagnent Abaaoud. Mais sa description du Tunisien parlant le français ressemble à s'y méprendre à celle qu'il fera d'un autre client de son restaurant, un homme qui se déplace dans un véhicule réservé selon lui aux seuls émirs de l'EI. Une Kia blanche.

Autrefois, le propriétaire du véhicule était plutôt beau garçon. Avec ses traits fins, ses cheveux en arrière et sa barbe noire, il faisait penser à Che Guevara. Aujourd'hui, celui qui descend de sa Kia blanche s'est épaissi, sa chevelure a cédé la place à une calvitie. Court sur pattes, il impressionne néanmoins toujours. Les muscles n'ont pas disparu derrière l'embonpoint naissant. Au contraire, plus le temps passe, plus il est râblé.

« Il fait très peur, il est vraiment impressionnant, confiera l'épouse d'un djihadiste au journaliste David Thomson. Il doit peser cent dix kilos, mais ce n'est que du muscle. »

Un consultant en informatique un temps tenté par le djihad se souviendra de ce terroriste « figurant dans la *top list* du FBI », qui s'arrête en voiture devant les cafés, commande une boisson chaude et repart aussitôt servi, ne consommant jamais sur place.

Son visage ne passe pas inaperçu.

« Tout le monde parle de lui comme si c'était je ne sais pas qui, poursuivra l'épouse de djihadiste. C'est un exemple. Ils savent qu'il a fait des opérations importantes. »

La propagande de l'EI le met en avant. Dans une vidéo, il a menacé la Tunisie. Dans un magazine, il a menacé la France.

À Raqqa, tout le monde connaît Boubakeur el-Hakim.

*

Né le 1ᵉʳ août 1983 à Paris, le petit Boubakeur est un enfant des Buttes-Chaumont, ce quartier du XIXᵉ arrondissement niché sur les flancs d'une colline. À lui seul, il se retrouve à l'origine de la filière ayant hérité du nom du quartier, au sein de laquelle on retrouvera impliqué Chérif Kouachi et inquiété son frère Saïd, les futurs auteurs du massacre de *Charlie Hebdo*. Dans cette bande de copains d'enfance qui se radicalise, El-Hakim est le petit dernier, il a un an de moins que les autres.

Et pourtant c'est lui qui part le premier. Dès 2003, ce vendeur chez Monoprix se rend en Irak, alors que le pays est sur le point d'être envahi par les États-Unis. Lorsqu'un journaliste de LCI visite un camp d'entraînement de la légion étrangère de Saddam Hussein, Boubakeur, tout juste âgé de vingt ans, vêtu d'une veste militaire de l'armée irakienne et coiffé d'un béret, défie les États-Unis : « Je viens de France, on va tuer les Américains ! On va tuer tout le monde, nous ! *Allahû Akbar* ! »

À Falloujah, le fief d'Abou Moussab al-Zarqaoui, le sanguinaire chef d'Al-Qaïda en Mésopotamie, Boubakeur el-Hakim supervise les différents groupes de volontaires français et tunisiens. Dans une note qu'elle lui consacre le 26 mai 2005, la DST, l'ancêtre de la DGSI, relevait déjà qu'il connaissait beaucoup de monde en Syrie et franchissait aisément la frontière irakienne.

El-Hakim pose des mines de quatre-vingts kilos enfouies dans le sol, qu'il déclenche au passage de convois américains. Il reçoit les félicitations d'un imam radical de Falloujah, le cheikh Abdullah al-Janabi, qui, dix ans plus tard, sera un des prédicateurs les plus appréciés de l'État islamique.

Sa détermination ne peut pas être remise en doute. Il a été élevé dans cette optique. Lorsque son propre frère, qu'il avait convaincu de le rejoindre, est tué dans des bombardements américains en 2004, leur mère téléphone au domicile d'un autre membre de la filière des Buttes-Chaumont et s'enthousiasme : « Bonne nouvelle : mon fils est mort en martyr ! »

Une autre fois, elle a prédit : « Mes enfants sont destinés à cela. »

Arrêté au Levant, Boubakeur el-Hakim est condamné en France à sept ans de prison. Malgré la détention, il continue d'exercer une emprise certaine sur les hommes. Des rapports de l'administration pénitentiaire française soulignent « le charisme et l'aura naturelle que lui reconnaissent les autres détenus. Il s'est très vite imposé comme un leader naturel auprès des détenus à forte personnalité ».

Un ancien codétenu à Osny, la maison d'arrêt du Val-d'Oise, se souvient encore de l'influence d'El-Hakim : « Il avait transformé la promenade en camp d'entraînement djihadiste. Ils s'exerçaient à des prises de judo, à des exercices de stratégie. Il y avait aussi une sorte de jeu où une équipe devait prendre à l'autre un mouchoir. Je n'ai pas très bien compris la finalité… »

Dans une interview qu'il accordera à *DABIQ*, le magazine de propagande de l'État islamique, Boubakeur el-Hakim relatera ses années de détention. « Nous devions faire face à des humiliations et à l'inconfort de ces mécréants. Mais, en même temps, c'était une formidable opportunité d'expliquer notre courant [de pensée] et sa voie à la jeunesse emprisonnée. »

Libéré le 5 janvier 2011, il se précipite un mois plus tard en Tunisie, nouveau théâtre privilégié du djihad international. Il y joue un rôle de premier plan, notamment en acheminant des armes depuis la Libye. Il crée un camp d'entraînement dans le pays de l'ancien dictateur Kadhafi. Cela se complique pour lui lorsqu'il est suspecté d'avoir participé aux assassinats en Tunisie de Chokri Belaïd, leader de la gauche nationaliste, et du député Mohamed Brahmi, autre figure de la gauche.

On est en avril 2014. Boubakeur el-Hakim quitte la Libye où il s'était réfugié, traverse la Turquie et, dix ans après, retrouve la Syrie. Salim Benghalem, qui l'a connu via leurs amis communs des Buttes-Chaumont, l'y accueille, mais le vétéran n'a besoin de personne pour s'intégrer au sein de l'organisation terroriste émergente, constituée d'anciens d'Al-Qaïda en Mésopotamie.

À l'été, il aurait été blessé par un tir de sniper lors de l'assaut victorieux contre la base de la division 17 du régime syrien au nord de Raqqa. À l'automne, Mourad Farès, le Savoyard qui rêvait de monter sa propre katibat de Français, croise cet émir « particulièrement violent » à la tête d'un bataillon d'un millier d'hommes.

Le 17 décembre 2014, Boubakeur el-Hakim revendique les assassinats des opposants politiques en Tunisie et menace : « Nous allons revenir et tuer plusieurs d'entre vous. Vous ne vivrez pas en paix tant que la Tunisie n'appliquera pas la loi islamique ! »

Le djihad d'El-Hakim est sans limites, ne fait pas de quartier. En garde à vue à la DST en juin 2005, dans le cadre de la filière des Buttes-Chaumont, il avait détaillé sa philosophie terroriste : « Les attentats contre les civils sont souhaitables. Une personne qui travaille en commerçant avec les soldats américains est un combattant. Une personne qui leur vend de la nourriture est un combattant. Toute personne qui leur vend quelque chose qui peut les aider est un combattant. »

Et c'est cet homme, avec cette philosophie-là, qui a intégré l'Amniyat et gravi ses échelons au point de devenir le Français le plus haut gradé au sein de l'État islamique.

Un repenti dont le frère a servi de chauffeur à El-Hakim le décrit comme proche du porte-parole de l'EI, le tout-puissant cheikh Al-Adnani. Selon lui, El-Hakim dirige « une police secrète, des gens encagoulés ».

*

Une fois leur déjeuner avalé dans le restaurant de Nicolas Moreau, Abdelhamid Abaaoud et son supérieur hiérarchique, Boubakeur el-Hakim, retournent à leur bureau. Un bureau spécial et très confidentiel.

Entendue en avril 2015, l'épouse du repenti précité avouera : « Ils ont la haine contre la France, la France est devenue pire que les États-Unis. Je sais qu'ils vont attaquer la France, mais je ne sais pás quand, ni où, ni comment. »

VIII

Le bureau des légendes djihadistes

À première vue, le palais de l'Hospitalité, dans lequel le régime syrien logeait autrefois ses invités de marque, a été déserté. La terrasse sur le toit est à l'abandon. Personne ne peut deviner ce qui se trame derrière les arcades couleur sable. Nulle silhouette ne se dessine à l'ombre des fenêtres grillagées. Et quand un véhicule sort de l'enceinte, ses vitres sont teintées, ses passagers encagoulés.

« Le bureau des attentats est à Raqqa. Mais personne ne sait où il se trouve », a averti le facteur allemand ayant intégré les forces spéciales du califat.

Un homme, pourtant, a évoqué l'emplacement de ce bureau.

Le repenti dont le frère a servi de chauffeur à Boubakeur el-Hakim.

Le bureau des attentats se niche à l'intérieur de ce palais de l'Hospitalité en apparence abandonné, dans le ventre mou de la ville, à quelques pas du parc Haroun al-Rachid, en plein cœur du quartier résidentiel de Thakanah. Juste en face d'un des deux logements d'El-Hakim.

Le bâtiment est idéalement situé dans un secteur jusque-là épargné par les bombardements. Ni trop près ni trop loin des autres administrations du califat : le bâtiment du nouveau *wali* de Raqqa, Abou Lôqman, le tribunal islamique, le « stade noir » — le stade municipal al-Baladi, que l'Amniyat a aménagé en prison. Dans les environs se trouvent aussi le restaurant de Nicolas Moreau où Abdelhamid Abaaoud déjeune tous les midis et l'hôtel al-Karnac, où le Cannois Rached Riahi profite du wi-fi pour envoyer ses messages de menace à l'encontre de la France

Les Amniyyin ont annexé les immeubles mitoyens qui servaient de siège à l'ancienne sécurité politique d'Assad, ce qui leur permet de bénéficier des infrastructures de cette branche du *Moukhabarat* chargée de la surveillance des opposants au régime. Désormais, dans cette enceinte, il s'agit d'envoyer des terroristes en Afrique, en Europe, en Asie, afin d'y commettre des attentats.

*

Lorsqu'ils partent en mission à l'étranger, ceux qui travaillent dans ce complexe tombent la cagoule, se rasent la barbe, s'habillent à l'européenne et enfilent des Asics aux pieds.

Le « bureau des légendes » djihadistes dont rêvait Abdelnasser Benyoucef a vu le jour.

On lui donnera beaucoup de noms. Les médias parleront de « ministère des attentats » ; les services de renseignement le désigneront sous l'expression de « Point 11 », du nom de la partie du stade de foot où se déroulera une réunion avec plusieurs dignitaires de l'EI le lendemain du 13 Novembre. D'ex-djihadistes évoqueront un « ministère des Provinces éloignées », confondant avec une autre structure qui correspond plutôt à l'équivalent d'un secrétariat d'État aux DOM-TOM du califat.

Au sein de la Dawla, on l'appelle l'Amn al-Kharji. La division est officiellement chargée des opérations clandestines à l'extérieur du califat. C'est en quelque sorte la CIA, ou le Mossad, des djihadistes. Il faudra attendre le printemps 2016 pour que son implication soit reconnue par l'État islamique. Le communiqué arabe de revendication des attentats de Bruxelles désigne les auteurs sous l'appellation de *mafraza amniyya*[1] et, quelques semaines plus tard, la revendication des attentats de Tartous et Jablé — cent quarante-huit morts lors d'attaques simultanées dans ces deux villes syriennes le 23 mai 2016 — mentionne le rôle joué par « les Amniyyin ».

Qu'importe le nom qu'on lui donne, ses actions sont résolument placées sous l'égide des services secrets djihadistes. Au lendemain du meurtre d'un policier sur les Champs-Élysées, le 20 avril 2017, le magazine de propagande *Rumiyah* expliquera doctement que, si le tueur français de policier était surnommé « Al-Belgiki [le Belge] », c'était un « nom de code » utilisé dans ses communications avec « son officier traitant »[2].

Comme toujours avec l'État islamique, les responsabilités sont croisées. Ce bureau des opérations extérieures, dépendant de l'Amniyat, est d'abord placé sous l'autorité d'un cacique de l'organisation terroriste, un certain Abou Younès al-Iraki, avant d'échoir dans le portefeuille du tout-puissant porte-parole Abou Mohamed al-Adnani. Décrit comme un fin connaisseur du Coran et du droit islamique, il apporte sa caution religieuse aux projets retenus et délivre la validation finale. Son homme lige, Abou al-Bara al-Iraki, à la tête d'une katibat des forces spéciales, gère quant à lui la cellule dédiée à l'assassinat d'opposants à l'EI réfugiés en Turquie.

Le nouveau *wali* de Raqqa, Abou Lôqman, hérite de la direction des services secrets à l'échelle du califat. À ce titre, il supervise également le bureau, étant particulièrement attaché aux cellules francophones et anglophones qui projettent des attentats dans

---

1. Détachement sécuritaire.

2. Dans l'univers du renseignement, l'officier traitant ou « OT » désigne un membre d'un service secret chargé de diriger un ou plusieurs agents œuvrant clandestinement à l'étranger.

leurs pays d'origine. Son adjoint, surnommé « le Mathématicien », est chargé du contre-espionnage.

Le chef même de l'Amn al-Kharji n'est autre que Abou Ahmed al-Iraki, l'homme qui se faisait passer pour le chauffeur du jeune Laachraoui lors de l'évacuation des otages d'Alep[1]. Il est belge et s'appelle en réalité Oussama Atar. Son profil est similaire à celui de Boubakeur el-Hakim. Comme lui, Atar est déjà un vieux client de l'antiterrorisme. Comme lui, il connaît depuis une décennie les Irakiens et les Syriens aujourd'hui à la tête de l'EI.

En 2005, Oussama Atar avait été condamné à dix ans de prison par un tribunal irakien pour avoir pénétré illégalement dans le pays, puis incarcéré à Abou Ghraib et au camp Bucca — où se trouvait, à la même période, le futur calife, Abou Bakr al-Baghdadi.

Sa famille avait milité auprès des autorités belges pour sa libération au prétexte d'une tumeur au rein, des rassemblements très médiatisés avaient été organisés. Tant et si bien qu'il avait été rapatrié. Libéré en 2012, deux ans avant la fin de sa peine, et manifestement guéri de son cancer, Oussama Atar ne s'éternise pas en Europe. Il rejoint la Syrie.

Au courant du rôle joué par cet Abou Ahmed au sein des services secrets djihadistes, mais ne l'ayant pas encore identifié, la DGSI produit, le 12 janvier 2015, trois photos correspondant à des djihadistes français ayant pour *kounya* Abou Ahmed et les présente aux ex-otages français. En vain. Le contre-espionnage n'a pas envisagé que l'individu puisse être belge et n'a pas inclus Oussama Atar.

Quelques semaines plus tard, lors de ses communications avec Abdelnasser Benyoucef, l'étudiant Sid-Ahmed Ghlam, en train de préparer son attentat de Villejuif, s'enquiert des frères voulant

---

1. Voir première partie, chapitre XII, « Destination Riverside ».

rejoindre la Syrie mais n'ayant ni passeport ni argent. « Je pense qu'Abou Ahmed t'en a déjà parlé, aidez-les », demande-t-il.

Abdelnasser Benyoucef et Oussama Atar réunis dans un même message… Les deux terroristes s'apprécient, de même que Boubakeur el-Hakim, « un grand ami » de l'Algérien Benyoucef, selon un Français les ayant croisés tous les deux. Avec Samir Nouad, l'ancien des GIA, ces quatre hommes font tourner le bureau des attentats.

Benyoucef en a eu l'idée, Atar le dirige, El-Hakim chapeaute les projets d'attaques visant l'Europe et le Maghreb tandis que Nouad apporte son savoir-faire en matière de logistique. Du moins, en théorie. L'organisation du bureau évolue au gré des éliminations de certains de ses cadres, de la promotion des autres.

« On n'arrivera jamais à établir judiciairement qui fait quoi, m'avouera un magistrat. C'est une structure mutualisée avec quatre ou cinq vétérans en responsabilité qui se repassent les dossiers d'attentat, en fonction de leurs emplois du temps respectifs. »

Comme dans n'importe quel bureau, dans n'importe quelle entreprise.

Devant le juge d'instruction menant l'enquête sur les attentats du 13 Novembre, Bernard Bajolet, alors patron de la DGSE, évoquera « un processus itératif dont les acteurs subordonnés peuvent changer d'un projet à l'autre ». Malgré la masse des djihadistes menaçant la France et ses alliés, ceux qui organisent depuis la Syrie les attentats en Europe constituent un tout petit noyau. Dans une note transmise à l'automne 2016 à l'Élysée, les services de renseignement soulignent qu'« entre janvier 2015 et avril 2016 Abdelnasser Benyoucef, Boubakeur el-Hakim et Samir Nouad sont tous apparus impliqués dans les projets planifiés depuis la zone syro-irakienne ayant visé l'Europe ».

Pour réaliser leurs sinistres desseins, ces vétérans s'appuient sur la jeune génération, ceux qui ont fait leurs armes dans les environs de l'hôpital ophtalmologique d'Alep et qui, ensuite, ont officié sous les ordres d'Abou Lôqman, le nouveau chef de l'Amniyat.

Il y a ceux que la DGSE qualifie de « managers opérationnels », chargés de la formation des futurs terroristes et de leur suivi une fois qu'ils seront sur le terrain. Au premier rang de ces « managers » : les Belges Abdelhamid Abaaoud et Najim Laachraoui, le Britannique Jihadi John et le Français Salim Benghalem, de plus en plus sollicité par le bureau des opérations extérieures, où il a ses entrées.

Parmi les petites mains du bureau, il y a également GTA Gourmat, le livreur de pizzas de Malakoff, qui rêvait « de tuer tout ce qui bouge », mais aussi plusieurs jeunes venus de Trappes qui devaient participer au commando de Verviers, mais n'avaient pas réussi à rallier la Belgique. L'un d'eux est surnommé « Lassana Diarra » à cause de sa ressemblance avec le joueur de foot. Le Strasbourgeois Foued Mohamed-Aggad fréquente la bande. De même que Maxime Hauchard. Après avoir survécu à l'enquête de personnalité menée auprès des siens en Normandie, Hauchard a été remarqué lors de sa participation à un camp d'entraînement par Abdelhamid Abaaoud et Jihadi John. Maintenant, il fait office de garde du corps pour les plus hauts dignitaires du califat et fréquente Boubakeur el-Hakim et GTA Gourmat. Il finit par intégrer l'Amniyat et son bureau des opérations extérieures.

*

Lors de son audition mouvementée à Levallois-Perret, Nicolas Moreau détaillera le processus de double validation des projets d'attentats. Chaque volontaire francophone se présente à Abdelhamid Abaaoud et lui expose son projet. On peut imaginer que les anglophones doivent faire de même auprès de Jihadi

John. « Ils regardent si tu n'es pas cramé dans ton pays, si tu es de confiance », détaille Moreau.

C'est Abdelhamid Abaaoud « qui a un regard sur les dossiers », mais ce sont deux Tunisiens, dont Boubakeur el-Hakim, qui décident au final « de retenir le dossier ou pas ».

Pendant ce temps, les Amniyyin contactent par messagerie chiffrée leurs référents en Europe. Ils sollicitent leur expertise locale sur les potentiels lieux d'attaque. Une fois les informations récoltées, elles sont analysées au bureau des attentats de Raqqa. La situation politique et sécuritaire est évaluée. Avec, sous les yeux, le calendrier des événements à venir dans les pays ciblés.

Lors de leurs conversations avec leurs référents en Europe, les Amniyyin se renseignent au passage pour voir s'il n'y a pas déjà sur place des volontaires pour commettre des attentats. Et, si les candidats autochtones ont des problèmes de liquidités, le bureau des légendes djihadistes leur envoie de l'argent et même un tutoriel pour apprendre à tromper l'ennemi.

IX

Le djihad selon Jason Bourne

Le 18 juin 2015, un lycéen en terminale S télécharge sur une messagerie sécurisée un manuel de soixante-dix pages intitulé *How to survive in the West*, « Comment survivre en Occident ». Le candidat au baccalauréat échange depuis le début de l'année avec un hacker britannique, membre fondateur de la *cyberteam* de l'État islamique. Ce dernier a connu son heure de gloire d'abord en dérobant des données à l'ancien Premier ministre Tony Blair et, depuis qu'il a rejoint le califat, en piratant les comptes Twitter et YouTube du Pentagone.

Le hacker de l'EI incite l'adolescent âgé de dix-sept ans à frapper en France. Justement, le lycéen projette, avec trois autres complices, d'attaquer la base militaire de fort Béar, dans les Pyrénées-Orientales, et d'y décapiter un gradé. Le hacker l'abreuve alors de PDF sur la confection d'explosifs. Surtout, il lui envoie *How to survive in the West*, « un truc de bandit », résumera le mineur : « Il y a des conseils de discrétion, des cours théoriques sur la guérilla, des trucs tactiques. »

Un mois après l'avoir téléchargé, le lycéen et ses complices seront interpellés. Avant d'avoir pu passer à l'acte.

*

Vraisemblablement écrit par un membre de l'Amniyat, *How to survive in the West* ambitionne de former des « agents secrets ». Le manuel préconise de visionner la trilogie hollywoodienne *Jason Bourne* afin d'apprendre à déjouer les filatures, analyse les façons de travailler des services de renseignement occidentaux.

À l'origine, l'apprentissage de la clandestinité s'effectuait tout simplement à travers des cours dispensés par des experts. Dans son livre *Dans l'ombre de Ben Laden*, le garde du corps du terroriste saoudien raconte les entraînements en Afghanistan dans les années 1990 : « On consacre des journées entières à étudier les habitudes de nos cibles. [...] Comment changer les traits de [nos] visages ? Comment s'adresser aux voisins de la cible ? [...] Tous les nouveaux arrivants suivent ce stage qui leur apprend également à rédiger des lettres codées. »

Avec le temps, les terroristes condensent cet apprentissage dans des livres. Les djihadistes poursuivent là une vieille tradition de perpétuation d'un savoir-faire insurrectionnel. Le *Manuel du guérillero urbain*, ouvrage brésilien de 1969, faisait office de livre de chevet pour les recrues de l'IRA comme des Brigades rouges.

Produits de leur époque, les organisations djihadistes utilisent dorénavant Internet et les réseaux sociaux pour propager leur savoir-faire et s'inspirer de celui... des services de renseignement de l'ennemi.

Découvert en 2000 lors d'une perquisition à Manchester au domicile d'Anas al-Libi, un cacique de l'organisation terroriste de Ben Laden, le livre connu sous le nom de *Manuel d'Al-Qaïda* consacre deux chapitres à l'espionnage et la sécurité. Y sont cités le KGB et Allen Dulles, légendaire directeur de la CIA des années 1950. Tout y est prévu, anticipé. Jusqu'aux questions auxquelles devront répondre les apprentis djihadistes au départ de leurs pays d'origine, dans les pays de transit et à l'arrivée au Pakistan.

À la fin des années 2000, un ouvrage enseigne la manière dont « se comporter et traiter avec les enquêteurs du renseignement ». Son originalité ? Il s'appuie sur l'expérience d'un groupe de détenus. « L'objectif est d'armer les combattants par la connaissance de ce qu'est une enquête, les aider à déjouer les pièges des enquêteurs, à résister et tenir le silence, à protéger le djihad. »

Depuis, il a été supplanté par un *Manuel de survie en garde à vue* et un autre texte intitulé *Techniques d'interrogatoire. Savoir répondre aux questions des policiers.* Plus récents, ils ont les faveurs des sympathisants de l'EI.

Les manuels incitent à se raser la barbe, à se parfumer, à privilégier des camaïeux dans les tenues et surtout à ne pas porter la montre au poignet droit, comme le veut la tradition chez les moudjahidines, recommandent d'avoir des tickets de cinéma usagés afin de faire croire que vous avez bien vécu dans le pays que vous indiquez.

Des mesures évidentes pour la plupart, simples à appliquer. Les cellules terroristes les utilisent au quotidien. Un islamiste condamné pour des faits de terrorisme me confiait, en 2015, verser du jus de pomme dans des canettes de bière pour faire croire aux policiers qu'il buvait de l'alcool et donc n'était plus radicalisé. Un complice de GTA Gourmat préconise d'acheter des préservatifs avant de rejoindre la Syrie pour déjouer l'attention des forces de l'ordre.

D'autres pratiques témoignent d'une certaine sophistication. « Q », l'inventeur du Secret Intelligent Service dans les *James Bond*, ne renierait pas certaines trouvailles djihadistes, facilitées par la numérisation des données. Courant 2011, deux Franco-Tunisiens sont arrêtés sur la route du retour. Ils reviennent d'une formation dispensée par Al-Qaïda à la frontière entre le

Pakistan et l'Afghanistan. L'un et l'autre ont, cachées dans les cadrans de leurs montres, des micro-cartes mémoire contenant une véritable encyclopédie du terrorisme : cinquante vidéos, deux mille cinq cents images et deux cent cinquante documents permettant de préparer des attentats « de tous genres et pour tous niveaux de qualification », expliquant comment concevoir des mines, des obus, piéger des véhicules, fabriquer des détonateurs à partir de téléphones portables ou de réveils. On est loin des limites techniques des filières tchétchènes en 2002, dont un membre avait maladroitement enregistré des informations sur une cassette VHS cachée dans la jaquette du film *Mr. Baseball* avec Tom Selleck.

*

À force de s'échanger leurs procédés, leurs connaissances d'une génération à l'autre, les djihadistes progressent. « Depuis plus de trente ans, il existe une littérature technique qui est diffusée et qui ne concerne pas la façon de faire un attentat, mais la façon de se protéger des services de renseignement, confirme Yves Trotignon, ancien de la DGSE, aujourd'hui enseignant à Sciences Po Paris. Les publications de l'État islamique sont très pointues. *DABIQ* a consacré six pages à exposer comment protéger ses données sur iPhone et Android. *Al-Naba*[1] rédige des articles avec des schémas détaillant comment fonctionne un IMSI-catcher[2], comment se déroule une frappe de drone… »

Dans les semaines précédant les tueries de Mohamed Merah, son frère aîné Abdelkader avait téléchargé dix-sept fichiers audio. Renommés sous les intitulés trompeurs de « comporte-

1. Lettre de propagande éditée en arabe par l'État islamique.
1. Capteur de données, dernier jouet mis à disposition des services de renseignement.

ment ami » ou « comportement grand-mère », ils contiennent des enseignements transmis aux moudjahidines et détaillant comment échapper à la surveillance des services de renseignement[1]. L'un de ces enseignements recommande de regarder des « films d'espionnage ». Lors d'une perquisition au domicile d'Abdelkader Merah seront retrouvés des films sur la bande à Baader mais également, dans sa bibliothèque, plusieurs autobiographies ou ouvrages théoriques (et restés très confidentiels) d'anciens maîtres espions français. Et aussi mon premier livre, consacré au braqueur Antonio Ferrara[2]... Au cours du siège qui allait se conclure par sa mort, Mohamed Merah avait confié au policier qui négociait : « J'ai lu des livres sur le grand banditisme pour savoir comment les bandits se faisaient arrêter. »

*

Certains manuels témoignent d'une pensée stratégique à long terme. Ainsi, l'auteur, anonyme, de *How to survive in the West* recommande de frapper dans des pays victimes de crises économiques car « plus une nation est pauvre, moins elle consacre d'argent à recruter et payer des espions ». L'auteur fait le pari que les pays occidentaux, frappés par la récession, n'auront bientôt plus assez d'agents pour analyser les attentats et satureront.

Un raisonnement qui vaut programme et va être appliqué à la lettre par l'Amniyat. Y compris en France. Les attentats ou projets d'attentats menés par des individus isolés, comme ceux d'Amedy Coulibaly, de Sid-Ahmed Ghlam ou des conjurés de

1. Au cours du procès devant la cour d'assises spéciale de Paris, Me Antoine Vey, un des avocats d'Abdelkader Merah, a plaidé que son client « a depuis toujours l'envie de tout lire — TOUT LIRE — quand cela concerne la religion ».

2. *Antonio Ferrara, le roi de la belle,* avec Brendan Kemmet, Éditions du Cherche Midi, 2008 et 2012.

fort Béar, se multiplient, épuisent les services de renseignement, tandis qu'à l'ombre du palais de l'Hospitalité, à Raqqa, le bureau des légendes djihadistes mijote des attaques de beaucoup plus grande ampleur.

X

À la table du calife

De cette réunion, on ne sait presque rien. Un survivant de la cellule terroriste pilotée par Abdelhamid Abaaoud a rapporté que le Belge avait été reçu par le calife Abou Bakr al-Baghdadi « autour d'une table en Irak ».

On ne sait pas ce qui s'est dit, ni qui y était.

Selon des services de renseignement de pays sunnites de la région, la réunion secrète se serait déroulée à la fin du printemps, à Mossoul. Après les échecs de Verviers, de Villejuif et de fort Béar y aurait été entériné le choix de mener des opérations en Europe avec des soldats du califat aguerris, encadrés par des membres de l'Amniyat. Et cette fois, un autre cran aurait été franchi : plusieurs capitales européennes et moyen-orientales seraient visées.

Ce que l'on sait :

L'opération se réalisera sous le grand patronage du cheikh Abou Mohamed Al-Adnani et de son adjoint Abou al-Bara al-Iraki. Selon toute vraisemblance, Abou Lôqman, le chef de l'Amniyat, y est associé.

Pour une raison qu'on ignore, Abdelnasser Benyoucef, le concepteur du bureau des attentats, n'est, a priori, pas sollicité. Ce sera Oussama Atar, le chef de la CIA du califat, la branche des opérations extérieures de l'Amniyat, qui supervisera l'opération aux côtés de Boubakeur el-Hakim, le responsable de la planification et de la coordination des attentats en Europe et au Maghreb. El-Hakim a alors à son actif le pilotage depuis Raqqa de l'attaque du musée du Bardo qui a fait vingt et un morts à Tunis en mars 2015.

Atar et El-Hakim recevront le renfort de cadres levantins et irakiens de l'EI. Abou Walid al-Souri, responsable de la formation des forces spéciales, veillera à l'entraînement des terroristes sélectionnés. Abou Mahmoud al-Chami[1], l'artificier du bureau des légendes djihadistes, sera mobilisé pour s'assurer que les ceintures explosives remplissent leur office. Enfin, l'expérimenté Abou Maryam al-Iraki aura la responsabilité du transfert en toute discrétion des membres du commando vers la Turquie.

Ce que l'on sait :
Une date a été arrêtée, ce sera le 13 Novembre.

---

1. Jusqu'ici, les médias présentaient cet artificier sous son identité d'emprunt d'Ahmad Alkhald. Sa véritable identité est Obeida Walid Dibo et sa *kounya* Abou Mahmoud al-Chami.

XI

« On a bien progressé sur le sujet »

En France, plusieurs officiers de renseignement pressentent le désastre à venir, certains l'écrivent dans des notes transmises au sommet de l'État.

En septembre 2014, j'avais rencontré « Jacques », ma première source consistante à la DGSI, dans un centre commercial de banlieue. Moi qui ne connaissais pas grand-chose au djihad, il m'avait brossé un tableau, sinistre, de la situation. Pour étayer son propos, cet officier de renseignement détaillait des profils, des équipes qui seraient appelés plus tard à faire la une de l'actualité — tout en refusant de nommer les suspects pour ne pas compromettre les enquêtes en cours. Fin connaisseur de la rue, tout comme des réseaux criminels, Jacques m'avouait être dépassé face aux djihadistes.

Il décrivait un service, le sien, au bord de l'asphyxie, à cause de la multiplication des menaces à traiter. Le pari de l'auteur du manuel terroriste *How to survive in the West*, qui pronostiquait des pays occidentaux saturés ne parvenant plus à analyser correctement les risques, semblait gagné.

À l'approche de l'automne 2015, acculés à passer d'un dossier à l'autre, à gérer l'immédiateté, les services de renseignement français perdent la vision d'ensemble. Ils sous-estiment, comme leurs cousins américains avant le 11 Septembre, la nature de l'adversaire qui leur fait face. Ils se focalisent sur les kamikazes, présentés comme des écervelés, des miséreux ou atteints de troubles psychiatriques. Il leur faudra du temps pour comprendre que leurs ennemis bénéficient de solides connaissances en matière de contre-espionnage et des moyens d'un proto-État.

*

DGSE — CONFIDENTIEL DÉFENSE — Le 19 février 2016 — No 83645 — LA CHAÎNE DÉCISIONNELLE DE PROJECTION DE LA MENACE DE L'ÉTAT ISLAMIQUE

Les enseignements tirés des récents attentats perpétrés hors du Levant par l'État islamique (EI) ont permis de valider l'existence d'une chaîne décisionnelle structurée, responsable des opérations extérieures de l'organisation terroriste.

Les points communs entre les dernières opérations extérieures permettent d'apporter des éclairages sur la chaîne décisionnelle de ces attentats :

— lien de commandite impliquant le haut commandement de l'organisation ;

— existence d'échelons de supervision opérationnelle ;

— centralisation de la planification des opérations.

La multiplication et la professionnalisation des projets opérationnels de l'État islamique résultent de la consolidation progressive de l'ossature formée par les cadres intermédiaires de l'organisation.

*

Trois mois après la rédaction de cette note, Bernard Bajolet, le patron de la DGSE, entendu par une commission d'enquête parlementaire, assure : « Nous avons maintenant une bonne connaissance de l'organigramme et de la façon dont s'organise le soi-disant État islamique. Nous avons bien progressé sur ces sujets. »

On est en mai 2016.

Il est déjà trop tard.

XII

La sœur de l'émir

Une femme et sa fille de quatre ans se terrent dans un immeuble en ruine de Raqqa. Dans la nuit, la trentenaire a subtilisé les clés du logement familial dans la poche de la veste de son frère. Son enfant dans les bras, elle a claqué la porte de l'appartement un peu après 2 heures du matin, avant que le reste de la maisonnée ne se réveille pour le *fajr*, la prière de l'aube. Son frère dort encore à poings fermés.

Elle a marché dans la nuit raqqaouie et s'est réfugiée dans les premiers décombres venus, à l'abri des patrouilles. On est quelque part dans la première quinzaine du mois de juin 2015 et, à ce moment-là, cette femme compromet la participation de Boubakeur el-Hakim au projet d'attentat du 13 Novembre.

Une fourgonnette passe dans la rue déserte. Elle l'intercepte, supplie le chauffeur de les conduire à la frontière turque. L'homme accepte, non sans la prévenir : « On finira exécutés, toi et moi. »

Au bout de quelques heures de route, il les dépose finalement sans encombre à un poste-frontière. C'est après que l'histoire se gâte. Un douanier djihadiste la reconnaît.

« Je sais de qui elle est la femme ! »

Il fait une légère confusion. Khadija n'est pas l'épouse, mais la sœur de l'émir à la Kia blanche.

Le résultat est le même. La mère et sa fille sont parquées dans la première *madafa* des environs. Avec interdiction de parler aux autres pensionnaires. Khadija, la sœur de l'émir, a tenté de fuir le califat. C'est forcément une infiltrée, une espionne. Au bout de quelques jours, on lui annonce qu'elle peut sortir. Elle quitte la *madafa* avec son enfant sous le bras, s'imaginant libre. Dans la rue, une voiture. À l'intérieur, Boubakeur el-Hakim.

*

D'un an son aînée, Khadija a toujours entretenu des relations orageuses avec le terroriste. Le chat et la souris, en pire. Bien au-delà des classiques querelles entre frère et sœur. Durant leur jeunesse aux Buttes-Chaumont, Khadija était la seule de la famille à résister à l'emprise du jeune Boubakeur, en train de se radicaliser. Il ne supportait pas sa façon de s'habiller, son addiction à la cigarette. Alors il la frappait. L'adolescente enchaînait les mains courantes au commissariat, demandait à être placée en famille d'accueil, sa mère refusait. Lorsque Boubakeur cognait Khadija, leur mère criait sur les deux adolescents — lui pour qu'il arrête, elle parce qu'elle l'avait bien cherché —, puis s'isolait pour prier.

Durant l'incarcération d'El-Hakim, de retour d'Irak, sa sœur passe sept ans à faire des allers-retours en prison. Il lui impose de venir à trois parloirs par semaine. Il est trimballé dans différentes prisons, au gré des incidents qu'il y provoque. Elle le suit dans son tour de France carcéral. Durant les parloirs, El-Hakim lui parle de cuisine, de ménage. De tout et de rien. « Des discussions auxquelles on ne s'attend pas avec lui. J'aurais aimé qu'il reste comme ça… », regrettera-t-elle.

Une fois libéré, il recommence à la frapper. Puis El-Hakim s'en va vivre sa vie de terroriste, d'abord en Tunisie, ensuite en Syrie.

Khadija s'imagine en avoir fini avec lui jusqu'à ce que sa mère lui propose un séjour en Algérie. On est en février 2015, le massacre de *Charlie Hebdo* commis par les frères Kouachi a remis la filière des Buttes-Chaumont et sa figure tutélaire, Boubakeur el-Hakim, sur le devant de la scène. La mère a besoin de vacances mais, après deux jours passés en Algérie, elle veut rallier la Turquie. À leur descente d'avion, Khadija, sa mère et sa fille sont prises en main par des individus. S'ensuit un périple à travers la Turquie et diverses planques de l'EI. Sa mère lui explique que Boubakeur a été blessé lors d'un combat. « Je vais voir ton frère ! Maintenant, soit tu viens avec moi, soit tu ne viens pas… »

Khadija ne veut pas la suivre. Un membre de l'escorte lui explique qu'elle est libre de rebrousser chemin, mais que sa fille, elle, restera avec eux. Khadija demande à parler à Boubakeur, on lui apporte un talkie-walkie.

« J'ai demandé pour quelles raisons il m'enlevait ma fille. Il m'a répondu que, si ma mère m'avait dit où elle allait, je ne serais jamais venue avec elle. Ma mère n'aurait jamais fait le voyage seule et Boubakeur la voulait auprès de lui. Quant à ma fille, pour lui, elle était la propriété de l'État islamique, c'était un objet. Je ne pouvais rien négocier. »

Alors, une fois de plus, Khadija obéit à son petit frère. Elle entre en Syrie et retrouve l'émir à la Kia blanche soi-disant blessé. Il se porte comme un charme.

El-Hakim a tout programmé, sa sœur doit épouser un de ses bons amis, l'émir des *ghanimas*[1], l'homme chargé de la redistribution du butin après une nouvelle conquête de l'EI. Un poste envié. Mais Khadija refuse « catégoriquement ». Alors elle passe ses journées chez El-Hakim avec sa mère et sa fille. La maison est encore en construction, très humide, un seul étage est terminé. Une cuisine américaine donne sur un petit salon où Khadija dort

1. Concept islamique désignant le butin de guerre.

en compagnie de sa mère et de sa fille. Boubakeur et sa nouvelle femme occupent la chambre.

L'émir à la Kia blanche n'est jamais là. Il part tôt et rentre tard. Il a de hautes responsabilités. Tant et si bien que, lorsque le petit frère de Khadija et Boubakeur, lui aussi djihadiste, lui aussi en Syrie, enfile par mégarde la veste et le pantalon de treillis d'El-Hakim, il est prié de rentrer dare-dare à la maison. On ne porte pas inopinément la tenue d'un émir de l'Amniyat.

Les soirées télé chez les El-Hakim sont monotones. Boubakeur branche une clé USB sur son ordinateur et commente les dernières vidéos de décapitation. Tous les soirs. Sa mère, sa femme et sa sœur doivent assister au macabre spectacle. Khadija ne le supporte pas.

« Il faut que tu t'endurcisses ! Tu devrais assister à une exécution en vrai », préconise-t-il.

Un jour, Khadija retrouve sa fille livide, tremblant de la tête aux pieds. Elle lui demande ce qui se passe. La petite lui répond qu'elle ne veut plus voir ça. Arrive El-Hakim, fier de lui. « Ta fille est une peureuse. Elle est irrécupérable, comme sa mère… »

L'enfant regarde, terrorisée, l'ordinateur éteint. Son oncle vient de lui montrer une vidéo de décapitation. Elle a quatre ans.

C'en est trop. Khadija décide de fuir le califat durant le sommeil de son frère. Ce sera, on l'a vu, un échec.

*

Dans la voiture qui ramène Khadija et sa fille à Raqqa après leur tentative d'évasion, Boubakeur el-Hakim ne pipe mot.

De retour à la maison ce 17 juin 2015, premier jour du ramadan, El-Hakim demande à tout le monde de sortir. Le terroriste reste seul avec sa femme et sa sœur.

« Qu'est-ce que tu as foutu ? » demande-t-il à Khadija.

Elle lui dit avoir voulu s'enfuir.

El-Hakim veut savoir qui l'a aidée à quitter Raqqa. Une femme seule avec son enfant ne peut sortir de la ville sans une aide extérieure. Khadija ne répond pas.

Boubakeur a sur lui un gros trousseau de clés, il le lui jette à la figure avant de lui sauter à la gorge. Il l'étrangle.

« Tu as sali mon honneur ! »

El-Hakim, qui a revendiqué l'assassinat de deux hommes politiques en Tunisie, qui a planifié l'attentat du musée du Bardo, qui participe à la conception du scénario du 13 Novembre, n'est pas capable de garder sa propre sœur sous son toit. Pire, elle a bénéficié de complicités pour s'échapper, elle est forcément « une traîtresse travaillant pour la France ». Et cela se sait, tout le monde en parle à Raqqa. Alors El-Hakim resserre son emprise sur le cou de sa sœur.

Sa femme s'interpose.

Khadija en profite pour s'échapper dans la pièce d'à côté. Elle tente de bloquer la porte, qui ne résiste pas aux coups de boutoir de celui qui depuis quinze ans se façonne un corps pour la guerre. Boubakeur jette à terre son aînée, lui administre une série de coups de rangers à la tête. La jeune femme saigne du nez, elle voit trouble.

Le terroriste dégaine son pistolet automatique et le colle contre la tempe de sa sœur. Son épouse crie dans la pièce d'à côté, El-Hakim lui ordonne de partir sous peine de s'en prendre à elle aussi.

Khadija l'implore de régler leur différend devant le tribunal islamique. Il lui hurle : « Moi qui voulais te faire honneur en te tuant en privé, tu veux être tuée en public ! »

Il ne décolère pas et lui promet que ce seront ses propres balles qui exécuteront la sentence. Mais l'émir de l'Amniyat n'a pas prévu qu'un juge puisse se mettre en travers de son chemin.

Le lendemain, au tribunal islamique, un magistrat lui reproche d'avoir frappé sa sœur, d'avoir voulu se faire justice lui-même. C'est difficile à cacher : Khadija a dû être hospitalisée en urgence et s'est fait poser une attelle à la jambe droite.

« Je vais te marier », annonce le juge à la jeune femme, lui expliquant que c'est la meilleure solution, la seule lui permettant d'échapper à son frère et de conserver la garde de sa fille.

Khadija accepte.

Pour que sa sœur ne tente pas de fuir de nouveau le califat, Boubakeur el-Hakim diffuse le signalement de sa nièce à tous les postes-frontières. Puis, débarrassé de ce fardeau, il peut de nouveau se concentrer sur le grand projet du bureau des attentats.

XIII

L'usine à kamikazes

Au printemps 2015, deux Allemands viennent d'intégrer un camp d'entraînement des forces spéciales du califat. Une jeep s'arrête à leur niveau. À son bord, deux hommes encagoulés.

— Vous venez d'Allemagne ? demandent-ils.

— Oui.

— Seriez-vous prêts à y retourner ? Pour commettre des attentats ?

— Euh… Non, merci… Nous arrivons juste ici…

Les Amniyyin font monter les petits nouveaux dans leur véhicule. Débute une balade dans Raqqa. Le plus petit des deux agents secrets relève sa cagoule pour parler. Il loue la formation des forces spéciales de l'EI — « Ils vont faire de vous des hommes. » Son visage est couturé de cicatrices. Quand il parle, de la salive s'écoule de sa bouche abîmée. Il revient à la charge à propos des attentats.

— Maintenant, nous n'avons plus besoin d'Européens ici. Les Européens devraient rester en Europe et continuer leur « travail » là-bas.

Aussi insiste-t-il :

— Vous connaîtriez des gens en Allemagne qui seraient prêts à faire ça ?

— Non, on ne connaît personne comme cela…

— Nous avons été en contact avec des gens là-bas. Au départ, ils sont OK, mais après ils ont froid aux yeux ! Ils changent d'avis, ils ont peur. En Angleterre, c'est pareil. Et pourtant, nous avons besoin d'Anglais !

Sur la place du marché de Raqqa, l'Amni s'arrête acheter des parts de pizza pour les deux recrues.

— Tenez ! Mangez !

L'homme a un fort accent du Midi. L'un des deux Allemands lui demande s'ils ont des candidats pour la France. Les encagoulés éclatent de rire.

— Ne vous inquiétez pas pour la France ! *Mafi mushkilah !*

Ce qui signifie en arabe : « Pas de problème. » À l'en croire, en termes de volontaires pour frapper dans l'Hexagone, c'est l'opulence, le « trop-plein ».

*

Amedy Coulibaly et Sid-Ahmed Ghlam ont réalisé leurs attentats, les gamins de fort Béar ont essayé. Des guerriers expérimentés se portent à leur tour volontaires pour une opération *inghimasi* en France. Comme l'Alsacien Foued Mohamed-Aggad, qui annonce depuis plusieurs mois à ses parents qu'il va « partir pour ne pas revenir » et qu'« avoir un martyr dans la famille doit être un honneur et pas une tristesse »… Et il en arrive encore.

Tel Réda Hame. Cet habitant du XVIIe arrondissement de Paris ayant fait de la maintenance informatique dans une filiale spatiale du groupe Airbus n'a rejoint le califat que le 4 juin 2015. Dès le lendemain soir, on vient le chercher à l'endroit où dorment les recrues. Une camionnette bâchée le conduit à toute vitesse dans les rues de Raqqa jusqu'à un luxueux 4x4 blanc aux vitres teintées.

« Monte devant », lui ordonne le chauffeur.

Visage dissimulé sous un foulard marron, son arme de poing

rangée dans un holster d'épaule, Abdelhamid Abaaoud demande à Réda Hame si ça l'intéresserait de partir à l'étranger.

« Par exemple, imagine un concert de rock dans un pays européen, si on te passe de quoi t'armer, est-ce que tu serais prêt à tirer dans la foule ? »

Réda Hame hésite. Abdelhamid Abaaoud veut faire vite. Il recherche des nouveaux arrivants dont le visa turc est encore valide.

De sa voix grave et autoritaire, il déroule son argumentaire.

« Il m'a dit que celui qui fonce seul face à l'ennemi sans se retourner, il a la récompense de deux martyrs, racontera Hame. Il m'a dit que, si sa tête ressemblait à la mienne, il aurait pris mon passeport et il y serait allé lui-même, quitte à désobéir à son émir, tellement la récompense était grande. Il m'a dit que, si je refusais, j'allais le regretter. Il a ajouté que, si beaucoup de civils étaient touchés, la politique étrangère de la France changerait. »

Alors Réda Hame lui répond simplement : « OK. »

À quelques kilomètres de là, un Algérien de vingt-sept ans est quant à lui conduit au rez-de-chaussée d'un immeuble de cinq étages situé dans un quartier résidentiel, probablement Thakanah, là où se cache le bureau des opérations extérieures.

Dans l'appartement, un Saoudien aux cheveux noirs descendant jusqu'aux épaules sur son *abaya* blanche, et un homme habillé d'un pantalon noir, d'une chemise afghane de la même couleur et d'une veste sans manches grise. Un Glock dépasse de sa ceinture. Il s'agit d'Abou Ahmed, alias Oussama Atar, le responsable de l'Amn al-Kharji.

Ils se mettent à deux pour convaincre le gamin.

« Ils m'ont flatté, ils m'ont dit qu'ils m'avaient choisi parce que j'étais quelqu'un de bien. »

Atar et le Saoudien évoquent la destination : la France.

« Ils ne m'ont pas dit exactement ce que je devais y faire, mais j'ai compris qu'ils avaient l'intention de commettre quelque chose de pas bien… »

L'Algérien accepte.

« Abou Ahmed me disait que je devrais me suicider en France, racontera un Pakistanais recruté dans le même appartement. Il me racontait que la vie actuelle ne ressemble à rien. Il me disait qu'une vie paisible m'attendrait au paradis si je mettais fin à ma vie. »

L'un des deux Allemands apostrophés par les Amniyyin qui leur ont demandé de commettre un attentat dans leur pays décryptera le principal ressort psychologique utilisé par les agents secrets djihadistes :

« Ils font en sorte que les gens se sentent coupables. Ils leur disent : "Qu'est-ce qui ne va pas chez vous, frères ? Qu'est-ce qui vous est arrivé ? Si vous ne voulez pas donner votre vie en Syrie, alors donnez au moins votre vie en Europe !" Et les plus jeunes tombent dans le panneau. »

Le Marocain Ayoub el-Khazzani n'a pas eu besoin d'être convaincu. Lors d'une sortie hors du camp d'entraînement, il découvre une mosquée détruite, lui dit-on, par les bombardements américains.

« Ça m'a révolté, ça m'a détruit de l'intérieur… », expliquera-t-il.

El-Khazzani s'isole pour prier. Cette dévotion ne passe pas inaperçue. En fin de journée, un homme encagoulé l'invite à le suivre, mais le prévient : « Mon frère, tu vas voir des choses que tu n'imagines pas ! Surtout, ne t'énerve pas ! »

À l'issue de la visite du musée des horreurs qu'est devenu Raqqa, le Marocain déclare à son guide qu'il est prêt à mourir. « Désormais, tu dois me considérer comme un objet et faire de moi ce que tu veux. »

Le soir, l'Amni revient et lui annonce qu'il a été choisi pour suivre un entraînement personnalisé.

Les *inghimasi* appelés à déferler sur l'Europe ont droit à des entraînements individualisés, dans les environs de Raqqa ou à Deir ez-Zor, là où la katibat al-Battar a établi son siège.

Ayoub el-Khazzani apprend à manier fusil d'assaut kalachnikov et pistolet Glock dans des ruines à Deir ez-Zor. Il fait feu sur des cibles peintes à même les décombres. Le dernier des quatre jours de cette formation express, on l'emmène sur le front. À distance raisonnable. « Ils voulaient que je sache ce qu'était le combat, mais ils n'ont pas voulu me mettre sur le champ de bataille », dira-t-il. Il faut préserver le kamikaze.

La formation, similaire, du Français Réda Hame dure trois jours, dans un parc à l'abandon. Abdelhamid Abaaoud lui apprend à tirer au coup par coup, puis en rafale. À la fin du stage, Abaaoud donne à son élève un pistolet et une grenade. Le Belge dessine des silhouettes dans une maisonnette au fond du parc.

« Il m'a demandé de jeter la grenade à l'intérieur, d'attendre l'explosion, puis d'entrer et de tirer sur les cibles », se souviendra le spécialiste de la maintenance informatique. Il fait chaud, Hame est fatigué. Il jette sa grenade, croit entendre une petite explosion, entre dans la maison. « J'ai tiré dans trois cibles, puis la grenade a explosé… »

Réda Hame saigne du bras, de la jambe. Abdelhamid Abaaoud lui fait un garrot avant de le conduire à l'hôpital à Raqqa.

Le test n'a pas été concluant, il sera tout de même suffisant. Il faut précipiter le mouvement, toujours en raison de l'expiration des visas.

*

Sid-Ahmed Ghlam hier, Ayoub el-Khazzani et Réda Hame aujourd'hui. Avec ces amateurs du djihad, l'Amniyat pare au plus pressé. Le service secret privilégie « un mode opératoire particulièrement flexible », insiste la DGSE dans une note intitulée « Les cinq piliers du djihad mondialisé » : « Des marges de manœuvre substantielles semblent laissées à la discrétion de ce genre d'assaillants en termes de cibles (concert, train, gare, synagogue, église, terrasse de café, etc.), de temporalité et de mode opératoire. » Dans la note précitée, la DGSE complète le schéma des OpEx — l'acronyme des opérations extérieures — djihadistes : « Formation initiale en Syrie d'un groupe de volontaires ; sélection d'individus amenés à être infiltrés en Europe puis à travailler de manière cloisonnée en attendant un signal de passage à l'acte (cellule dormante) ; fourniture de l'appui logistique nécessaire par des cellules locales, elles-mêmes activées, indépendamment des acteurs opérationnels, depuis la Syrie. »

En revanche, il en va différemment pour le grand projet que le bureau des légendes djihadistes est en train de préparer. Là, il n'est plus question de visas turcs devant être toujours valides. Les hommes sélectionnés sont en Syrie depuis des années. Alors, les terroristes prennent leur temps. La formation est dispensée dans les camps des forces spéciales sur l'île à l'embouchure de l'Euphrate, à proximité du barrage de Tabqa[1]. Le barrage lui-même, préservé de tout bombardement, sert à l'occasion de lieu de rendez-vous pour peaufiner les attentats à venir. Boubakeur el-Hakim y vient au moins une fois, au prétexte de sortir sa famille.

Abou Walid al-Souri, le responsable de la formation des opérationnels du califat, fait régulièrement son rapport au cheikh Abou Mohamed al-Adnani, le porte-parole de l'EI, qui supervise les projets des OpEx. Selon les aptitudes démontrées, certains djihadistes sont renvoyés au front pour gagner un peu d'expérience

1. Voir première partie, chapitre VIII, « C'est pas le Club Med, ici ! ».

au combat. Ceux qui ont déjà fait preuve de leur détermination sous le feu de l'ennemi sont jugés aptes à commettre un attentat.

Certains suivent une formation de fabrication d'explosifs. « C'est juste une petite formation, minimisera un membre de l'équipe qu'Abaaoud est en train de constituer. La plupart des personnes sont capables de fabriquer une bombe. Je suis capable de brancher un détonateur sur de la TNT, et donc d'en faire une. »

*

Les futurs kamikazes sont tenus à l'écart du reste des djihadistes. Entraînement à part, hébergement à part. Ils sont cloîtrés dans des appartements du quartier résidentiel de Raqqa. Il y a des ordinateurs mais pas d'Internet. Le maladroit Réda Hame doit visionner des vidéos sur les méthodes des troupes d'élite.

Oussama Atar et Abou al-Bara al-Iraki, le second du cheik Al-Adnani, apportent eux-mêmes les repas à un des futurs kamikazes du stade de France et à ses colocataires dans l'appartement qu'ils occupent au rez-de-chaussée d'un immeuble à Thakanah.

Le soir, des membres de l'Amniyat s'invitent chez les kamikazes. Pour parler religion ou évoquer « le difficile chemin vers la France ». Le « Saoudien », qui pourrait être en réalité l'Amni Abou Maryam al-Iraki, parle de l'itinéraire qui devra être emprunté : une île, puis la Grèce, ensuite différents pays d'Europe centrale. Avec un mot d'ordre : « Il faut suivre les réfugiés. »

Les kamikazes ont leurs appartements, les émirs de l'Amniyat aussi. Un Algérien de dix-neuf ans qui s'apprête à faire office de passeur pour les commandos du Thalys et du 13 Novembre dort trois nuits dans le logement qu'occupent sept émirs de haut rang, « tous des responsables de la sécurité de l'EI à l'étranger », insistera l'adolescent. Parmi eux : un Allemand aux yeux verts et aux cheveux blonds, un Britannique, un Irakien, le chef Oussama

Atar, mais aussi Abdelhamid Abaaoud, Najim Laachraoui et un Français que les services de renseignement imaginent très fortement être Salim Benghalem.

Si on ajoute Boubakeur el-Hakim, qui a des contraintes familiales, mais habite à côté et rentre tard chez lui, les émirs du bureau des attentats travaillent vingt-quatre heures sur vingt-quatre à leur « attaque d'envergure », expliquera un repenti ayant recueilli les confidences d'un membre du bureau. « Ceux qui planifient des attaques, complètera-t-il, veulent quelque chose qui explose partout en même temps en Angleterre, en Allemagne et en France. »

En l'espace de quatre mois, entre mars et juin 2015, Abdelhamid Abaaoud a formé dix apprentis djihadistes à la kalachnikov. Et il n'est pas le seul instructeur. L'Amniyat s'est constitué une réserve de combattants destinés à commettre des attentats. « Une véritable usine », confiera Réda Hame. Début juillet, un message de la DGSI évoque un groupe de soixante combattants se préparant à déferler en Allemagne, en Belgique et en France. Des repérages auraient déjà été faits, note l'agent auteur du message, « dans des endroits fréquentés ainsi que dans des postes de police ».

XIV

« Spy-Phone » et boîte aux lettres morte 2.0

On sonne à la porte. Un Africain, anglophone, coiffé de tresses courtes et d'une casquette à l'envers, se présente. C'est un représentant de la *cyberteam* de l'État islamique. Il remet à Réda Hame une clé USB contenant un logiciel de cryptage, un programme pour effacer l'historique des connexions Internet et une feuille sur laquelle sont écrits des identifiants et des mots de passe permettant aux Amniyyin de communiquer avec les futurs clandestins sur un site de partage. « Cela fonctionnait comme une boîte aux lettres morte »[1], résumera le Parisien.

Les djihadistes apportent un soin tout particulier aux méthodes de communication sécurisée. En pleine campagne des attentats de Bruxelles, les kamikazes sur le point de se faire sauter prennent le temps d'alerter leur hiérarchie à propos d'une nouvelle recrue, un logisticien rencontré sur place : « On lui a appris en catastrophe la façon de communiquer, mais on ne lui a pas montré nos mesures de sécurité à faire pour nos messages. Ce serait bien que vous lui envoyiez une lettre où vous lui expliquez bien comment il doit faire... »

---

1. Dans le jargon du renseignement, une « boîte aux lettres morte » désigne la cache grâce à laquelle un officier traitant et son agent communiquent sans avoir à se rencontrer.

Les résultats de ces techniques de chiffrement seraient bluffants, à en croire l'un des Allemands ayant intégré les forces spéciales du califat : « Par exemple, si vous écoutez un téléphone portable, cela indique que son propriétaire est en Australie, alors qu'il est toujours en Allemagne ! »

Les jeux vidéo offrent également des perspectives, comme l'illustre le cas des frères Kouachi. Lors de surveillances en 2012, la DGSI constate que Saïd « consacre une grande partie de son temps à la pratique de jeux vidéo en ligne avec son frère Chérif ». Surtout *Call of Duty*, le jeu de guerre, très prisé des candidats au djihad. Il présente l'avantage, indéniable pour les amateurs de discrétion, de chatter entre joueurs en réseau, un moyen de communication qui n'est pas écouté par les grandes oreilles de la police.

Et bien sûr, les conversations sont codées. Pas toujours avec subtilité, comme ces proches de Salim Benghalem et de Tyler Vilus qui emploient des noms d'aliments pour parler d'un pays : « kebab » signifie la Turquie, « fromage » la France, « pizza » l'Italie, « hamburger » les États-Unis... Ceux de la cellule de Verviers utilisaient quant à eux les constructeurs automobiles, « Volkswagen » pour l'Allemagne, « Renault » pour la France.

Mais, globalement, « ils sont disciplinés, ils maîtrisent les messageries chiffrées, ils sont pratiquement intraçables », se désespère un analyste informatique des services de renseignement.

L'Amniyat va jusqu'à déconseiller aux apprentis terroristes l'i-Phone, surnommé le « Spy-Phone » parce que sa batterie est difficile à enlever. Plus globalement, le service secret djihadiste préconise de ne pas passer d'appels depuis les chambres d'hôtel à cause d'hypothétiques micros.

Le 12 juin 2015, lorsque Abdelhamid Abaaoud vient chercher Réda Hame pour l'emmener à la frontière turque, il lui recommande de passer ses coups de fil à l'extérieur, plutôt que dans une habitation, et toujours « avec une main devant la bouche » pour éviter qu'on ne lise sur ses lèvres.

Lorsqu'ils arrivent au poste-frontière de l'État islamique, Abaaoud donne à Hame un papier sur lequel figure un numéro de téléphone turc avec écrit dessus « Papa ». Puis il lui dit adieu. Réda Hame et un autre candidat à l'attentat suicide courent jusqu'à un grillage barbelé avec une porte en fer. Quelqu'un leur ouvre la porte. Les voilà en Turquie.

Ils ne sont pas les seuls.

XV

Le siège 24 A

Les douaniers de l'aéroport Atatürk d'Istanbul sont ennuyés. Le Suédois Sedat Krasnici présente a priori un passeport en bonne et due forme. À en croire ses documents administratifs, il est arrivé en Turquie un mois plus tôt, en provenance de Copenhague, au Danemark. Et, au petit matin de ce 2 juillet 2015, il entend poursuivre son périple touristique à Prague. Son billet d'avion a été acheté en liquide la veille à un comptoir de l'aéroport. Tout est en règle. Pourtant, il y a quelque chose qui cloche.

Comme sur la photo d'identité, l'individu a le crâne rasé, le nez épaté. Mais le regard un peu plus noir, le visage un peu moins rond, la peau un peu plus bronzée.

— Vous êtes vraiment suédois ? demandent les douaniers.

— Bien sûr, répond le touriste.

Sedat Krasnici embarque dans l'avion de la Turkish Airlines. Il laisse tomber sa grande carcasse tout en muscles sur son siège. Dans quelques minutes, il s'envolera pour Prague. Mais voilà les douaniers qui montent à bord. Ils ont déniché dans l'aéroport quelqu'un parlant suédois. Celui-ci s'adresse à Sedat Krasnici. Qui ne pipe mot à ce qu'il raconte.

Les douaniers interpellent le clandestin qui usurpe l'identité d'un ressortissant de l'Union européenne et le placent dans un

233

centre de rétention administratif. Ils envoient la photographie de l'homme qu'ils viennent d'appréhender à différents services de renseignement. La DGSI reconnaît un de ses plus sérieux clients.

Tyler Vilus.

Quelques jours plus tôt, le service a été alerté par « un partenaire fiable auquel la Direction accorde toute sa confiance » — selon la terminologie officielle — d'un projet d'attentat imminent dans l'Hexagone, impliquant Vilus. Fin juin, le djihadiste a correspondu sur Telegram[1] avec le journaliste David Thomson, qui le suit depuis plusieurs années dans le cadre de son travail. Le message a été intercepté par la NSA, l'Agence nationale de la sécurité américaine, qui l'a transmis aux Français. Selon le résumé fait par la DGSI de la conversation, le djihadiste demande au journaliste s'il serait « content d'être au courant s'il venait à tuer des gens à Paris[2] ». Une information qui corrobore d'autres renseignements parvenus au service faisant état de la volonté de Vilus de voyager « en vue de commettre un attentat, possiblement à Paris », un voyage sans retour.

On ne peut que s'étonner des risques pris par Vilus, pourtant doté d'une intelligence au-dessus de la moyenne, lorsqu'il fait part de ses projets criminels à un journaliste, certes sur une messagerie sécurisée, mais en se doutant que ses communications sont certainement écoutées ; lorsqu'il se présente aux douanes avec des papiers d'identité d'un tiers n'offrant qu'une lointaine ressemblance avec lui ; et ce alors que depuis deux ans il appelle à commettre des attentats en France. Des menaces d'autant plus

1. Messagerie cryptée russe, très prisée des djihadistes.

2. Contacté, David Thomson n'a pas souhaité s'exprimer. À l'automne 2017, il avait reconnu dans *Le Monde* « avoir été prévenu de la commission d'un attentat », mais « conteste la formulation de la citation telle que rapportée dans le dossier ». Effectivement, dans les documents judiciaires que j'ai pu consulter, il ne s'agit que d'un résumé de la conversation. Les propos exacts des deux interlocuteurs n'ont jamais été retranscrits, à ma connaissance.

précises et crédibles, estimeront les services de renseignement, depuis que sa mère croupit dans une cellule de la maison d'arrêt de Fleury-Mérogis.

Un an, jour pour jour, avant la tentative d'envol de Vilus depuis Istanbul, sa génitrice a été interpellée à Troyes alors qu'elle passait du temps avec son autre fils. Se partageant entre ses deux enfants, elle a multiplié les séjours en Syrie. L'enthousiasme dont elle fait preuve, sur les réseaux sociaux, pour l'État islamique n'est pas du goût de la justice, qui la met en examen et l'écroue pour « association de malfaiteurs en vue de la préparation d'actes de terrorisme ». Ce qui déchaîne la colère de Tyler.

Sans la nommer, il s'insurge sur Facebook de l'arrestation d'une « sœur » relativement âgée et implore un châtiment divin contre le pays qui l'a vu naître : « Qu'Allah brise le dos de tous ces sous-chiens, qu'Allah explose leurs avions de ligne en vol, qu'Allah fasse dérailler leurs trains, qu'Allah ne leur envoie pas un Mohamed Merah, mais qu'il leur envoie sa puissance et déchaîne les éléments sur eux, que les catastrophes ne cessent de les toucher, que leur vie de plaisir limité et éphémère devienne un enfer avant l'enfer ! »

Tyler Vilus en veut d'autant plus aux autorités françaises qu'elles ont eu l'outrecuidance de ne pas l'écouter. Lors de l'interpellation de sa mère, les policiers ont découvert une feuille manuscrite avec la mise en garde suivante : « Laissez ma famille tranquille là où vous êtes [en France] ! Vous n'êtes pas une priorité, mais craignez de devenir ma priorité ! »

Interrogé sur l'auteur et le sens de ce texte, la mère de Vilus reconnaît sans peine : « C'est Tyler qui me l'a écrit pour que je vous le transmette au cas où je serais interpellée. »

La missive n'empêche pas son emprisonnement et, dans le mandat d'arrêt émis quelques semaines plus tard à l'encontre de Tyler Vilus, le magistrat rédacteur en tire la conclusion que

« ce dernier pourrait être tenté de venir entreprendre des actions violentes sur le territoire national ».

*

Au bout de trois semaines dans un centre de rétention administratif turc, Tyler Vilus est expulsé, le 21 juillet 2015, vers la France. Vingt-cinq minutes après son atterrissage et son interpellation, les effectifs de la DGSI, renforcés de la police aux frontières, se précipitent dans l'avion désert et vérifient qu'il n'y a pas d'objet abandonné dans les environs du siège 24 A. Lorsqu'ils ont procédé à la fouille réglementaire de Vilus, qu'ils viennent de placer en garde à vue, les enquêteurs ont découvert, ahuris, que le djihadiste que leur avaient envoyé les Turcs avait sur lui... un téléphone portable. Aussi, ils sont allés vérifier si le terroriste présumé ne s'est pas délesté d'autres objets compromettants avant de descendre de l'avion.

Ils ne trouvent rien.

Le téléphone Samsung que Vilus a pu conserver, moyennant un petit billet glissé dans la main d'un gardien, durant sa détention en Turquie, est éteint et débarrassé de sa carte SIM. Cela n'empêchera pas les experts de le faire parler. Dans sa mémoire, un numéro enregistré au nom de « Papy ». La cellule de Verviers en référait à « *Padre* » ; avant de quitter la Syrie, le Francilien Réda Hame s'est vu remettre un numéro attribué à « Papa » par Abdelhamid Abaaoud : le bureau des opérations extérieures de l'Amniyat continue à privilégier la filiation pour masquer les numéros des officiers traitants gérant depuis Raqqa leurs agents sur le terrain.

Les experts restaurent en tout dix-sept SMS envoyés par le téléphone de Vilus, dont l'un à 7 h 21, le 2 juillet, quelques instants après son interpellation à l'aéroport Atatürk : « Ils me font rire, ces mongols, ils comprennent rien. Bref, *akhy*, je te recontacte quand je sors, si je sors… » Un message sur l'application Telegram se révèle également très instructif. « M'ont trouvé dans le fichier d'Interpol des Fr[1] rentrés en Turquie et disparus […]. Bref, je supprime ton numéro et les autres pour qu'ils ne trouvent rien. Ils vont pas m'enfermer indéfiniment, ça change rien. Quand je sors, j'agis. » Ce qui a le mérite d'être clair sur ses intentions.

À la fin de son message, Tyler Vilus rapporte l'interrogatoire auquel il a eu droit avec les autorités turques. « J'ai dit que je déteste Daesh, lol. Ils m'ont dit : "C'est ça, tu es un Amni de Dawla !" J'ai dit : "Jamais de la vie", mdr… »

Le premier message aurait été envoyé au Cannois Rached Riahi, le second, imagineront les enquêteurs, au Belge Abdelhamid Abaaoud, lui aussi en Turquie et s'apprêtant à rejoindre l'Europe centrale.

À l'analyse de ces différents éléments, la DGSE va « soupçonner [Vilus] de faire partie de cette réserve d'opérationnels missionnés par l'organisation djihadiste pour frapper la France ».

Dans le bureau du juge d'instruction qui le mettra en examen, Tyler Vilus présentera une tout autre version de l'histoire : « En fait, je n'avais pas du tout l'objectif de revenir en France. Ce qu'il faut comprendre, c'est que les choses avaient changé au sein de l'État islamique. Il y avait des choses qui ne me plaisaient pas et j'ai décidé de partir. Mon objectif à cette époque était vraiment de rassembler ma famille et de partir ensuite

1. Français ou frères.

avec elle en Mauritanie, où j'aurais pu exercer ma religion tranquillement. »

À l'en croire, le fait que plusieurs djihadistes ayant côtoyé Abdelhamid Abaaoud en Syrie se retrouvent en même temps en Europe serait purement fortuit.

XVI

L'honorable correspondant anglais

Birmingham, le 12 juillet 2015.

Le Belge se présente comme convenu aux environs de 16 heures devant une pizzeria, à l'entrée du parc de Small Heath, où se réunit la communauté musulmane pour prier en plein air, quand le ciel le permet. Cet été-là, il fait étonnamment beau. Le soleil brille, les sujets de la reine sortent en short et en T-shirt.

Un appel téléphonique. Dans un mélange d'anglais et d'arabe, lui qui parle si mal les deux. Son interlocuteur lui ordonne d'attendre un homme vêtu d'une veste bleue et d'un pantalon trois quarts. Le Belge prend son mal en patience. Quelques jours plus tôt, il était encore en Syrie.

Mohamed Abrini a atterri trois jours plus tôt à l'aéroport de Heathrow en provenance d'Istanbul. Ce commerçant de Molenbeek, qui vient de revendre son snack, fait du shopping à Londres. Puis il photographie différents endroits de Birmingham, notamment l'arrière de la gare de New Street, et écume le casino de cette ville des Midlands, exactement comme Mehdi Nemmouche qui avait fréquenté le casino de Singapour. « Je suis un joueur, c'est mon vice. Je joue à la roulette, au poker et aux machines à sous », jurera Abrini. Entre deux parties, il passe des coups de fil sibyllins.

Son interlocuteur lui demande à plusieurs reprises de se rendre au parc de Small Heath. Quand il est sur place, son rendez-vous est, chaque fois, annulé. « De la contre-observation, afin de vérifier si je n'étais pas suivi », déduit-il. Le temps aussi de vérifier qu'il est bien la personne annoncée et non un policier infiltré.

Le 12, le jeu du chat et de la souris semble fini. Au bout d'une dizaine de minutes, un « basané » arborant une veste bleue, une capuche et une écharpe, malgré la chaleur, s'approche de lui. Il lui susurre de le suivre à distance. Maintenant toujours une dizaine de mètres d'intervalle entre eux, ils traversent le parc, le pont qui enjambe l'autoroute, et pénètrent dans un bois où les attend un troisième homme, sans barbe, ni moustache, ni postiche.

Mohamed Abrini baragouine quelques mots d'arabe.

— C'est bon : tu peux parler en français, le met à l'aise l'inconnu, qui lui remet une sacoche.

La rencontre au sommet s'achève déjà. Le Belge sort du bois, traverse en sens inverse le pont puis le parc, et rentre à son hôtel.

Les jours suivants, Abrini poursuit ses pérégrinations, cette fois dans le stade de football de Manchester United où ce fan revendiqué du Barça prend néanmoins plusieurs photos.

Sur son profil WhatsApp, on le voit entouré de deux artistes de rue déguisés en Iron Man, le super-héros de la galaxie Marvel. Devant eux figure un seau sur lequel un prix est affiché en livres sterling. Derrière, des publicités en anglais. La panoplie du touriste est complète, la légende du clandestin, forgée.

Le 16 juillet, le commerçant de Molenbeek quitte l'Angleterre. Sans antécédent judiciaire, inconnu des services de renseignement. Invisible.

*

L'unité de contre-terrorisme de la West Midlands Police ne s'intéressera que bien plus tard à ce séjour touristique. Identifiés et interpellés, les deux inconnus de Small Heath, acteurs d'une cellule islamiste locale, seront alors accusés d'avoir donné trois mille livres sterling à Abrini. Les enquêteurs détermineront également qu'au cours de ses vacances anglaises le Belge a été en contact avec un copain d'enfance, un certain Abdelhamid Abaaoud.

En juin 2015, juste avant son séjour touristique anglais, Mohamed Abrini s'est rendu en Syrie afin, prétendra-t-il, de se recueillir sur la tombe de son jeune frère mort au combat. Il y aurait rencontré son ami Abaaoud, qui l'aurait selon lui chargé de récupérer de l'argent qu'on lui devait au Royaume-Uni. Une version peu crédible, d'abord parce que Abaaoud était en pleins préparatifs de la vague d'attentats qui allait frapper l'Europe dans les semaines à venir, ensuite parce que, de son propre aveu, Abaaoud lui aurait donné deux mille dollars pour financer un voyage qui était censé lui permettre de récupérer, une fois les frais déduits, cinq cents dollars.

Les services secrets de Sa Majesté se demanderont donc si cette histoire de recouvrement de dette ne serait pas une légende dans la légende. Et pencheront plutôt pour un séjour « à des fins de repérages ».

D'ailleurs, le moment où Mohamed Abrini a dit s'être recueilli sur la tombe de son frère tombé à Deir ez-Zor coïncidait avec l'enregistrement d'une vidéo que le Britannique Jihadi John, présent dans la même localité au même moment, tournait à l'intention de ses compatriotes. Le bourreau de l'EI annonçait qu'il allait bientôt retourner en Grande-Bretagne en compagnie du calife, avant de promettre de couper encore plus de têtes…

Toujours à cette époque, les services de renseignement anglais récoltaient les confidences involontaires de deux membres de l'Amniyat qui assuraient : « Nous voulons faire quelque chose au Royaume-Uni. Quelque chose de grand. »

*

Interrogé un an après sur les raisons de ses vacances anglaises, Mohamed Abrini maintiendra sa couverture : « Ni à Londres, ni à Birmingham, ni à Manchester, je n'ai effectué de reconnaissance par rapport à des préparatifs d'attaques terroristes. »

Concernant ses photos dans l'enceinte de Manchester United, quatre mois avant que des kamikazes ne se fassent exploser aux abords du stade de France ? « J'ai joué toute ma vie au football. Je ne faisais pas du repérage, c'était du pur tourisme ! »

La légende de l'honnête commerçant embringué dans une histoire qui le dépasse par un copain d'enfance devenu cadre d'une organisation terroriste sera toutefois compromise par un élément matériel : avant d'arriver en Grande-Bretagne, Mohamed Abrini avait téléphoné à Réda Hame. Qui avait lui-même été envoyé par Abaaoud commettre un attentat en Île-de-France.

Et puis, au cours de ce même été 2015, un autre proche d'Abaaoud, qui voyageait dans le Thalys en vue d'y effectuer des repérages, a pris le soin, une fois arrivé à Paris, de se prendre en photo devant la tour Eiffel et le Sacré-Cœur. Un troisième visitait Istanbul et s'immortalisait devant les monuments. « La consigne était de faire le touriste, de prendre des photographies, comme un touriste », avouera-t-il une fois arrêté…

Enfin, il y aura la confession de Nicolas Moreau dans les locaux de la DGSI[1].

La scène se déroule un mois avant le séjour d'Abrini à

1. Voir Prologue, « Le djihadiste qui en savait trop ».

Birmingham, à une époque où le contre-espionnage français ignore jusqu'à l'existence du commerçant de Molenbeek. En gage de bonne volonté, Moreau évoque deux hommes qui, s'ils sont arrêtés, représenteront le « jackpot » pour la DGSI, parce que cela lui permettra d'éviter « des actions terroristes » : un certain Abou Souleymane et un complice, tous deux bruxellois d'origine marocaine, membres « du service secret extérieur de l'État islamique ». Ces hommes, explique Moreau, ne montent pas au front, ne risquent pas de se faire exploser dans une opération kamikaze. Ils sont trop précieux. Ce sont « de vrais professionnels pour se fondre dans la masse ». Ils sont chargés d'acheter les armes, et plus généralement d'assurer l'organisation et la logistique des attentats.

« Ils ne vont pas faire une attaque directement, mais ils vont permettre de la réussir, assure l'ancien restaurateur de Raqqa, qui imagine le duo en Europe à l'heure où il parle. »

Ce n'est que lors de son procès que Moreau révélera l'identité de cet Abou Souleymane : Mohamed Abrini[1].

En juin 2016, dans le bureau d'une juge d'instruction belge, Abrini laissera percevoir ses convictions. Il justifiera la politique mise en œuvre par ses amis de l'Amniyat : selon lui, ce sont « des gens qui ont voulu défendre ceux qui se faisaient massacrer », qui ont voulu « défendre la veuve et l'orphelin ». Et qui, pour parvenir à ce noble but, ne reculent devant rien. « Bien sûr, il y a d'autres choses. C'est la vie, madame. Ce n'est pas *Alice au pays des merveilles...* »

Ces « autres choses », ce sont les attentats.

2. On notera que Souleymane correspond au prénom de son frère mort en Syrie.

*

Deux mois après le rendez-vous du parc de Small Heath, la DGSE émet un message CONFIDENTIEL DÉFENSE : « Des renseignements indiquent la projection en France d'opérationnels basés en Grande-Bretagne » afin de mener des attaques similaires à celles de *Charlie Hebdo* et de l'Hyper Cacher.

Bientôt, les services de renseignement vont récolter un indice supplémentaire du lieu où ces attaques pourraient se dérouler.

XVII

« Un concert, par exemple »

Durant deux jours, le gardé à vue a nié l'évidence. Et puis à 9 h 15, ce 13 août 2015, l'officier de police judiciaire débute la cinquième audition par une question traduisant son exaspération :

— Ne pensez-vous pas que dire tout simplement la vérité peut faire gagner du temps à tout le monde et montrer votre bonne foi ?

— Si... Ce que je veux avant tout, c'est vous montrer que je ne suis pas une menace... Je vais vous dire la vérité.

Réda Hame passe aux aveux.

Les policiers savent déjà que le Parisien a été blessé par une grenade lors d'un entraînement paramilitaire à Raqqa ; qu'il a quitté la Syrie et voyagé jusqu'à Belgrade avec un djihadiste interpellé, lui, en Pologne ; qu'après être passé par Prague, Amsterdam et Bruxelles « pour brouiller les pistes » Hame a pu rentrer à son domicile du XVIIe arrondissement, où, pendant deux mois, il a mené, selon un rapport de surveillance, « une vie nocturne et oisive ».

Les policiers connaissent son parcours dans les grandes lignes. Alors, Réda Hame va combler les trous.

Oui, il a été mandaté par Abou Omar, alias Abdelhamid Abaaoud, pour commettre une tuerie de masse.

« C'est une personne très dure et très déterminée. Il est très dangereux. Vous savez quoi ? insiste Hame. Un seul Abou Omar en France, et c'est le drame. »

Mais la DGSI n'envisage pas une attaque perpétrée par Abaaoud lui-même. Le repenti Nicolas Moreau leur a déjà précisé que, d'après les confidences mêmes de l'intéressé, le Belge « ne reviendra pas en Europe car il est fiché ».

Les enquêteurs s'intéressent davantage à un autre passage de la déclaration de Réda Hame. Abdelhamid Abaaoud lui aurait proposé un type d'endroit et un scénario à privilégier pour son attentat.

« Il m'a juste dit de choisir une cible facile. Un concert, par exemple. Là où il y a du monde. Il m'a précisé que le mieux, après, c'était d'attendre les forces d'intervention sur place et de mourir en combattant avec des otages. »

À l'automne 2015, un gradé de la DGSI évoque devant moi le cas de Réda Hame. Le projet d'attaque lors d'un concert devait vraisemblablement viser l'un des festivals d'été, probablement Rock en Seine. La menace serait, selon lui, désormais passée. En revanche, des djihadistes en Europe auraient reçu pour ordre de prendre langue avec des militants de l'ultragauche, supposés favorables aux islamistes, pour commettre des actions lors de la COP21.

« Mais tout cela n'est peut-être que de la poudre aux yeux destinée à nous intoxiquer, pour nous détourner de leur véritable objectif », avance l'officier de renseignement.

Quelques semaines après cet entretien surviendra la tuerie du Bataclan. La COP21 se déroulera, elle, sans encombre.

Dans le bureau de Levallois-Perret où Réda Hame est cuisiné, l'OPJ, au bout de plus de douze heures d'audition, le relance une nouvelle fois :

— Êtes-vous au courant d'une possible attaque en France ou en Europe ?

— Tout ce que je peux vous dire, c'est que cela va arriver très bientôt.

XVIII

L'éclaireur

Une épaisse tignasse, des pommettes hautes, des lèvres bien dessinées, Bilal Chatra est un joli garçon. Excepté cette acné qui lui ravage le visage. Mais c'est de son âge. Bilal Chatra n'a que dix-neuf ans.

L'Algérien pourrait passer pour un de ces adolescents obsédés par l'idée de ressembler aux gravures de mode. Si ce n'est qu'il partage le quotidien frugal des migrants et que, lorsqu'il atterrit, le 16 juillet 2015, dans un centre de rétention administratif en Hongrie, la première chose qu'il fait est de se connecter à Facebook. Et d'échanger avec Abdelhamid Abaaoud.

Chatra sillonne l'Europe depuis un mois sur ordre de l'Amni belge. C'est dans un camp de réfugiés en Turquie, à la fin de l'année 2014, qu'Abaaoud a repéré le jeune homme absorbé par sa prière. Séduit par sa piété, il l'a pris sous sa coupe. Selon le Marocain Ayoub el-Khazzani, qui va partager le quotidien de ces deux hommes, l'orphelin Bilal est pour Abaaoud « comme un fils qu'il avait guidé dans le droit chemin ». Le terroriste joue au père de substitution, veille à encadrer son jeune protégé. « Abou Omar m'a dit que c'était un petit, en âge et dans la tête », complétera El-Khazzani.

*

Si Bilal Chatra est jeune et influençable, il est aussi débrouillard. Ayant joué les passeurs pour financer son propre voyage en Europe, il a des relations et sait comment s'y prendre. Il est parvenu à infiltrer sur le Vieux Continent les deux terroristes de la cellule de Verviers. Épaté, Abaaoud l'a recruté et envoyé cette fois en Syrie, à Deir ez-Zor, afin qu'il suive une formation de sniper au sein de la katibat al-Battar. Au bout de six mois, le Belge a fait de nouveau appel au jeune homme. Il a une mission à lui confier. Avec un double objectif.

Il s'agit d'abord d'aider Ayoub el-Khazzani. Coincé en Turquie, le Marocain n'arrive pas à prendre son vol pour l'Albanie. À deux reprises, on lui a refusé l'embarquement à cause de son passeport suspect. Bilal Chatra ne se pose pas de questions. Il rejoint El-Khazzani en Turquie et lui promet qu'il va lui « ouvrir la voie pour rentrer en Europe ».

Face à la crise humanitaire en cours, la Macédoine a décidé de délivrer des documents de circulation valables soixante-douze heures permettant aux migrants de rejoindre la frontière hongroise, et donc l'espace Schengen, depuis la Grèce. Toujours à l'affût de l'actualité, le bureau des opérations extérieures de l'Amniyat entend profiter de cette aubaine. Abaaoud a donc ordonné à Chatra d'explorer les différents pays que traverse la route des Balkans afin de vérifier les possibilités de contrôle, de sécurité et d'infiltration pour les combattants de l'EI.

Alors, quotidiennement, le jeune Algérien zélé envoie à Abaaoud et El-Khazzani, via Facebook, ses rapports sur les passages de frontières ouverts, les temps d'attente, les horaires de trains, de bus et de bateaux, ainsi que les chemins de départ et d'arrivée à pied. Il transmet également les photos des routes empruntées. Quand Chatra arrive à Thessalonique, non loin de la frontière macédonienne, Abaaoud lui demande d'interroger de vrais réfugiés à propos de leurs expériences de voyage, de leurs itinéraires, son éclaireur en questionne pas moins de cinquante…

Bilal Chatra ne chôme pas. Jusqu'à ce que sa route s'arrête en Hongrie parce qu'il a refusé de donner ses empreintes digitales. Mais le jeune homme continue à faire ses rapports à son mentor depuis le centre de rétention.

« Ce n'était pas une prison normale mais plutôt un camp, expliquera-t-il. Nous avions quelques ordinateurs à disposition qui nous permettaient de communiquer avec notre famille et nos amis. » Son ami à lui est membre du bureau des attentats de l'État islamique.

Le 4 août 2015, au bout de dix-huit jours, Chatra est relâché. Et sa première pensée d'homme libre est pour Abaaoud.

« Dis-moi ce que je dois faire maintenant, mon ami », lui écrit-il.

Le Belge lui répond de se rendre à Vienne, où Ayoub el-Khazzani lui annonce le lendemain, à la gare ferroviaire de la capitale autrichienne, une grande nouvelle : Abdelhamid Abaaoud est en Europe. Bilal Chatra tombe des nues. Bien sûr, il savait qu'El-Khazzani suivait son itinéraire, mais il imaginait Abaaoud toujours à Raqqa. L'Amni a menti à son protégé pour éviter que le jeune homme, alors toujours détenu par les Hongrois, sache qu'il avait quitté la Syrie…

Bilal et Ayoub prennent un train pour Munich, puis un bus pour Cologne. Dans la soirée du 6 août, un homme arrête sa Golf grise devant eux[1]. De nuit, il les conduit à travers l'Allemagne et la Belgique et les dépose à Bruxelles.

1. À partir des données GSM du téléphone du chauffeur ayant transporté Bilal Chatra et Ayoub el-Khazzani, la justice suspecte qu'il s'agissait de Mohamed Bakkali, un des logisticiens du 13 Novembre. Il logera les terroristes dans différentes planques bruxelloises.

Là, ils retrouvent Abaaoud.

Le trio reconstitué va passer une semaine confiné dans un appartement. Des frères les ravitaillent, eux n'ont pas le droit de sortir. Abaaoud interdit aux deux autres l'accès à sa chambre. Chatra et El-Khazzani dorment dans le salon.

Le 15 août, le Belge réunit ses colocataires. Il a reçu un ordre du Shâm : « Vous devez vous préparer psychologiquement à faire une opération. »

El-Khazzani ne bronche pas, il est venu pour mourir. Chatra, lui, ne l'entend pas de cette oreille. Pour la première fois, il ose lever le ton face à son mentor.

« Il ne venait pas pour faire des attentats, il est juste venu pour ouvrir la route. Il s'est fait piéger par [Abaaoud] », résumera El-Khazzani.

Dans la nuit qui suit la dispute, Bilal Chatra s'enfuit de l'appartement. Le lendemain matin, Abdelhamid Abaaoud, qui vient d'être condamné par contumace deux semaines plus tôt à vingt ans de prison pour son rôle dans les filières d'envoi de djihadistes en Syrie, craint de se faire balancer par son ancien protégé. Il déserte à son tour les lieux. « Je suis resté seul dans l'appartement, racontera El-Khazzani. J'avais l'impression d'être un objet. »

*

Le terroriste recherché par toutes les polices pour son rôle de coordinateur de la cellule de Verviers trouve refuge à Bruxelles, dans l'arrière-boutique d'un café où l'on s'adonne au trafic de drogues. L'établissement est tenu par la famille d'un ancien complice de Khalid el-Bakraoui, du temps où celui-ci donnait dans le braquage avec son frère Ibrahim. Depuis, les Bakraoui se sont radicalisés et vouent un culte à leur cousin… Oussama Atar, le chef du bureau des opérations extérieures du califat.

Une quinzaine de jours avant qu'Abaaoud ne vienne se cacher chez eux, Khalid el-Bakraoui s'est rendu seul à Venise pour y prendre, en toute discrétion, le premier avion pour Athènes, et rencontrer Abaaoud. Deux jours plus tard, il est rentré à Bruxelles en prenant soin de passer cette fois par Düsseldorf. Son frère Ibrahim a fait le même aller-retour à Athènes, via une étape à Paris.

Ils ont maintenant tout le loisir de discuter avec Abaaoud sur leurs terres bruxelloises.

Une fois au calme dans sa nouvelle planque, Abaaoud se connecte à Facebook. Il se crée une nouvelle adresse et envoie à Chatra un message signé El-Khazzani.

« Salut, comment vas-tu ? Où es-tu, mon ami ? Pourquoi es-tu parti ? Ce n'était vraiment pas sympa de ta part. Tu ne nous as même pas dit au revoir. Je le jure devant Dieu, je suis très triste à cause de toi. J'ai laissé [Abaaoud] à la maison, il pleurait », écrit-il avant de passer à un registre plus menaçant : « Ce serait mieux si tu revenais. Je le jure devant Dieu que tu le regretteras. »

Bilal Chatra ne répond pas.

Ne reste plus qu'Ayoub el-Khazzani.

« Frère, tu vas sortir », lui annonce Abaaoud.

Il est temps d'accomplir l'ordre venu du Levant. El-Khazzani, si ému lorsqu'il avait découvert les dégâts causés par les bombardements américains sur une mosquée de Raqqa, veut tuer du militaire yankee.

« Je suis un vrai djihadiste, affirmera-t-il plus tard. Je suis un noble combattant, je me considère comme tel. Je suis un soldat. »

Son officier traitant de l'Amniyat lui assigne une cible toute trouvée. Dans le train de 17 heures, ce vendredi 21 août, à l'intérieur du wagon 12, se trouveront « entre trois et cinq militaires américains »[1].

« Dès que tu rentres dans le train, tu vas voir des hommes costauds et qui donnent l'air d'être des militaires », lui explique Abaaoud, qui lui recommande de s'assurer, avant de passer à l'acte, que les hommes en question parlent bien anglais.

Cerise sur le gâteau : à côté des Américains, il y aura « des gens travaillant pour la Commission européenne ».

*

Lunettes de soleil sur le nez, barbe de trois jours, chemise noire par-dessus un pantalon clair, un élégant vacancier surgit sur l'escalator. Il traîne derrière lui une valise à roulettes, regarde un plan, s'assoit en attendant la prochaine rame. Elle arrive. Il la prend. À la station suivante, il change de voiture. Le touriste quitte le métro à la station Clemenceau, fait le reste du chemin à pied et se présente un quart d'heure plus tard devant la gare du Midi. Il se dirige vers les guichets, achète un billet, un aller simple, et s'en retourne vagabonder en ville. À 16 h 30, il est sur le quai de la gare. À 16 h 36, Ayoub el-Khazzani monte dans le Thalys.

---

1. El-Khazzani racontera cela en 2016, lors d'un interrogatoire, mais ne précisera pas comment l'EI était au courant de la présence des militaires à bord du train.

XIX

Les infiltrés

Une nuit à patienter sur la plage turque et puis, juste avant le lever du soleil, une voiture s'approche sur le sable. À l'aube de ce samedi 3 octobre 2015, les passeurs sortent du véhicule un Zodiac qu'ils gonflent sur place. La cinquantaine de migrants qui patientaient dans l'obscurité s'entassent maintenant dans l'esquif de neuf mètres de long. Parmi eux, quatre terroristes qui ont chacun dû payer mille cent dollars leur place. Ils sont les derniers d'une équipe d'une quinzaine de moudjahidines aguerris envoyés par l'État islamique au lendemain de l'attaque ratée du Thalys.

La kalachnikov d'Ayoub el-Khazzani s'est enrayée et le Marocain a été maîtrisé par les militaires américains qu'il était venu assassiner. Un échec de plus. Bilal Chatra est introuvable, Réda Hame n'est pas passé à l'acte, Sid-Ahmed Ghlam s'est tiré dessus.

Cette fois, pour s'assurer qu'aucun djihadiste ne flanche, l'Amniyat leur a fait réaliser des vidéos d'égorgement de prisonniers. Histoire de compromettre chacun des candidats et de s'assurer qu'aucun ne soit tenté d'abandonner la mission en cours de route.

*

Il n'y a pas de capitaine à bord du Zodiac. Pour réduire les coûts, les passeurs n'engagent pas de marin, ils confient à un migrant le soin d'assurer la navigation, en échange de la gratuité de sa place. Le pilote est guidé par d'autres passagers qui se repèrent à l'aide de leurs téléphones portables. Le choix de celui qui tient la barre est plus ou moins heureux. Aussi, les passeurs recommandent d'investir dans de bons gilets de sauvetage. Les terroristes ont chacun le leur, ils ont également acheté une sacoche étanche pour y mettre leur bien le plus précieux : le téléphone qui leur permet de rester en liaison avec Abou Ahmed, alias Oussama Atar, le chef du bureau des opérations extérieures, lequel leur communiquera depuis Raqqa les personnes à contacter et le but de la mission une fois qu'ils seront arrivés en France.

Ils lui envoient des messages codés via Telegram : « Bien, mon oncle, je suis en chemin » « Le médicament n'est pas bien ici, tu sais, et toi, comment vas-tu, mon ami ? » Ou encore « Ma tante te transmet mille bises ». Après « Mon fils », « *Padre* » ou « Papa », les clandestins du califat utilisent maintenant les oncles et tantes comme noms de code. « Abou Ahmed m'avait dit au départ de Syrie de l'appeler "mon oncle" et de rédiger des messages comme si j'étais de sa famille pour que cela passe inaperçu dans le cas où nos messages seraient découverts », expliquera l'un des terroristes.

Débarqués en Grèce, les différents membres du commando suivent le flot des migrants. Entre l'Autriche et l'Allemagne, un train gratuit serait même mis à disposition des réfugiés. Une fois que les terroristes se sont suffisamment approchés de la Belgique, qui va faire office de centre opérationnel du commando, un taxi vient les chercher.

XX

Une priorité urgente du service

Partis de la base française d'Al-Dhafra, aux Émirats arabes unis, deux Rafale larguent sept bombes de deux cent cinquante kilos, dans la nuit du 8 au 9 octobre, sur un bâtiment dans la périphérie de Raqqa. Le lendemain, le ministre de la Défense Jean-Yves Le Drian explique que le camp d'entraînement visé constituait « une menace » pour la France et l'Europe. Comme le révélera alors *Le Monde,* le raid aérien avait pour cible le Français Salim Benghalem.

Cela fait rire l'intéressé qui, depuis la Syrie, suit de près l'actualité le concernant. Dans la même conversation où il se moque de ces frappes françaises ayant manqué leur cible, il raconte à son petit frère qu'il est au courant du reportage que l'émission *Enquête exclusive* lui consacre. Et, lorsque son interlocuteur lui fait remarquer que les médias n'utilisent plus son portrait anthropométrique, mais des captures d'écran d'une vidéo de propagande de l'EI, Benghalem fanfaronne : « J'aime trop la photo. Trop beau moi. »

*

L'information ne fuite pas, mais Abdelhamid Abaaoud était l'autre cible du raid aérien. La CIA a informé la France de l'imminence d'une menace venant précisément de ce groupe de francophones dans lequel on retrouve les deux hommes.

Depuis le 4 septembre 2015, date à laquelle se tient un conseil restreint de défense présidé par François Hollande, le Belge est devenu une obsession française. Le nom d'Abaaoud revient dans chaque attentat ou projet prenant pour cible l'Hexagone.

Durant ce conseil de défense, le bombardement d'un immeuble à Raqqa est envisagé : s'y trouve l'un des appartements dans lesquels Abaaoud et d'autres membres du bureau des opérations extérieures se réunissent. Mais, en raison des potentiels dommages collatéraux — des civils habitent aussi l'immeuble —, l'idée est abandonnée.

Pas celle d'éliminer le problème Abaaoud.

À l'issue du conseil restreint de défense, la DGSE émet un message interne « immédiat » : « La neutralisation d'Abdelhamid Abaaoud, vecteur d'une menace avérée contre notre territoire, est devenue une priorité urgente pour le service. »

Cinq jours plus tard, le service de renseignement extérieur lui consacre une note entière dans laquelle il rappelle que, « ces dernières semaines, le service a fait porter ses efforts en priorité sur l'identification des opérationnels qu'Abdelhamid Abaaoud est fortement suspecté de vouloir envoyer en Europe, et possiblement en France », tout en concluant à son impuissance : « En l'état actuel des accès et des capacités du service, aucune action d'entrave ne peut être menée à courte échéance. »

Fin septembre, la DGSE rédige une note « de routine » dans laquelle elle situe Abaaoud à Deir ez-Zor où il serait en train de conduire les soldats du califat dans un assaut contre l'aéroport tenu par l'armée de Bachar al-Assad.

DGSE, DGSI, CIA et Sûreté de l'État belge, aucun des services de renseignement qui le traquent de par le monde n'imaginent alors que le djihadiste de vingt-sept ans attend son heure dans un appartement de la banlieue de Bruxelles.

Et pourtant, les services de renseignement progressent. Ce que leur a raconté Nicolas Moreau en mai prend forme maintenant sous leurs yeux, ils ont compris qu'existe au sein du califat « une branche » chargée de fomenter des attentats en Europe et qu'Abaaoud n'en serait pas le seul responsable.

*

DGSE — CONFIDENTIEL DÉFENSE — Le 28 octobre 2015 — No°81198 — ÉVALUATION DE LA MENACE TERRORISTE ÉMANANT DE LA ZONE SYRO-IRAKIENNE

Les renseignements recueillis sur les attentats déjoués en Belgique à Verviers en janvier 2015, dans l'affaire Sid-Ahmed Ghlam et lors des arrestations de plusieurs individus au cours des derniers mois [...] dessinent progressivement le contour d'une « branche » ou entité au sein de l'État islamique, dont la mission est bien de projeter en Europe des opérationnels destinés à y conduire des attaques terroristes. Abdelhamid Abaaoud, désormais « ennemi numéro un » des services occidentaux de renseignement, en est la cheville ouvrière aujourd'hui la plus connue, mais pas unique.

*

En cette fin octobre, les services de renseignement européens sont sur les dents. La DGSE épluche le contenu des divers comptes Facebook de Mohamed Abrini, un personnage auquel s'intéressent également les services secrets anglais depuis son passage à Manchester. De leur côté, les services belges surveillent depuis trois semaines les publications de Najim Laachraoui sur les réseaux sociaux et fouillent le domicile bruxellois de Khalid el-Bakraoui, qui vient de se rapprocher de ses contacts dans le grand banditisme pour récupérer « autant de chargeurs de kalachnikov que possible »…

Les services pressentent l'architecture de l'équipe qui s'apprête à commettre l'attentat le plus sanglant en France depuis la Seconde Guerre mondiale, mais ils ignorent encore tout de ses têtes pensantes et se trompent toujours sur le lieu où est censé se trouver Abaaoud. Le 3 novembre 2015, la DGSE écrit qu'il « se déplacerait souvent entre Deir ez-Zor et la ville de Mayadin ».

Pendant ce temps, de Syrie et d'Irak, bruisse la rumeur d'une attaque imminente. Le 15 octobre, une lycéenne, épouse du djihadiste Samy Amimour[1], écrit à son ancien prof de maths pour se vanter de son aisance matérielle ; depuis peu, le califat la nourrit et la blanchit dans un bel appartement à Mossoul. Elle en profite pour lui annoncer que « bientôt, *inch'Allah*, la France et toute la coalition vont savoir ce qu'est la guerre chez elle, pas chez les autres… » avant de conclure par : « Vous nous tuez, on vous tue, l'équation est simple. » La jeune femme enceinte de huit mois sait de quoi elle parle : son mari est en route pour Paris.

---

1. Voir première partie, chapitre XV, « Les shérifs du Shâm ».

XXI

Le taxi des attentats

Au bout d'une semaine d'attente Samy Amimour a été récupéré, en compagnie de l'Alsacien Foued Mohamed-Aggad et du Francilien Ismaël Omar Mostefaï, à la gare ferroviaire de Budapest-Keleti, le 17 septembre, par une Audi A6. Au volant, celui qui, depuis fin août, sillonne l'Europe afin de récupérer les différents membres du commando. Salah Abdeslam.

Entre 2013 et 2015, tandis que la jeunesse radicalisée belge rejoint la Syrie et se range sous la bannière de l'État islamique, ce fils d'un conducteur de tramway bruxellois tient, avec son grand frère Brahim, le bar Les Béguines, à Molenbeek. Abdeslam, qui a fait les quatre cents coups avec son copain d'enfance Abaaoud, y sert une clientèle d'habitués.

Des joints retrouvés fumants dans les cendriers après une descente de police conduisent à la fermeture du café, le 4 novembre 2015. Les policiers trouvent la drogue, manquent la propagande djihadiste. « À chaque fois qu'on rentrait dans ce café, il y avait des discours de l'État islamique, c'est-à-dire des appels à la guerre. Des gens encagoulés qui disaient aux Européens de se joindre à eux », confiera un client. Des vidéos que Brahim Abdeslam regardait assis sur sa chaise, « comme on regarde un film de guerre ».

Le 30 août, c'est à bord d'une BMW que Salah Abdeslam est allé chercher en Hongrie les deux premiers hommes que lui a désignés Abaaoud. Le 9 septembre, il récupère Najim Laachraoui et un complice à la même gare de Keleti qu'Amimour & Co. Le 3 octobre, il réceptionne le Suédois Osama Krayem et deux autres djihadistes en Allemagne. Au total, ce sont dix terroristes qui ont voyagé dans les véhicules de location d'Abdeslam.

Et son ordre de mission ne se limite pas au convoyage. Le 8 octobre, il fait un aller-retour en France. Il achète dans un magasin de jardinage, à Beauvais, quinze litres d'oxygène actif, un produit chimique entrant dans la composition de l'explosif TATP. Lors d'un précédent séjour dans l'Oise, il s'est déjà procuré, dans une enseigne spécialisée dans les feux d'artifice, douze boîtiers récepteurs et la télécommande permettant de les déclencher à distance.

Abdeslam remplit là le bon de commande que lui a passé l'un des hommes qu'il est allé chercher en Allemagne, un individu qui n'est là que pour une courte période : Abou Mahmoud al-Chami, l'artificier en chef du bureau des opérations extérieures de l'EI. Al-Chami a été dépêché dans la maison de briques rouges qu'occupe le commando depuis le 10 octobre à Auvelais, en Belgique, pour épauler Najim Laachraoui dans la fabrication des ceintures d'explosifs.

Une fois les ceintures confectionnées, Abou Mahmoud al-Chami repart. Mais, ne parlant qu'arabe, il se perd à la gare, ne comprenant rien aux indications sur les panneaux d'affichage. Livré à lui-même, il est interpellé, le 1er novembre, par la police hongroise, à bord d'un train reliant Vienne à Belgrade. Il prétend être réfugié et faire route vers la Turquie pour rendre visite à sa mère malade. Après quelques jours de détention, il est libéré et prend un vol pour Ankara le 16 novembre, alors que depuis trois jours la France et le monde entier portent le deuil des victimes faites par ses ceintures explosives.

*

D'habitude, quand Yasmina pleure, Salah Abdeslam la rassure. Depuis des années, le fêtard multiplie les conquêtes, mais revient toujours auprès de son amour de jeunesse. Ce mardi 10 novembre, le couple se retrouve au snack Le Noumidia, à quelques pas de l'église Notre-Dame à Laeken. Yasmina veut savoir où ils en sont tous les deux, elle pleure. Mais, cette fois, Salah ne la réconforte pas.

Il pleure lui aussi. Il chiale même. Il ne s'arrête plus. Au cours du dîner, ils échangent peu, l'émotion est trop forte. Tout juste lui dit-il qu'il a quelque chose à faire ce soir-là. La veille, avec Mohamed Abrini, il est allé louer une Polo et une Clio, tandis que, de son côté, son frère Brahim louait une SEAT Leon.

Le repas avalé tant bien que mal, le couple monte en voiture. Là, dans l'intimité de l'habitacle, les larmes de Salah se remettent à couler. Yasmina s'inquiète, se demande s'il n'a pas de nouveau le projet de rejoindre la Syrie, comme il l'avait un temps évoqué. Salah, sur ce point, la tranquillise. Il la dépose chez elle.

Le lendemain, Yasmina apprend par une proche que Salah et son frère seraient partis faire du ski.

XXII

Le « besoin d'en connaître » des clandestins du califat

Le lendemain, la pluie tombera à verse sur l'autocar qui conduira Osama Krayem de Bruxelles à Amsterdam. En attendant, le Suédois de vingt-trois ans est, ce jour-là, au chaud dans la planque des clandestins de l'État islamique, rue Henri-Bergé, à Schaerbeek. Osama Krayem est au chaud jusqu'à ce qu'en début d'après-midi Ibrahim el-Bakraoui le tire de sa léthargie.

Krayem commence par renâcler quand El-Bakraoui lui demande de se rendre deux cents kilomètres plus loin à l'aéroport de Schiphol, afin de « vérifier quelque chose ». Pourquoi le Belge n'irait-il pas lui-même ?

C'est a priori la première fois qu'ils se rencontrent, mais le second a très vite l'ascendant sur le premier. Ancien braqueur ayant fait feu sur des policiers, El-Bakraoui sait se faire respecter. Au fur et à mesure, Krayem verra en Ibrahim et son frère Khalid « les big boss » de leur « cellule endormie ». Les Bakraoui n'habitent pas dans l'appartement de la rue Henri-Bergé, mais dans un logement à part.

« Comme n'importe quel boss dans un business. Un boss a toujours un endroit pour lui et un endroit pour les gens qui travaillent pour lui. C'est pour ne pas attirer l'attention », dira Krayem.

Ibrahim a son propre ordinateur, est en contact avec tous les membres de la cellule et, dans sa façon de s'exprimer, il n'échange pas mais livre ses instructions.

« Il y a une hiérarchie. Une personne donne des ordres et d'autres les appliquent, considère Krayem. Personne ne peut faire quoi que ce soit par sa propre initiative, on doit recevoir des ordres de l'État islamique. »

Osama Krayem se définit comme « un soldat de Daesh », alors, même si cela ne l'enchante guère, il obéit à El-Bakraoui.

Des tickets d'autocar sont achetés en liquide à un guichet à Bruxelles pour le lendemain matin. Les autres pensionnaires de la planque de la rue Henri-Bergé ignorent tout du voyage que s'apprête à faire Osama Krayem en compagnie du complice que lui a adjoint El-Bakraoui. Et le Suédois, à l'en croire, n'a pas non plus la moindre idée de la raison de cette mission de repérage. Il sait uniquement qu'il doit chercher des consignes d'un certain volume.

Le « besoin d'en connaître » est la sacro-sainte règle des services de renseignement, selon laquelle tout officier n'a qu'une vision partielle de l'activité collective. On ne révèle à chacun que ce qu'il a besoin de savoir pour agir. Les djihadistes ont compris l'intérêt de cette discipline. L'un des manuels publiés sur Internet consacre un chapitre au cloisonnement de l'information, démontrant en quoi celui-ci permet d'éviter le démantèlement d'un réseau lorsqu'un seul moudjahid est appréhendé.

Ayoub el-Khazzani, l'auteur de l'attaque dans le Thalys, dira ainsi : « J'étais là pour faire un attentat. Mais je vous précise que, moi-même, je ne savais pas exactement ce que j'allais faire.

[Abaaoud] ne me racontait rien. Je m'en fichais de son comportement, j'avais mon objectif et j'attendais mes consignes. »

Entendu par une commission d'enquête parlementaire, Bernard Bajolet, patron de la DGSE, y voit l'une des causes de la difficulté à contrer les djihadistes : « Ces réseaux sont très cloisonnés. Dès lors, quand bien même on sait qu'un attentat va être commis, quand bien même on connaît le nom des terroristes, on ne peut pas toujours le prévenir. Cela explique certains échecs. »

C'est sous une pluie battante qu'Osama Krayem monte avec sa valise dans l'autocar, muni de faux papiers belges, lui qui n'est pas encore recherché et dont aucun service de renseignement européen ne connaît l'existence alors qu'il est allé en Syrie et qu'il a combattu sous le drapeau noir de la Dawla. À la frontière, il est contrôlé par des militaires hollandais. Sans être inquiété. Il baguenaude durant deux heures dans les coursives de l'aéroport, mais ne trouve pas les consignes adéquates.

De retour à Schaerbeek dans la soirée, il en informera Ibrahim el-Bakraoui.

Mais on n'en est pas encore là.

*

Ce jour-là, tandis qu'Osama Krayem reçoit à Schaerbeek l'ordre de braver le mauvais temps, Mohamed Emwazi, alias Jihadi John, quitte l'appartement de sa femme à Raqqa et monte dans une camionnette. Caché dans les parages, un informateur alerte un service occidental.

Contrôlé par un pilote depuis une base dans le Nevada, le drone Predator suit depuis le ciel le trajet du véhicule, qui se gare à proximité du bâtiment abritant le tribunal islamique. Jihadi

John sort de l'habitacle au moment où un premier missile Hellfire pulvérise le véhicule. Un second missile est tiré au cas où.

Jihadi John n'est plus.

Le lendemain, un porte-parole américain affirme que les militaires sont « raisonnablement certains » d'avoir tué le bourreau de l'État islamique. Le Premier ministre britannique, David Cameron, justifie cette attaque contre l'un de ses concitoyens en la qualifiant « d'acte d'autodéfense ».

Présenté par la DGSE comme « un manager opérationnel » du bureau des opérations extérieures, au même titre qu'Abaaoud, Emwazi était suspecté de fomenter un attentat en Grande-Bretagne. La Turquie annonce d'ailleurs dans la foulée avoir interpellé à Istanbul un autre membre présumé des Beatles, celui que les otages surnommaient George. Recherché par toutes les polices du monde, que faisait-il en dehors du califat ? Les services se demandent s'il ne s'apprêtait pas, comme ses amis Abaaoud et Laachraoui, à rejoindre la Vieille Europe.

*

Ce jour-là, un analyste de la DGSI rédige à Levallois-Perret une note consacrée à Foued Mohamed-Aggad. L'Alsacien ne donne plus signe de vie depuis trois mois alors qu'il ne restait jamais plus d'une semaine sans contacter les siens. L'analyste se veut rassurant : « Il y a quelque temps, Foued avait prévenu sa famille qu'il ne rentrerait pas en France, et ce même dans le but d'y commettre des attentats sur ordre, car il ne s'estimait pas encore assez fort pour tomber en martyr. »

La note précise tout de même que Mohamed-Aggad fait partie « d'un groupe de vingt et un combattants de la région d'al-Bab » ayant rejoint Mossoul, « où ils ont laissé leurs femmes ».

Le 24 août, les vingt et un hommes sont partis en mission pour au moins deux mois, affirme l'officier de renseignement, et sans possibilité de donner de nouvelles, tablette et téléphone leur étant interdits. Enfin, conclut l'analyste, « Foued a laissé un testament dans son appartement de Mossoul ».

*

Ce jour-là, Mohamed Abrini a le vague à l'âme. Dans l'après-midi, à Charleroi, il a vu ses copains d'enfance charger une SEAT d'armes et d'explosifs emballés dans du plastique. Le commerçant de Molenbeek monte à bord d'une Clio, sans rien d'illégal à l'intérieur, et part en éclaireur, restant en contact téléphonique permanent avec la seconde voiture. Il ouvre la route « comme dans les stups », résumera-t-il. Avant de démarrer, un de ses amis installe un brouilleur. « Vous ne bornez plus. Tout ce qui peut émettre quelque chose, ça le bloque », expliquera Abrini.

« Le convoi de la mort », selon l'expression d'Abrini, s'ébroue depuis Charleroi, direction la région francilienne. En fond sonore dans les habitacles, des chants islamiques. Le commerçant de Molenbeek fume des cigarettes.

À l'arrivée, dans le pavillon loué à Bobigny, Mohamed Abrini est plus nerveux que les autres : « Ils étaient calmes, tranquilles. Ils préparaient à manger dans la cuisine, regardaient la télé. Je ne voyais pas de stress en eux. »

Vient le moment des adieux.

Bien sûr, il ignore la forme que leur action va prendre, la cible exacte. Mais il a compris l'idée. « J'accompagnais des amis dans leur dernier souffle. Je sais que tous ces gars-là vont mourir. » Dans le jardin, à l'arrière de la maison, il étreint Abdelhamid Abaaoud.

Ce jour-là, Mohamed Abrini repart en taxi dans la soirée. La course lui coûte trois cent soixante-cinq euros. Il rejoint la planque rue Henri-Bergé, à Schaerbeek, où se trouve Osama Krayem sur le point de partir à Amsterdam et où les clandestins restants, dans quelques heures, guetteront les flashs d'information.

Ce jour-là, on est le 12 novembre 2015.

XXIII

Vendredi 13

Une explosion sur la scène. Samy Amimour a été touché par un commissaire entré seul dans le Bataclan ensanglanté, la ceinture du kamikaze s'est actionnée.

À l'étage, le plus petit des deux terroristes survivants — « sec avec plus de cheveux et plus de barbe », dira un de ses otages — dispose trois hommes derrière la porte qu'il vient de fermer, trois devant les fenêtres et les autres devant la cage d'escalier. Ce terroriste, c'est Foued Mohamed-Aggad. Il ordonne aux otages face aux fenêtres de commenter ce qu'ils voient. Il veut savoir où en est la progression des policiers arrivés en renfort. À intervalle régulier, l'Alsacien s'intercale entre ses boucliers humains et lâche une rafale de kalachnikov par une fenêtre.

Foued a confisqué les téléphones portables. Le sien, il l'a jeté dans une poubelle à côté de la salle de concert après avoir envoyé un texto à 21 h 42 à un correspondant en Belgique, l'avertissant : « C'est parti, on commence. » À quelques pâtés de maisons de là, le commando des terrasses s'est entretenu avec un autre numéro belge. Et l'équipe qui s'attaque au Stade de France avec un troisième. Chaque équipe a un numéro dédié et, semble-t-il, un officier traitant à qui rendre des comptes.

Cheveux très courts et barbe rase, le second terroriste restant s'approche de Mohamed-Aggad dans le couloir du Bataclan. La colonne d'assaut de la BRI est à la porte du couloir.

— Est-ce que tu comptes appeler Souleymane[1] ? interroge le tueur à la barbe rase.

— Non, on va gérer ça à notre sauce. Mais parle en arabe ! s'énerve Foued Mohamed-Aggad.

La conversation, tendue, se poursuit alors dans une langue que ne comprennent pas les otages.

Soudain, les policiers enfoncent la porte. Les terroristes ripostent, s'abritent derrière leurs otages. Des grenades sont lancées. Les terroristes et les otages sont sonnés. Les policiers progressent. Et, au fur et à mesure de leur progression, évacuent les otages du Bataclan. Face à eux, le premier terroriste actionne sa ceinture explosive en se jetant en direction de la colonne d'assaut de la BRI. L'effet de souffle sonne son complice qui esquisse un geste vers sa propre ceinture. Les policiers le tuent.

C'est fini.

---

1. Abou Souleymane est la *kounya* d'Ibrahim el-Bakraoui, qui, depuis Bruxelles, semble être le référent du commando du Bataclan.

XXIV

Le jour d'après

Le premier coiffeur ne fait pas les colorations, alors, tant pis, il perd un client. Salah Abdeslam poursuit son chemin dans les rues de Laeken, une petite commune en périphérie de Bruxelles. Le second coiffeur fera l'affaire. Le terroriste s'assoit dans un fauteuil en cuir brun, usé jusqu'à la corde.

Quelques heures plus tôt, à 5 h 30 du matin, dans la nuit du 13 au 14 novembre, il se cachait encore dans une cage d'escalier de Châtillon quand deux amis, qu'il avait appelés à son secours, sont venus le chercher depuis la Belgique.

Emmitouflé dans sa doudoune, sa capuche sur la tête, Abdeslam rejoint le véhicule, essoufflé et en nage. Le fait de se retrouver dans l'habitacle ne le calme pas. Il pleure, il crie. Il explique qu'il fait partie des dix qui ont commis les attentats à Paris, mais que son détonateur n'a pas fonctionné, et pourtant il voulait mourir. Il a abandonné sa ceinture explosive défectueuse dans une poubelle à Montrouge.

Durant le trajet vers la Belgique, Salah Abdeslam rappelle à ses amis de respecter le code de la route, de rouler doucement sur la bande de droite, de ne pas doubler les autres véhicules. Il leur demande de suivre « les panneaux de signalisation verts et non les bleus », cherche à tout prix à éviter les contrôles de police sur l'autoroute. Mais ses amis se perdent et finissent par rejoindre l'A2. Où ils se font contrôler à trois reprises. Les gendarmes vérifient l'identité des trois passagers, remarquent que le chauffeur vient de fumer un joint. « Ce n'est pas bien de consommer de la drogue mais, aujourd'hui, ce n'est pas la priorité… »

Le coffre ne contient ni arme ni explosif. Alors les gendarmes laissent repartir Salah Abdeslam, dont le nom n'est pas encore accolé au massacre qui vient de survenir dans la capitale.

Arrivé à Laeken, Salah Abdeslam va d'abord faire son marché. Pour cent euros en liquide, il achète un jean noir, un pull gris, un bonnet noir, une veste gris et noir. Il se change dans la camionnette du commerçant avant de partir en quête d'un coiffeur. Quand enfin il trouve son bonheur chez un quinquagénaire grisonnant, il se fait raser la barbe, raccourcir sérieusement les cheveux et raser un trait sur le sourcil.

« Une vingtaine de minutes plus tard, Salah avait changé », constatera un de ses amis qui l'attendait à l'extérieur.

De son côté, Mohamed Abrini avouera avoir, en compagnie des survivants de la cellule Abaaoud, porté « une perruque horrible » : « Dans toutes les caches, il y avait des perruques. On mettait ça souvent pour sortir. C'était grossier mais apparemment plus c'est grossier, plus ça passe. »

*

Une fois coiffé et habillé, Salah Abdeslam se fait déposer dans un quartier de Schaerbeek, une autre commune en périphérie de Bruxelles, où se cache le reste de la cellule terroriste qui a assuré la logistique du massacre et attend à son tour de passer à l'acte.

Sur la route, il a ressassé l'attentat. Il a avoué à ses amis avoir tenu une mitraillette, avoir fait feu, avoir tué. Ce qui ne l'empêche pas, quand il parle de son frère Brahim, mort en actionnant sa ceinture explosive, de réclamer vengeance :

« Ils vont payer pour la mort de mon frère ! »

XXV

« Je les connais tous ! »

À 14 h 30, le 18 novembre 2015, le téléphone sonne à la direction régionale de la PJ de Rennes. Au bout du fil, un imprimeur nantais. Sous le choc. « Hier soir, j'ai reçu un appel de mon fils, actuellement incarcéré à Fleury-Mérogis. Cela faisait un mois et demi que je ne l'avais pas eu au téléphone. Il m'a dit : "Je les connais tous" en parlant des attentats, je lui ai demandé s'il connaissait aussi Abdelhamid Abaaoud, il m'a répondu oui. Il m'a dit qu'il connaissait leurs habitudes et m'a demandé de contacter son avocat, car il veut témoigner à ce sujet. »

Son fils, c'est Nicolas Moreau.

Il faut l'entendre de toute urgence. Le lendemain, un interrogatoire est organisé en visioconférence depuis la maison d'arrêt. Sauf qu'au moment de démarrer l'ancien restaurateur djihadiste de Raqqa n'envisage plus d'adresser la parole à sa juge d'instruction.

« Je veux un autre interlocuteur ! Je ne veux plus vous voir parce que vous voulez toutes les informations tout de suite. Vous grattez des petites informations, mais jusqu'à présent je ne vous ai donné que des éléments sans importance. »

Moreau espère toujours négocier une remise en liberté. L'écorché vif qui insulte services de renseignement et magistrats a tout de même quelques arguments à faire valoir. Lors de sa première audition à son retour de Syrie, cinq mois plus tôt, il avait déjà souligné l'importance d'Abdelhamid Abaaoud et détaillé les missions de l'Amniyat.

— Si vous ne souhaitez pas me parler, à qui comptiez-vous parler ?

— À un autre juge, à un procureur ou à la police. Je veux juste vous dire que si vous tombez sur Abaaoud, dit « Abou Omar al-Belgiki », les écoles de formation là-bas nous apprennent que, s'il est dans l'entrée d'un immeuble, il doit disposer d'assez d'explosifs pour faire sauter une voiture et réussir à s'échapper. Si je vous dis ça, c'est pour qu'il n'y ait plus d'attentats. Croyez-moi, j'ai beaucoup plus à dire. Mais, vous, je ne veux plus vous écouter.

Puisqu'il refuse de s'exprimer dans le cadre du dossier d'instruction qui le concerne, le parquet de Paris décide, au vu de l'urgence, de le faire entendre en tant que témoin du 13 Novembre. Deux officiers sont dépêchés à 23 h 30 à Fleury-Mérogis. Face à Moreau qui se braque pour un rien, ils marchent sur des œufs.

— Consentez-vous à répondre à nos questions ?

— Oui.

— Vous avez des informations à communiquer à la police pour l'aider à éviter des actions terroristes en France, c'est bien cela ?

— Oui.

— Qu'avez-vous à nous dire ?

— Je vais vous redire certaines choses que j'ai déjà dites en audition, mais je vais donner plus de précisions.

Ce ne sont pas les révélations annoncées. Moreau donne quatre *kounya* d'individus « très motivés pour frapper la France ou la Belgique ». Parmi eux, il reparle de cet Abou Souleymane qu'il avait déjà évoqué la première fois et qui correspondrait, selon les déclarations qu'il fera lors de son procès un an plus tard, à Mohamed Abrini. Pas grand-chose de neuf par rapport à ce qu'il a déjà dit et rien de concret permettant d'éviter des attentats, comme il le promettait. Les policiers sont déçus, les magistrats à qui ils font leur rapport aussi.

Soit les informations de Nicolas Moreau sont désormais un peu périmées.

Soit il ne dit pas tout.

XXVI

La cinquième colonne du djihad

Le cadavre est celui d'un terroriste de sexe masculin âgé de vingt-huit ans. À la peau très mate, aux cheveux châtain foncé, aux moustache et barbe brunes coupées court. À l'intérieur de la salle d'autopsie de l'institut médico-légal (IML) dans le XIIe arrondissement de Paris, un gendarme, deux médecins légistes, un technicien de la police scientifique et une photographe de l'identité judiciaire encerclent le corps qui repose sur un chariot. Il est 8 h 40 en ce vendredi 20 novembre 2015 et le docteur Antoine T. commence « les opérations d'autopsie requises ».

On procède au déshabillage du cadavre référencé « IML-2587 ». On enlève les restes d'un pantacourt zippé, on ôte les lambeaux d'un T-shirt de l'équipe de football allemande avec ses trois étoiles de champion du monde surplombant l'aigle qui figure sur l'écusson au niveau du cœur. Le défunt ne pèse plus que soixante-douze kilos. Sans compter la cinquantaine de boulons que l'examen radiologique révèle, logés dans ses reins, son estomac, son pancréas, ses intestins.

Dans la mythologie djihadiste, une odeur de musc enveloppe les frères tombés au combat. À en croire leurs compagnons d'armes, ils souriraient encore, sereins par-delà la mort. IML-2587 ne sourit pas. Sa mandibule est absente. Seules quatre dents subsistent. L'œil droit manque. L'une de ses joues a disparu. La boîte crânienne, béante, est vidée de son contenu. Le tronc n'est pas mieux loti. La cage thoracique est détruite, la paroi abdominale a disparu, les viscères mis à nu.

Ci-gît Abdelhamid Abaaoud.

Le 13 Novembre, un badaud filmait sur son téléphone portable un homme vêtu de noir et portant des chaussures orange en train de fusiller sans précipitation les clients de la Belle Équipe, rue de Charonne. Auprès de sa cousine et d'une amie de celle-ci, venues à sa rencontre lors de la cavale qui s'en est suivie, Abaaoud fanfaronne : « Les terrasses, c'était moi ! »

Il revendique aussi la bagatelle de dix attentats réussis. Et dit projeter de s'en prendre à un centre commercial et à un commissariat du quartier d'affaires de la Défense. Mais Abaaoud n'a pas le temps de passer à l'acte.

Son odyssée macabre s'achève le 18 novembre dans le bruit et la fureur lors d'un assaut mal maîtrisé du RAID, au troisième étage d'un immeuble délabré de Saint-Denis. Le corps du petit bourgeois de Molenbeek défiguré et éventré repose dans un salon au design moyen-oriental tandis que sa cousine, qu'il a entraînée dans sa chute, étouffe sous les décombres, son corps lui aussi perforé de boulons.

À l'institut médico-légal de Paris, à l'issue des trois heures durant lesquelles il a assisté à la dissection de ce qui reste de l'enveloppe terrestre du terroriste, l'adjudant gendarme écrit, sous la dictée du médecin légiste, que le décès d'Abaaoud est « la conséquence d'un polytraumatisme gravissime et instantanément mortel ». Épargné par les mille cinq cents coups de feu des tireurs d'élite du RAID, il a été tué par l'effet de blast provoqué par la ceinture explosive d'un complice. L'autopsie d'Abaaoud est achevée, on ne peut plus rien lui faire. L'inverse n'est pas vrai.

L'énigme de ce crime de masse que constitue le 13 Novembre

a été aussitôt résolue et les tueurs ont été tués. Contrairement à ce qu'avait escompté l'État islamique, l'attentat, succès militaire, se traduit par une défaite politique. Les bombardements de la coalition continuent de plus belle et le califat, de jour en jour, s'effrite.

Pourtant, en France, en Europe, le trouble à l'ordre public perdure. D'entre les morts, Abdelhamid Abaaoud revient nous hanter.

Lorsque, caché dans un buisson en bordure de périphérique à Aubervilliers, il a rencontré sa cousine et son amie, le terroriste leur a confié que quatre-vingt-dix kamikazes se cacheraient en région parisienne. « Des gens qui passent normal dans la vie de tous les jours, ils ont à manger, ils sont bien », raconte-t-il à l'amie de sa cousine.

« Il a dit qu'ils feraient pire, que tout était prêt… », dira la jeune femme.

La confidence recoupe l'analyse des services français, qui indiquent à leurs autorités de tutelle qu'« une deuxième vague d'attaques se prépare contre la France » et pourrait être l'œuvre de neuf membres de la cellule Abaaoud.

Et la menace ne serait pas uniquement représentée par les survivants de cette cellule. Début 2016, les services alertent les plus hautes autorités de l'État : « Les renseignements recueillis sur la présence d'opérationnels déjà présents en Europe se multiplient et reflètent la "massification" des projets d'attaque. » Entendu le 17 février devant la commission des affaires étrangères, de la défense et des forces armées, Patrick Calvar, le patron de la DGSI, confirme : « Nous disposons d'informations faisant état de la présence de commandos sur le sol européen, dont nous ignorons la localisation et l'objectif », reconnaît-il.

Qu'importe que la promesse d'une apocalypse pour les fêtes de Noël — « Cela va sauter dans les transports et les écoles » —

qu'Abaaoud a faite à sa cousine ne se soit pas matérialisée. Le djihadiste a instillé la terreur et le doute. Les services secrets européens courent désormais après ses quatre-vingt-dix fantômes.

*

Les forces de l'ordre vont mettre facilement la main sur les deux premiers. L'examen de la liste de réfugiés passés par l'île de Leros révèle qu'un Algérien de vingt-neuf ans et son complice pakistanais accompagnaient deux des kamikazes du Stade de France. Coincés trois semaines sur l'île grecque à cause de leurs faux papiers, ils ont repris leur périple à travers l'Europe, mais n'ont pas pu rejoindre le reste de l'équipe à temps. Les deux hommes se trouvent dans un camp de réfugiés en Autriche, ils communiquent toujours avec leur officier traitant à Raqqa. Le 11 décembre, ils ont échangé un message codé avec « Mon oncle » sur Telegram. Ils l'interrogent à propos des attentats. « L'oncle » fait le surpris : « Il s'est passé quelque chose en France ? »

L'homme est très prudent.

« Il n'a rien laissé transparaître », se souviendra l'un des deux terroristes.

Identifiés, les deux hommes sont interpellés alors qu'ils se trouvent toujours en Autriche. Après avoir tenté durant plusieurs jours de faire croire à sa légende de migrant, l'Algérien demande à parler aux enquêteurs de la police régionale de Salzbourg. Il est réentendu le 25 janvier 2016.

« Lors de mes premières auditions, je n'ai pas toujours dit la vérité, déclare-t-il. [...] Il est arrivé beaucoup de choses et je veux dire la vérité. Je ne veux plus rien avoir à faire avec les gens dont je vais parler. Je souhaite dire la vérité sur tout. Mais j'ai besoin d'aide. Les gens à qui j'ai affaire sont dangereux. Abou Ahmed croit que je suis en route pour la France. »

Abou Ahmed. Cet Algérien de vingt-neuf ans met, pour la première fois, un nom, ou plutôt une *kounya*, sur le commanditaire des attentats qui ont frappé Paris et fait cent trente morts le 13 Novembre 2015.

Durant cinq auditions étalées sur trois mois, l'Algérien va détailler comment il a été sélectionné, quel a été son entraînement, qui sont les cadres du bureau des opérations extérieures qu'il a croisés, comment il a rallié l'Europe. Mais la peur l'habite. Mi-mars, il craque.

« De toute façon, l'État islamique me tuera, que ce soit en Algérie ou n'importe où ailleurs. »

Toujours cette conviction, chez les djihadistes, que l'Amniyat n'a pas de frontières.

La veille de la confession de l'Algérien, al-Hayat, l'organe médiatique officiel de l'État islamique, diffuse une vidéo de revendication des attentats du 13 Novembre. La vidéo s'ouvre sur un message donnant le nom de code présumé de l'opération, *Kill them wherever you can*. Elle s'achève sur des images de David Cameron, de la Chambre des lords et de zones touristiques londoniennes.

La Grande-Bretagne est visée, la France reste une cible et reçoit le renfort des États-Unis, qui procèdent à une série d'éliminations ciblées en Syrie. Parmi celles-ci, un homme dont le Pentagone affirme qu'il « préparait activement de nouvelles attaques contre l'Occident ». Cet ami d'enfance du kamikaze du Bataclan Samy Amimour était également un proche d'Abdelhamid Abaaoud et de Tyler Vilus.

Les francophones travaillant au bureau des opérations extérieures de l'Amniyat n'ignorent plus que leur espérance de vie est réduite. Trois semaines après les attaques de Paris, Salim

Benghalem contacte son petit frère pour adresser à sa famille ce qui ressemble à un adieu. « Dis surtout aux parents que je les aime. Ils m'ont bien élevé. Je n'ai jamais manqué de rien grâce à Allah puis à eux. Notre rendez-vous sera au paradis, *inch'Allah* ! »

L'Amniyat a déménagé, semble-t-il, du palais de l'Hospitalité, occupé désormais par la brigade féminine de la Hisbah. Le service secret privilégierait désormais des appartements plus difficiles à localiser, au milieu des populations civiles.

En Europe, les policiers belges entendent sous un prétexte bidon l'épouse d'un frère El-Bakraoui qui a disparu depuis quelques jours. La police autrichienne s'apprête à remettre l'Algérien et son complice pakistanais à la justice française. Mais, sur les quatre-vingt-dix fantômes évoqués par Abaaoud, le compte n'y est pas.

Heureusement, le troisième clandestin de l'EI ne sera pas bien dur à trouver. Il va se livrer de lui-même.

XXVII

Marcus

Le 1ᵉʳ février 2016, Saleh Alghadban pousse les portes du commissariat central du XVIIIᵉ arrondissement, dans le quartier de la Goutte-d'Or à Paris. Nous sommes moins de trois mois après le massacre du 13 Novembre et ce Syrien aux yeux fatigués et aux vêtements élimés, tente d'expliquer, en anglais, au policier à l'accueil, qu'il est à la tête d'une cellule dormante de l'État islamique. L'organisation terroriste lui a ordonné de commettre un attentat. Mais l'homme affirme ne plus vouloir passer à l'acte.

Alghadban a été l'un des tout premiers djihadistes envoyés pour frapper l'Europe. Il a rejoint l'Allemagne dès le mois de mars 2015. Depuis, ses hommes et lui attendent d'être activés par le bureau des légendes djihadistes.

Quelques jours avant sa reddition, le Syrien explique à un complice sur Facebook : « Nous devons suivre tranquillement la partie. Nous devons nous montrer patients. » Il joue au matamore, vante ses complices qui, cachés dans des camps de réfugiés en Hollande, « mangent des cailloux » mais ont su conserver « des cœurs de lion ». En réalité, sa motivation flanche. « Cela faisait un an qu'il se traînait d'un camp de réfugiés à l'autre. Les conditions étaient éprouvantes. Il avait faim, il avait froid. C'est ce qui l'a poussé à se rendre », me confiera un officier de renseignement.

Face aux policiers du XVIIIᵉ interloqués, Alghadban désigne, photos à l'appui, certains des membres de sa cellule, composée d'une vingtaine d'hommes répartis entre Düsseldorf et un camp de réfugiés à Nimègue, aux Pays-Bas, à proximité de la frontière allemande. Une dizaine de kamikazes portant des gilets explosifs se feront sauter en plein centre-ville de Düsseldorf. D'autres djihadistes devront ensuite « tuer le plus grand nombre possible de passants avec des fusils et d'autres charges explosives », complétera, quelques mois plus tard, le bureau du procureur fédéral à Karlsruhe.

Placé en garde à vue, Saleh Alghadban est confié à la DGSI. Les noms cités par le Syrien résonnent familièrement aux oreilles des enquêteurs de la lutte antiterroriste. L'homme raconte avoir été recruté par l'Amniyat dès avril 2014. La mission d'un attentat sur le sol allemand lui aurait été ensuite confiée par son beau-frère, un certain Abou Doujana, membre du bureau des opérations extérieures — et en qui la DGSI croit reconnaître un vétéran du djihad ayant aidé dix ans plus tôt un proche de Boubakeur el-Hakim.

Enfin, Alghadban affirme que le responsable de toutes les cellules destinées à frapper dans les pays francophones et anglophones serait une autre vieille connaissance du service, le *wali* de Raqqa et chef de l'Amniyat, Abou Lôqman.

Quelques semaines plus tôt, des services anglo-saxons ont intercepté un message sur Internet évoquant un projet d'attentat visant trois villes : Toronto, Chicago et Genève. Abou Lôqman serait à l'origine de l'ordre transmis, donc de l'activation des cellules. Le projet d'attaque dans ces trois villes n'ira pas plus loin. Mais cela tend à crédibiliser les propos du Syrien venu frapper à la porte du commissariat du XVIIIᵉ arrondissement.

*

En revanche, sa démarche interroge. À telle enseigne que, un temps envisagé, le statut de repenti ne lui est pas accordé. À la place, Saleh Alghadban est mis en examen le 6 février et incarcéré pour association de malfaiteurs en relation avec une entreprise terroriste criminelle.

Police et justice, peu habituées à voir des djihadistes se livrer d'eux-mêmes et dénoncer des projets d'attentats de l'État islamique, se demandent si ce ne serait pas là un coup de Trafalgar de l'Amniyat. Saleh Alghadban n'offrirait-il pas de vraies informations pour se voir accorder les bonnes grâces des autorités et devenir ainsi un infiltré au cœur de la lutte antiterroriste ? Un classique de l'espionnage... Dans son *Manuel secret de manipulation mentale et de torture psychologique*, la CIA constatait, dès 1963, que « nombre d'agents provocateurs sont des détecteurs se faisant passer pour des déserteurs, des réfugiés ou des transfuges pour infiltrer les services de renseignement ». Une manœuvre déjà exécutée avec succès par Al-Qaïda.

L'histoire s'est retrouvée à peine romancée dans le film *Zero Dark Thirty* de Kathryn Bigelow : en 2009, un médecin jordanien sollicite une réunion d'urgence à Camp Chapman, une base de la CIA en Afghanistan. Pour consolider sa légende, l'homme a auparavant aidé à orienter les tirs de drones sur des seconds couteaux d'Al-Qaïda. Les Américains ne se méfient pas. Une fois arrivé dans le camp, le médecin sort de la voiture qui l'a conduit jusque devant le bâtiment où il doit être débriefé. Et actionne sa ceinture explosive, emportant avec lui sept agents américains.

Un tutoriel djihadiste décrit l'attentat de Camp Chapman comme « la pire attaque jamais perpétrée contre la CIA » — pire, assure le manuel, que tout ce qu'avait pu entreprendre le KGB durant la guerre froide.

Et l'État islamique n'est pas en reste, comme différentes affaires le révéleront en 2017. Au printemps, on apprendra qu'une traductrice du FBI a passé deux ans en prison. Son crime ? S'être enfuie en Syrie en 2014 pour épouser un recruteur de la Dawla, l'ex-rappeur allemand Deso Dogg, qu'elle était chargée... de surveiller.

En France, l'État-Major opérationnel de prévention du terrorisme (EMOPT[1]) recense courant 2016 quarante-trois islamistes radicaux travaillant ou ayant travaillé dans le nucléaire[2]. Ces individus œuvraient au sein d'EDF et de ses sous-traitants, chez des prestataires d'Areva, mais aussi au CERN, l'organisation européenne pour la recherche nucléaire, ou à l'Institut de radio-protection et de sûreté nucléaire (IRSN). Une vingtaine de sites, allant de centrales nucléaires aux instituts de recherche, sont ou ont été concernés. On retrouve parmi ces quarante-trois cas une dizaine d'ingénieurs et de chercheurs et une quinzaine d'individus ayant accès à des zones dites « sensibles ».

Plusieurs sympathisants ont, depuis l'instauration du califat, passé des concours pour intégrer des services comme la DGSE, mais aussi des entreprises comme Total. Ils ont été repérés au cours d'enquêtes administratives préalables à leur embauche.

« Les exemples sont nombreux d'*insiders,* des infiltrés qui cherchent à recueillir du renseignement dans les administrations ou les entreprises », confirme Yves Trotignon. En 2004, le groupe de Hofstad qui allait assassiner le cinéaste hollandais Theo Van Gogh avait recruté une pharmacienne séduite par un

---

1. Créée par le ministre de l'Intérieur Bernard Cazeneuve en 2015, cette structure rattachée directement au cabinet du ministre a fusionné avec l'Unité de coordination de la lutte antiterroriste (UCLAT) en 2018.

2. Ils seraient cinquante-neuf un an plus tard, selon un nouveau décompte de l'EMOPT. « Il y a différents degrés de radicalisation, les métiers liés au nucléaire ne sont pas une préoccupation majeure, tempérera un ponte des services de renseignement. Bien sûr, nous surveillons cela, mais nous n'avons pas détecté d'individus extrêmement dangereux. Et, au moindre doute, les habilitations sont retirées. »

de ses membres. La pharmacienne officiait en face du Parlement des Pays-Bas et avait accès aux dossiers médicaux des députés néerlandais et donc à leurs adresses personnelles.

Les services eux-mêmes redoutent leur propre infiltration par des clandestins de l'EI. « Cette question commence à devenir un souci pour nous, avoue Patrick Calvar devant une commission d'enquête parlementaire. En tant que service de sécurité, nous faisons très attention à ne pas être pénétrés. Nous devons donc trouver des formules nouvelles pour pouvoir embaucher des gens dont nous soyons certains de la loyauté. »

Une équation pas simple. Fin juin 2017, un gardien de la paix du Kremlin-Bicêtre (Val-de-Marne) sera interpellé, suspecté d'avoir consulté des fichiers de police et accusé d'avoir échangé avec son frère, détenu pour sa participation à une filière djihadiste, des propos très explicites quant à son adhésion à l'État islamique.

« La situation rappelle les années 1970, lorsqu'on devait faire face au bloc de l'Est, me confie un ancien agent. Seule différence : entre services de renseignement, on s'infiltrait pour s'espionner. Les terroristes nous infiltrent pour nous frapper. »

Et depuis ce qu'à La Ferme on nomme le « traumatisme Merah » — la Sécurité intérieure avait envisagé de recruter comme informateur le futur terroriste qui, quatre mois après un entretien à la DGSI, assassine trois parachutistes, un professeur de collège et trois écoliers —, certains préfèrent judiciariser le témoignage d'un soi-disant repenti afin de se protéger et d'éviter des nouvelles déconvenues.

Aussi, quand Saleh Alghadban pousse la porte du commissariat et délivre des renseignements qui sont rapidement vérifiés et estimés de la plus haute importance, cela ne l'empêche pas d'être écroué. Parce qu'il n'y a pas d'autre solution. Ou que, en tout cas, personne n'ose prendre le risque d'un nouveau Merah.

« On ne savait pas quoi faire de lui, alors on l'a mis en prison…
Pour assurer sa sécurité… », s'étouffera un officier.

*

Le 11 juin 2016, Saleh Alghadban se fait agresser par d'autres
détenus dans la cour de promenade du centre pénitentiaire de
Beauvais. Ils lui reprochent d'avoir insulté l'islam, ne supportent
pas sa conversion au catholicisme : Saleh Alghadban s'est tatoué
des croix sur le bras au stylo à bille et s'est choisi un prénom
chrétien, Marcus.

Depuis, « Marcus » écrit des lettres, en arabe, pour réitérer
son désir de coopérer avec la police française. Il y avoue avoir été
l'émir d'une katibat de l'EI basée à Raqqa, évoque des cellules
djihadistes en Allemagne, en Belgique et aux Pays-Bas, divers
projets d'attentats dans des capitales européennes. L'examen
de sa téléphonie révélera d'ailleurs que Bilal Chatra, le passeur
d'Abaaoud en Europe, lui servait d'intermédiaire pour contacter
d'autres personnes non identifiées.

Les révélations d'Alghadban vont permettre d'empêcher au
moins un attentat. Dès le lendemain de sa reddition, les magistrats
français ont alerté leurs homologues allemands et hollandais.
Après quatre mois de surveillance, trois de ses complices seront
interpellés le 2 juin. En revanche, le reste de la cellule dormante
n'a pas pu être identifié.

Saleh Alghadban est extradé le 29 septembre. Les autorités
allemandes souhaitent l'entendre dans le cadre du projet d'attentat
à Düsseldorf. Comme les Français, les Allemands doutent de la
sincérité de la démarche d'Alghadban, qui prétend désormais avoir
raconté des balivernes aux services secrets français. Pourtant, l'un
de ses complices reçoit l'ordre de découvrir coûte que coûte ce
qu'il a bien pu révéler aux services de renseignement occidentaux.

Aux yeux de l'État islamique, le Syrien était bien quelqu'un d'important et sa reddition n'était pas programmée.

Si le bureau des légendes djihadistes s'interroge sur la teneur des révélations du chef de la cellule de Düsseldorf, cela n'interrompt pas pour autant son activité. En ce début d'année 2016, Oussama Atar, Abdelnasser Benyoucef, Boubakeur el-Hakim et leurs sbires gèrent, rien qu'en Europe, trois autres cellules s'apprêtant à frapper. Si possible en France.

XXVIII

Le charme discret du duplex conspiratif

Ils sont seulement six, et non quatre-vingt-dix, à se terrer dans ce repaire de l'État islamique. La planque a l'aspect d'un confortable duplex mansardé rue Henri-Bergé, à Schaerbeek. On y retrouve Mohamed Abrini, Osama Krayem et Salah Abdeslam. Tandis que les médias du monde entier évoquent la nuit d'horreur qui a fait cent trente morts et plus de quatre cents blessés dans les rues de Paris, eux se terrent.

« Après les attaques, c'était tellement confus que personne ne devait sortir et personne ne parlait de ce qu'il se passait. C'était une période de silence », dira le Suédois Krayem.

Pour passer le temps, les terroristes jouent à la PlayStation.

« C'est dingue, le contraste. On pourrait faire un film », considérera le Belge Abrini, qui décrit dans le salon un moudjahid surfant sur Internet, un autre jouant sur sa console, et « peut-être qu'un [troisième] au-dessus fait des bombes ».

« Au-dessus », au second étage, là où il y a le plus de hauteur de plafond et où les fenêtres peuvent rester ouvertes, se bousculent une machine à coudre, « l'objet le plus gentil parmi tous les objets qui étaient là », un bac rempli de « la poudre qui sert au TATP[1] », divers fils et beaucoup de boulons. Il s'agit du

---

1. L'explosif utilisé le 13 Novembre.

« bureau » de Najim Laachraoui. Le préposé à la confection des ceintures des prochains kamikazes.

« Pour préparer ces choses-là, il faut de l'espace, un appartement en hauteur, c'est ce que Najim m'avait dit. Sinon, l'odeur est insoutenable. Les fenêtres doivent tout le temps être ouvertes », racontera Abrini.

Soudain, il faut quitter le douillet duplex. C'est un ordre des frères El-Bakraoui, les logisticiens du groupe. La police belge effectue des perquisitions dans le quartier.

Les clandestins enfilent perruques et lunettes de vue, enfouissent les armes dans leurs sacs de vêtements. Les tablettes sont cassées et jetées à la poubelle. Le *Manuel d'Al-Qaïda* insistait sur la procédure à respecter en cas de descente de police : prévoir à l'avance qui est chargé d'emporter quoi, qui doit détruire ce qu'il est impératif de ne pas conserver.

Des six qui abandonnent le duplex de la rue Henri-Bergé, seul Laachraoui a le droit d'emporter son PC. Dans le disque dur, un dossier intitulé « 13 Novembre », composé de plusieurs sous-fichiers baptisés « groupe Omar », « groupe Français », « groupe Irakiens », « groupe Schiphol » et « groupe métro ». Il reconstitue l'architecture des attentats de Paris[1]. D'autres dossiers contiennent les projets d'attentats à venir.

1. L'ordinateur de Laachraoui sera retrouvé dans une poubelle au lendemain des attentats de Bruxelles. La justice belge fera le rapprochement entre les intitulés des sous-dossiers et le déroulé du 13 Novembre : « Omar » était le surnom d'Abdelhamid Abaaoud, le leader du commando qui a pris pour cible les terrasses des cafés parisiens. Le Bataclan a été attaqué par des kamikazes français, Foued Mohamed-Aggad, Samy Amimour et Ismaël Omar Mostefaï. Deux des hommes qui se sont fait exploser au Stade de France étaient des ressortissants irakiens. Reste une zone d'ombre quant aux groupes « Schiphol » et « métro ». S'agissait-il de chemins de fuite envisagés ou de cibles qui devaient être frappées ? Le 13 Novembre, Osama Krayem et un complice étaient allés faire soi-disant un repérage à Schiphol, l'aéroport d'Amsterdam. « Nous ne pouvons évidemment passer à côté du parallélisme avec les attentats de Bruxelles au cours desquels un aéroport ainsi qu'un métro ont été frappés », écriront les magistrats belges.

*

Les clandestins se retrouvent confinés à six dans la nouvelle planque, à Jette, près de Molenbeek. Le studio est humide, sa configuration peu adaptée aux activités du commando terroriste. Faute d'aération suffisante, la confection de ceintures explosives est un temps abandonnée. « [Sinon] vous nous auriez trouvés morts bien avant les attentats », ironisera Abrini. Avec la promiscuité, les rapports se tendent entre complices. Salah Abdeslam est très nerveux, se dispute souvent avec Najim Laachraoui. Abrini et Abdeslam, les seuls à avoir leurs photos et leurs identités diffusées, suivent sur Internet l'évolution de l'enquête et vont fumer leurs cigarettes sur le balcon avant de refermer les volets derrière eux. Les deux hommes n'ont pas le droit de sortir, c'est Osama Krayem qui s'y colle pour les courses. Ibrahim el-Bakraoui laisse entre cinq et dix mille euros dans chaque planque, chacun pioche dans la cagnotte comme bon lui semble. Salah Abdeslam passe le temps derrière les fourneaux. « C'était un bon cuisinier », appréciera Krayem.

Au bout de quinze jours, il faut à nouveau changer de planque. « C'est trop chaud ! » dit Ibrahim el-Bakraoui.

Il raconte à ses complices qu'il a reçu une lettre d'un pensionnaire d'une prison belge leur enjoignant de partir « car la police sait où ils sont »…

Le groupe se sépare. Abdeslam et deux autres terroristes dorment à Forest ; Abrini, Krayem et Laachraoui retournent à Schaerbeek, dans un appartement situé rue Max-Roos. Des kalachnikovs y sont entreposées dans un débarras ; un drapeau de l'État islamique trône dans le salon ; une caisse en plastique « remplie de poudre blanche » traîne à côté d'haltères dans la chambre qu'occupe Laachraoui. La routine, selon Osama Krayem.

« Quand quelqu'un a vécu en Syrie, ce n'est rien d'avoir une bombe à côté de soi. Les Occidentaux ne comprendront jamais la façon dont nous réfléchissons ! »

*

Dans le calme retrouvé de l'appartement rue Max-Roos, Najim Laachraoui communique depuis son PC avec la Syrie. Dans ses archives, la DGSE le catalogue comme une « figure influente de la scène djihadiste à Raqqa » devenue « rapidement l'un des terroristes chargés de la planification des opérations de l'État islamique en Europe ». Ce statut privilégié s'explique par ses compétences techniques et sa farouche volonté de frapper l'Occident. « Il était déterminé. C'était un aller sans retour », dira Osama Krayem.

Depuis sa chambre, interdite au reste du commando à l'exception des frères Bakraoui, Laachraoui laisse des messages audio à Oussama Atar, le responsable des opérations extérieures de l'Amniyat, sur une boîte aux lettres morte numérique. On est quelque part entre le 15 février et le 15 mars 2016.

Non sans avoir salué tous « les frères de la brigade », Laachraoui fait un exposé de la situation afin que « son émir » ait « une vue d'ensemble ». Il commence par évoquer les cibles potentielles :

« Et on t'avait parlé de l'Angleterre… Ouais, ça, on a oublié, tu vois ? » annonce-t-il à propos du pays où s'était rendu Mohamed Abrini huit mois plus tôt.

En revanche, Laachraoui voudrait savoir combien de kilos sont nécessaires pour faire sauter un train en marche. Par l'intermédiaire de l'émir, il demande à ce qu'un certain Mahmoud[1] fasse un test sur une voie désaffectée de chemin de fer dans la

---

1. Il s'agit d'Abou Mahmoud al-Chami, l'artificier du bureau des légendes djihadistes rentré en Syrie après avoir confectionné les ceintures explosives utilisées par les terroristes le 13 Novembre.

298

périphérie de Raqqa. La quantité n'est pas un problème, le jeune Belge annonce avoir déjà produit cent kilos de TATP et dit qu'il disposera « avant la fin de la semaine » de plus de deux cents kilos. Mais, concernant les rails, Laachraoui doute. Avant de rejoindre l'Europe pour y commettre ses crimes, il a consulté un autre spécialiste, qu'il appelle Mohamed Ali.

« Il m'a dit : "Pour ça, il faut une scie plasma, tu vois ? Deuxièmement, au moment où tu vas couper les morceaux de rails, il y a des capteurs entre eux. Donc quand tu vas enlever un bout du rail… eh bien, ça va se voir chez les personnes qui sont en charge de la sécurité ferroviaire… " »

Officiellement, ce Mohamed Ali consulté sur la faisabilité d'un projet d'attentat n'a pas été identifié. Policiers et magistrats de la lutte antiterroriste songent néanmoins très fortement à Salim Benghalem. Et pas seulement parce qu'il a gardé, en compagnie d'Atar et de Laachraoui, les otages occidentaux à l'hôpital ophtalmologique d'Alep. Benghalem, conducteur d'engins de chantier en France, a démarré sa carrière dans les rangs de la Dawla en pilotant des camions. Et surtout il y a sa *kounya*, ce nom de guerre des djihadistes. En théorie, « Abou », suivi du prénom du fils aîné du moudjahid. À l'origine, Benghalem choisit Abou Mohamed al-Faransi (« le Français »). Seulement, ils sont pléthore à répondre à ce nom en Syrie. Alors Salim Benghalem adopte comme nouvelle *kounya* le prénom complet de son fils, né après une grossesse turbulente au cours de laquelle le bébé boxait plus souvent que de raison le ventre de sa mère. En souvenir, les parents l'ont appelé « Mohamed Ali ».

*

Deux mois plus tard, face à la commission de la défense nationale et des forces armées qui l'auditionne, Patrick Calvar ne peut que constater, impuissant : « Nous avons affaire à des structures très organisées, très hiérarchisées, militarisées, composées d'individus communiquant avec leur centre de commandement, demandant des instructions sur les actions à mener et, le cas échéant, des conseils techniques. Cette communication est, je le répète, permanente et aucune interception n'a été réalisée ; or, même une interception n'aurait pas permis de mettre au jour les projets envisagés puisque les communications étaient chiffrées sans que personne soit capable de casser le chiffrement. »

Si les services de renseignement avaient été en mesure d'intercepter et de déchiffrer les messages de Laachraoui, ils l'auraient entendu interroger son émir sur le mode opératoire à adopter pour le prochain attentat : « Comment tu veux qu'on travaille ? Sur du long terme ? Ou une grosse opération où on sort tous et c'est fini ? »

Une interrogation bientôt caduque. Le 18 mars 2016, il n'est plus temps de finasser. Le fugitif le plus traqué d'Europe vient d'être arrêté.

XXIX

« Je suis Salah Abdeslam »

Cela devait être une perquisition de routine. Une simple vérification, demandée par une juge d'instruction bruxelloise dans le cadre de l'enquête franco-belge menée sur les auteurs du 13 Novembre : un appartement rue du Dries à Forest, dans l'agglomération de Bruxelles, a été loué sous une fausse identité utilisée par un suspect des attentats de Paris.

Ce mardi 15 mars 2016, six policiers belges de la DR3 (l'anti-terrorisme du Plat Pays) et deux policiers français se présentent devant l'immeuble en début d'après-midi. S'ils ont l'adresse, ils ignorent où se situe l'appartement qu'ils cherchent. Un voisin leur signale que deux individus « discrets et mystérieux » séjournent dans celui du premier étage depuis environ cinq mois.

Les enquêteurs montent au premier et se postent de part et d'autre de la porte. L'un d'eux frappe.

— POLICE !

Silence.

— POLICE !

Silence.

— POLICE !

Silence.

L'agent soulève le paillasson et jette un œil sous la porte dans l'espoir de déceler une éventuelle présence. Toujours rien. Les enquêteurs décident de se servir d'un bélier. Il leur faut une dizaine de coups pour fracturer la porte et se retrouver face au premier signe de vie tangible à l'intérieur. Un fusil d'assaut qui fait feu. Sur eux.

Le propriétaire de la kalachnikov se tient dans le couloir de l'appartement, son arme appuyée sur la hanche. Les policiers ripostent. Le tireur se tord de douleur et se replie dans une chambre. Un second tireur fait feu à travers la cloison et sort sur le palier, d'où il vise la cage d'escalier. Certains des policiers se précipitent vers le rez-de-chaussée. L'un d'eux chute et entraîne avec lui ses collègues, dont une enquêtrice parisienne qui s'en tirera avec de multiples contusions aux pieds et à la tête. D'autres se replient dans le grenier, au dernier étage, et rejoignent la rue en passant par les toits. Les forces de l'ordre franco-belges se réfugient le long des façades des maisons jouxtant l'immeuble, à l'abri du feu ennemi. Ils attendent les renforts. Un voisin vient les avertir : il a vu deux personnes prendre la fuite par les toits et les jardins situés à l'arrière de l'immeuble.

Les fugitifs sont ressortis en passant par l'appartement situé au rez-de-chaussée d'un bâtiment donnant dans une rue voisine. En traversant ledit appartement, ils lancent au couple et à leur fille qui l'habitent : « On vous fait pas de mal ! La porte, s'il vous plaît, la porte ? »

La petite, tétanisée, leur désigne la sortie d'un geste de la main. Les deux hommes s'en vont. L'un d'eux porte une djellaba et dissimule, tant bien que mal, la kalachnikov qui a fait feu sur les policiers. Il abandonne son arme dans le hall de l'immeuble avant de se perdre dans la nature.

Rue du Dries, les premiers renforts sont arrivés. À 15 h 23, un groupe d'intervention de la police fédérale (CGSU) pénètre dans l'appartement suspect. Le chef de groupe suit les traces de sang qui conduisent vers une chambre donnant sur la rue et dans laquelle se trouvent trois matelas, une armoire et un homme inanimé. En apparence. Le corps inanimé tient une arme en main. Une balle atteint le casque du policier, lequel perd connaissance et est évacué par ses troupes. À 16 h 42, un chien policier équipé d'une caméra essuie à son tour des coups de feu et doit être aussitôt rappelé. Dix minutes plus tard, un tireur d'élite loge depuis un toit plusieurs cartouches de gaz lacrymogène dans l'habitation afin de débusquer le forcené. Cela n'a pas l'effet escompté. Peu après 18 heures, alors que le CGSU s'avance pour l'assaut final, l'occupant des lieux se présente à la fenêtre. Un tireur d'élite finit par le neutraliser.

Le terroriste, un Algérien de trente-cinq ans recherché pour avoir coordonné, depuis Bruxelles et avec les frères Bakraoui, les tueries du 13 Novembre, est, cette fois, bien mort.

Les experts du laboratoire de la police fédérale de Bruxelles entrent en scène. Ils opèrent en urgence des prélèvements d'empreintes digitales et de traces ADN pour déterminer quels étaient les autres occupants des lieux.

Les premiers résultats permettent d'établir que l'homme vêtu d'une djellaba et ayant pris la fuite était Salah Abdeslam.

*

21 h 5. Un salafiste molenbeekois reçoit un appel.

— Ouais, gros, ça va ou quoi ? lui demande son interlocuteur.

— C'est qui ?

— Je suis là… Je ne suis pas loin de chez toi, insiste l'inconnu, qui n'a pas envie de décliner son identité au téléphone.

Le salafiste molenbeekois comprend de qui il s'agit. Les deux hommes se donnent rendez-vous.

— T'es seul ? T'es seul ? veut savoir l'inconnu.

— Je suis seul, je suis tout seul, le rassure l'islamiste.

— OK, c'est bon.

Au lendemain des attentats du 13 Novembre, le salafiste molenbeekois avait été interrogé sur ses relations avec Salah Abdeslam. Depuis, il est sur écoute.

*

Le vendredi 18 mars, à 16 h 30, les forces spéciales frappent à la porte du studio de la mère du salafiste. Un homme en survêtement, capuche sur la tête, tente de s'enfuir. Mais il écope d'une balle dans les jambes et est menotté.

« Je suis Salah Abdeslam ! » s'écrie-t-il.

La cavale de l'homme le plus recherché d'Europe s'achève au bout de quatre mois, rue des Quatre-Vents, à Molenbeek, le quartier de son enfance. À quelques centaines de mètres du domicile de ses parents et du bar qu'il a tenu avec son frère, futur kamikaze dans les rues de Paris.

Ses derniers jours de liberté, le terroriste les a passés dans une cave. Avec le second fugitif de la rue du Dries, ils ont dormi sur un tapis à même le sol. Ils se sont nourris de biscuits, de sandwichs, de bananes ; le dernier soir, le salafiste, qui les héberge à l'insu de sa mère, leur a apporté une pizza.

Lors de nuits blanches, Salah Abdeslam a raconté à son ami que sa ceinture explosive n'a pas fonctionné parce que, selon lui, « il manquait du liquide dedans ». Le salafiste molenbeekois lui a demandé pourquoi il l'avait sollicité, lui, plutôt que de rejoindre la planque de Mohamed Abrini. La réponse est simple : Salah Abdeslam s'est heurté aux limites du besoin d'en connaître des clandestins djihadistes. Il ignorait où se trouvaient ses amis Abrini et Laachraoui et n'avait aucun moyen de rentrer en contact avec eux.

Salah Abdeslam va se révéler moins bavard face aux forces de l'ordre.

*

Avec son crâne rasé et sa parka à capuche, l'avocat Sven Mary annonce devant les caméras, le dimanche 20 mars 2016, que son client Salah Abdeslam « coopère avec la justice belge ». Sous-entendu, qu'il divulgue des noms et des détails sur l'organisation des attentats. « Je veux bien l'emmener sur la route du repentir », assure de bonne foi l'avocat.

La veille, après une hospitalisation express en raison de sa blessure à la jambe, Abdeslam a été transféré au siège de la police fédérale belge pour y être entendu pour la première fois.

— Quel a été votre rôle lors des attentats de Paris ?

— J'ai loué des voitures ainsi que des hôtels. J'ai fait ça suite à la demande de mon frère Brahim. Lors des attentats, j'avais une ceinture explosive. Toutefois, je n'ai pas voulu la faire exploser, assure-t-il, contrairement à ce qu'il a raconté au salafiste molen-beekois. Lors de la soirée des attentats, je devais me rendre au Stade de France pour me faire exploser avec mes complices. Mais j'ai renoncé lorsque j'ai stationné le véhicule. J'ai déposé mes trois passagers, puis j'ai redémarré. J'ai roulé au hasard, je me suis stationné quelque part, j'ignore où.

Les policiers lui présentent maintenant un album photographique de ses complices présumés toujours dans la nature.

À propos de la photo numéro 1, Abdeslam déclare :

« C'est Mohamed Abrini, c'est mon voisin. Il n'a rien à voir avec les attentats de Paris. Il n'a rien fait. Il a été à Paris pour m'accompagner avant les faits, lorsque je m'y suis rendu pour louer l'hôtel. J'ignore où il se trouve. »

À propos de la photo numéro 2 :

« Je ne le connais pas. Je ne l'ai jamais vu. Vous me donnez son nom : Khalid el-Bakraoui. Je vous confirme que je ne le connais pas. »

305

À propos de la photo numéro 4 :

« Je n'ai jamais vu cette personne. Vous me donnez son nom : Ibrahim el-Bakraoui. Je vous confirme que je ne le connais pas. »

La « collaboration » d'Abdeslam avec la justice se limite seulement aux faits qu'il ne peut nier. Il minimise son rôle, feint de ne pas connaître ceux avec lesquels il a partagé des planques depuis plusieurs mois. Et, contrairement à ce qu'annonçait son avocat, il va, à partir du 22 mars, refuser de répondre à la moindre question. Ce jour-là, son audition dure moins de dix minutes. « Je demande à faire usage de mon droit au silence », répond-il à la première question.

Et il ne déviera plus de cette ligne de conduite. En avril 2017, il écoutera ainsi en silence les quelque cent cinquante questions d'un des juges français chargés du dossier des attentats de Paris. En février 2018, pendant son procès à Bruxelles, lors duquel il est accusé d'avoir tiré sur un policier avec son complice lors de leur fuite de la planque de Forest, il refuse également de répondre aux questions, déstabilisant son propre avocat. Me Sven Mary sera contraint de réclamer un délai pour préparer sa plaidoirie.

Alors pourquoi le terroriste fait-il croire lors de sa première audition, au lendemain de son arrestation, qu'il va aider la justice ? Sans doute parce que Salah Abdeslam, en faisant dire qu'il collabore, est, par la voix de son avocat (et à l'insu de celui-ci), en train d'adresser un message à un public d'initiés.

XXX

Le réveil des agents dormants du califat

Mohamed Abrini sort de la douche quand il découvre ses complices Najim Laachraoui et Ibrahim el-Bakraoui, l'air bizarre, absorbés dans la contemplation de leur tablette, dans le salon de l'appartement de la rue Max-Roos. Les deux hommes lui montrent les articles relatant la fusillade de la rue du Dries à Forest. Ibrahim el-Bakraoui n'est « pas content et même un peu choqué », commentera Osama Krayem : « Il ne s'attendait pas à ce que la police arrive. Il ne s'attendait pas à ce qu'on découvre cette cache. »

Et l'avocat d'Abdeslam qui proclame que son client « collabore » avec la justice…

Enfin, le lundi 21 mars, les autorités belges annoncent que l'artificier du 13 Novembre vient d'être identifié : c'est Najim Laachraoui. La photo des frères El-Bakraoui est publiée dans la presse. L'étau se resserre autour des terroristes.

Désormais, il s'agit de parer au plus pressé. Najim Laachraoui et Ibrahim el-Bakraoui s'isolent dans la chambre pour envoyer un message à Oussama Atar. Le premier prend la parole.

« La situation est telle qu'on ne peut plus… on ne peut plus retarder quoi que ce soit, tu vois ? On doit travailler le plus vite possible et on a décidé de travailler, *inch'Allah*, demain, mardi

22 mars. En matinée. Parce qu'on n'a plus de planque de sécurité, il n'y a plus personne, etc. Il n'y a plus de frère pour la logistique. Tout le monde est cramé, tu vois ? Toutes les photos [des membres de la cellule] sont sorties [dans la presse]. »

Ibrahim el-Bakraoui s'approche du micro. Il recommande à son cousin Oussama Atar de changer de *kounya* :

« Vu que Salah t'avait envoyé une lettre, il sait que tu t'appelles Abou Ahmed [...] On est en train de travailler dans la préci- pitation, se désole l'ancien braqueur. Je te jure, frère, Allah, il est témoin, on avait plein de plans. On avait plein d'idées[1]. On voulait faire plein de choses, mais c'est le destin et la volonté d'Allah, on est obligés de travailler, ou sinon on va rester pourrir dans une cellule. »

Plus le temps de préparer son coup, plus le temps de frapper la France ou la Grande-Bretagne. Laachraoui et consorts vont aller au plus près. À Bruxelles.

« En matinée, il y a des vols américains, des vols russes, des vols

1. On retrouve la trace de tous ces « plans » évoqués par El-Bakraoui, et qui n'auront pas eu le temps d'être mis à exécution, dans la mémoire de l'ordinateur de Laachraoui, ainsi que dans un PC retrouvé dans l'appartement d'Abdeslam à Forest, et qui contient des listes de cibles : l'association intégriste Civitas, rangée dans un fichier intitulé « Jeunesse catholique, royaliste, punk », l'école militaire de Saint-Cyr, le port d'Anvers, les bars à bières de Bruxelles. Les clandestins de l'EI se sont renseignés sur les modalités pour obtenir un permis bateau et les moyens de détruire des porte-avions. Ils ont regardé des émissions consacrées aux centrales nucléaires et même consulté un document des services de renseignement militaire français ayant fuité sur la Toile. Le document en question liste les cibles potentielles d'attaques terroristes et les modes opératoires susceptibles d'être utilisés dans chaque cas. Un an plus tôt, l'auteur d'un tutoriel édité par l'État islamique écrivait : « Il y a quelques jours, je lisais un rapport rédigé par des agents du renseignement de nombreux pays, où ils analysaient plus de dix attaques simulées. En lisant, des idées de plus en plus imaginatives et créatives me sont venues. Ils réfléchissent à des choses auxquelles nous n'avons pas pensé, et puisque nous avons un aperçu de ce à quoi ils s'attendent, nous pouvons utiliser cela à notre avantage et contourner leurs plans... »

israéliens, lance Laachraoui. On va essayer de les toucher. Les cibles, ce sera, *inch'Allah*, l'aéroport [de Zaventem] et les lignes de métro. Tu vois ? Direct. »

*

Dès le lendemain, ce mardi 22 mars, Khalid el-Bakraoui et Osama Krayem se dirigent vers le métro. Khalid a grandi en périphérie de Bruxelles, mais il est perdu. Sur son ordre, Osama demande alors aux passants où se situe la station la plus proche.

Mais une fois devant la bouche de métro, Krayem annonce qu'il ne vient pas. El-Bakraoui éructe en pleine rue contre le kamikaze qui n'entend plus se kamikazer. À la fin de l'algarade, Khalid descend se faire sauter dans une rame, tuant dix-sept passagers avec lui. Osama s'en va vider le contenu de sa ceinture explosive dans des toilettes.

Une heure plus tôt, dans le hall de l'aéroport de Zaventem, Ibrahim el-Bakraoui et Najim Laachroui ont emporté quinze personnes dans leur opération suicide, appliquant à la lettre le plan retrouvé dans l'ordinateur d'Abaaoud à Athènes en janvier 2015. Quant à Mohamed Abrini, il a renoncé au paradis promis et pris la fuite après avoir poussé une bombe sur un chariot.

Un terroriste qui cherche son chemin dans sa ville natale, deux autres qui renâclent à l'idée de mourir, la ceinture de Salah Abdeslam qui refuse d'exploser le 13 Novembre, Sid-Ahmed Ghlam qui se tire une balle dans la cuisse, ce qui l'empêche de commettre le carnage programmé dans une église à Villejuif, ou encore Ayoub el-Khazzani suréquipé dans le Thalys et pourtant désarmé par trois militaires américains en goguette : les opérationnels de l'État islamique, rompus à la clandestinité, se révèlent moins efficaces au moment de passer à l'acte. Abaaoud avait d'ailleurs confié à sa cousine être « venu en France pour diriger les kamikazes car il y avait déjà eu beaucoup de ratés ».

Dans une note intitulée « Les cinq colonnes du djihad mondialisé » produite dans la semaine suivant le 13 Novembre, la DGSE a analysé les attentats commis par l'État islamique et pointé que « le mode opératoire particulièrement flexible assouplit considérablement la mise en œuvre d'attaques terroristes », mais que « son corollaire est l'efficacité aléatoire des actions tentées, tributaires d'acteurs jeunes et inexpérimentés ».

Dans son livre *Sous le drapeau noir* relatant la naissance de l'État islamique, le journaliste américain Joby Warrick raconte l'histoire d'un terroriste devant placer des explosifs dans un cinéma pour adultes en Jordanie. Une fois dans la salle, l'homme finit par être si absorbé par le film porno qu'il en oublie sa bombe. L'engin explose sous ses pieds. Aucun spectateur n'est blessé, excepté le terroriste, qui sera amputé.

Malgré l'incompétence de certaines de ses recrues, l'État islamique peut revendiquer 317 morts et 1 458 blessés lors de dix-sept attaques réalisées dans le ressort de l'Union européenne entre 2015 et 2017 (auxquels il faut ajouter plus de 1 500 morts dans le reste du monde). Si les djihadistes sont faillibles, la machine constituée par le bureau des opérations extérieures au sein de l'Amniyat reste redoutable.

*

Dans les heures qui suivent l'explosion de Zaventem, les médias diffusent les images des trois terroristes en train de pousser leurs bagages remplis d'explosifs, comme d'innocents vacanciers sur le départ. Des informations dont Mehdi Nemmouche, le tueur présumé du Musée juif de Bruxelles, ne perd pas une miette depuis sa cellule du quartier de haute sécurité de Bruges. Le soir, il communique les informations à Salah Abdeslam, placé à l'isolement.

« Brahim et Sofiane sont morts ! » crie-t-il depuis sa cellule, laissant entendre qu'il connaissait lui aussi Ibrahim el-Bakraoui et Najim Sofiane Laachraoui, et ce avant que leurs identités n'aient été rendues publiques.

Nemmouche précise qu'une troisième bombe a été retrouvée intacte à l'aéroport et conclut : « Maintenant il reste Abrini ! »

Si la police a diffusé la photo des trois terroristes de Zaventem, c'est justement dans l'espoir d'identifier celui que la presse va surnommer « l'homme au chapeau », le djihadiste qui se cache derrière un chapeau noir et des lunettes de soleil et qui, à la dernière minute, a pris la fuite. Mehdi Nemmouche, incarcéré depuis deux ans, n'éprouve aucune difficulté pour le reconnaître malgré son déguisement...

*

Malgré les désistements d'Abrini et de Krayem, les attentats de Bruxelles restent une réussite aux yeux des caciques du califat. Abou al-Bara al-Iraki, qui apportait lui-même les repas du soir à certains des futurs kamikazes du 13 Novembre cantonnés dans leurs appartements à Raqqa, se félicite dès le 22 mars sur Twitter de « ce jour heureux pour les croyants », ironisant sur « les conséquences positives » des attentats du jour : selon lui, la Belgique va procéder à des arrestations massives de musulmans, « ce qui entraînera un recrutement supplémentaire pour le groupe État islamique »...

L'organisation terroriste peut fanfaronner. Pour la première fois, un même réseau djihadiste est parvenu à mener deux tueries de masse successives en Europe. Auparavant, lorsqu'un groupe djihadiste frappait, tous ses membres étaient appréhendés avant de pouvoir passer une deuxième fois à l'acte. Grâce au cloisonnement très strict de l'information entre les différents membres du commando et au pilotage depuis Raqqa des uns et des autres, le bureau des opérations extérieures de l'Amniyat a réussi à tenir en échec l'ensemble des services de renseignement occidentaux, qui travaillaient pourtant main dans la main pour traquer les survivants de la cellule Abaaoud.

Et ce n'est pas fini. Quelques jours avant de se faire exploser à l'aéroport de Zaventem, Najim Laachraoui demandait à Oussama Atar : « Pour ce qui est des frères qui sont en France, est-ce qu'ils sont toujours opérationnels ? Et comment ils peuvent travailler ? Est-ce qu'ils peuvent par exemple louer une maison là-bas et on leur fait faire un tour, et ils apprennent à travailler ? Ils apprennent à faire eux-mêmes les produits et commencer à déposer des sacs à gauche, à droite… Ou bien c'est juste des candidats au martyr ? […] Donc voilà, on attend ta réponse sur ça. »

À entendre Laachraoui, une cellule dormante se trouvait encore en France. Et le jeune artificier belge voulait savoir s'il devait former ses membres afin qu'ils puissent confectionner des explosifs, être armés et mener à leur tour des attaques.

Ce que Laachraoui ignorait alors, c'est que la cellule dormante n'avait nullement besoin de son aide pour s'armer et fabriquer des explosifs.

XXXI

Raqqa, on a un problème

À 19 h 36, le samedi 26 mars 2016, le Français Anis Bahri se connecte depuis Rotterdam sur l'application de messagerie Telegram. Il envoie un SOS à une adresse faisant office de boîte aux lettres morte du bureau des légendes djihadistes.

— Dis-moi ce que tu veux, mon frère ? finit par répondre un interlocuteur.

— Merci, mon Dieu ! J'ai un problème. Je suis obligé de rejoindre. Mais je suis bloqué là. J'ai besoin d'aide ! Que Dieu te bénisse.

— Où tu te trouves ?

— En Europe.

— T'as besoin de quoi ?

— De l'argent et le chemin, surtout le chemin, mon frère.

— Où veux-tu aller ?

— En Libye[1] ou *al-Shâm*. J'ai envie de partir.

---

1. Jusqu'au début de l'été 2016, l'État islamique disposait d'une implantation solide en Libye, notamment dans son fief de Syrte. L'un des objectifs de cette présence consistait à acquérir une nouvelle base de projection vers l'Europe. Au plus fort de sa présence sur le territoire, plus de trois mille cinq cents hommes composaient les forces de l'EI, autour d'un noyau dur de vétérans libyens du djihad syro-irakien, principalement des hommes de la katibat al-Battar.

En réalité, c'est un peu plus qu'une envie. Anis Bahri est obligé de partir.

Deux jours plus tôt, la DGSI a arrêté son complice présumé Réda Kriket à Boulogne-Billancourt, dans les Hauts-de-Seine. Kriket, un ancien braqueur francilien, s'est radicalisé à Bruxelles au début des années 2010 au contact de « Papa Noël », le même prédicateur qui a enseigné sa conception de l'islam à Abdelhamid Abaaoud et Najim Laachraoui. D'après le témoignage d'un infiltré de la Sûreté de l'État belge, Kriket finançait, avec le fruit de ses braquages, le départ « sur zone » de nombreux combattants.

Au cours de sa garde à vue, les enquêteurs de la DGSI conduisent Kriket à Argenteuil, dans le Val-d'Oise. Les policiers ouvrent la porte d'un appartement qui servait de planque au braqueur djihadiste. Ils s'apprêtent à lancer Fox ou Calypso, leurs chiens spécialisés dans la détection d'armes et d'explosifs. « Vous avez trouvé le jackpot. N'envoyez pas le chien, il va mourir », prévient Réda Kriket.

À l'intérieur de l'appartement, cinq kalachnikovs, un pistolet-mitrailleur, sept armes de poing, de nombreuses munitions, 1,3 kg d'explosif industriel, un détonateur à seringue rempli de poudre avec alimentation électrique prêt à l'emploi, onze mille billes métalliques, quelques centaines de grammes de TATP, de nombreux composants chimiques et toute la documentation nécessaire à la confection de nouveaux explosifs.

« Il y avait là un arsenal supérieur à celui du 13 Novembre », me confiera un magistrat.

Au surlendemain des attentats de Bruxelles, la saisie interpelle.

Dans les premières heures de sa garde à vue, Réda Kriket a expliqué avoir loué l'appartement d'Argenteuil à la demande d'un tiers dont il n'a pas révélé l'identité. Mais les enquêteurs ont une idée très précise du complice présumé de Kriket. Ils savent qu'une semaine plus tôt un certain Anis Bahri a acheté un stock de munitions avec Kriket.

Afin de bénéficier des moyens d'exfiltration du bureau des légendes djihadistes, Bahri doit montrer patte blanche. Sur Telegram, son interlocuteur lui demande s'il a un garant.

— Tu es de la part de qui, toi ?

— Écoute, j'ai Abou Muqatil, s'il est près de toi, tu peux lui demander.

— Où se trouve-t-il ? feint de ne pas savoir l'interlocuteur.

— À Raqqa, je pense.

— C'est bon, je le connais.

— Dis-lui : « C'est la personne qui t'a donné la veste Jack Wolfskin[1] », insiste Bahri.

— OK.

Abou Muqatil al-Tunisi. Soit la *kounya* de Boubakeur el-Hakim. Dans une note adressée à l'Élysée et à plusieurs ministères régaliens, les services de renseignement suspectent El-Hakim d'être impliqué « dans la conception et la direction du projet » d'attentat de Kriket et Bahri.

Et pour achever de convaincre son interlocuteur, Anis Bahri affirme avoir un autre frère en garant.

— Qui ?

— Abou Mouthana l'Algérien. Son âge, quarante ans à peu près. Il est petit de taille.

— OK, je vais leur en parler.

— Tu le connais ?

— On va trouver une solution…

1. Marque allemande spécialisée dans les équipements d'extérieur.

Abou Mouthana al-Djaziri, alias Abdelnasser Benyoucef, l'homme qui a eu l'idée du bureau des légendes djihadistes, est connu de tous les membres de ce bureau.

Avec El-Hakim et Benyoucef comme garants, les portes du califat sont grandes ouvertes.

— Qu'est-ce que tu penses de partir en Libye ? C'est un chemin sûr.

— Je peux aller jusqu'en Somalie, ce n'est pas un problème ! plaisante Bahri, pressé d'échapper aux forces de l'ordre.

— Hahaha ! Je vais charger un frère de discuter avec toi quand il va être connecté. Raconte-lui ta situation.

L'exfiltration d'Anis Bahri n'aura jamais lieu. La police néerlandaise l'arrête le lendemain à Rotterdam. Dans son appartement, quarante-cinq kilos de munitions de calibre 7,62, les balles utilisées pour les kalachnikovs.

Anis Bahri et Réda Kriket dorment en prison[1], mais l'État islamique connaît, en cette fin du mois de mars 2016, un coup dur d'une tout autre ampleur. Le second garant de Bahri n'est plus.

En Algérie, où elle réside, l'épouse d'Abdelnasser Benyoucef reçoit un appel qui l'informe de la mort de son mari, début avril 2016. Depuis, elle porte le deuil. D'après la CIA, l'émir militaire de la katibat al-Battar, le fondateur du bureau des opérations extérieures de l'Amniyat, aurait été victime d'un attentat suicide en Syrie.

---

1. Mis en examen, ils bénéficient pour l'heure de la présomption d'innocence.

XXXII

Opération Bleu de méthylène

Sur le perron de l'Élysée, à l'issue du conseil de défense et de sécurité organisé le 16 juillet 2016 au lendemain de la tuerie de Nice, Bernard Cazeneuve insiste sur « le nombre significatif d'attentats » évités grâce à l'action de l'État durant l'Euro 2016 qui vient de s'achever.

Le ministre de l'Intérieur s'appuie sans doute sur l'expertise de l'ordinateur de Najim Laachraoui, retrouvé dans une poubelle de Schaerbeek. Dans un message, l'artificier qui prévoyait à ce moment-là de frapper l'Hexagone plutôt que la Belgique demande à ce que le service de presse de l'État islamique prépare un communiqué stipulant : « Cette année, il n'y aura pas d'Euro ! Et on va vous faire perdre, on va tuer vos supporters. » Laachraoui envisageait de remplir une camionnette de sept cents kilos d'explosifs.

Interpellés quinze jours après les attentats de Bruxelles, les kamikazes récalcitrants Mohamed Abrini et Osama Krayem confirment : « Ils voulaient faire annuler l'Euro de foot », avoue Abrini, qui précisera quelques mois plus tard que ses complices comptaient attendre huit mois après le 13 Novembre « pour frapper à mort ».

Krayem joue quant à lui à l'idiot en audition.

— Peut-être vous vous inquiétez pour l'Euro 2016.

— Pourquoi parlez-vous de l'Euro 2016 ?

— Non, j'ai dit ça comme ça…

L'intention de l'EI de frapper durant la compétition de football organisée en France est une réalité, mais le projet s'est interrompu avec la mort des derniers membres de la cellule Abaaoud. Lorsque, sur le perron de l'Élysée, Bernard Cazeneuve vante les « cent soixante interpellations en lien avec une entreprise terroriste » survenues depuis le début de l'année, il oublie de préciser que pas une n'est en lien avec « le nombre significatif d'attentats » prétendument évités pendant l'Euro 2016. Peut-être parce que, sur la trentaine de menaces traitées par la lutte antiterroriste durant l'événement sportif, aucune n'était avérée. Ainsi, alors que la compétition a débuté, un « partenaire majeur » étranger alerte, de bonne foi, les services : un commanditaire syrien achemine « vingt opérationnels en Europe » en vue d'attaquer le musée du Louvre. Problème : l'identité du commanditaire se révèle fantaisiste, tout comme le reste des informations communiquées.

Le contre-espionnage français voit dans l'émergence massive de ces alertes durant l'Euro une stratégie délibérée de l'État islamique, « qui dispose d'un appareil de renseignement et de sécurité capable de manœuvres de désinformation », afin d'« alourdir et contrarier » l'activité des services secrets occidentaux « dans une optique de diversion ».

Les cibles se multiplient. Ainsi, cette femme qui photographie une ordonnance du tribunal d'instance de Mâcon listant les identités des policiers et gendarmes habilités à établir dans son département des procurations pour les élections… Des casernes des sapeurs-pompiers de Paris font l'objet de repérages, des inconnus sur la voie publique faisant des croquis, prenant des photos, chronométrant les temps d'intervention des soldats du feu, l'un d'eux réalisant même un film à l'aide de son iPad avant de prendre la fuite.

Lors des auditions de la commission d'enquête sur les attentats, le député Serge Grouard s'étonne, avec une acuité qui résonnera étrangement deux mois plus tard, après le massacre du 14 juillet à Nice : « Tout ce qui est dit actuellement sur l'Euro 2016 ne participe-t-il pas d'une stratégie visant à nous fatiguer pour que, à un moment ou à un autre, nous baissions la garde et que des attentats soient alors perpétrés ? Les terroristes ne cherchent-ils pas à nous mettre sur les dents ? Si, comme je le souhaite, il ne se passe rien pendant l'Euro 2016, peut-être faudra-t-il en tirer la conclusion que, certes, nous avons été très efficaces, mais aussi qu'une autre stratégie est à l'œuvre... »

À neuf mille kilomètres de Paris, une autre compétition sportive va susciter un regain de tension au sein de services déjà exsangues. Le vendredi 5 août 2016 doit avoir lieu la cérémonie d'ouverture des Jeux olympiques de Rio de Janeiro. Lors de son audition devant la commission d'enquête parlementaire, Christophe Gomart, le patron de la Direction du renseignement militaire (DRM), évoque le cas d'un ressortissant brésilien qui s'apprêtait à commettre des attentats contre la délégation française. Dès le lendemain du 13 Novembre, Maxime Hauchard, le disciple de Boubakeur el-Hakim, avait menacé sur Twitter : « Brésil, vous êtes notre prochaine cible, nous pouvons attaquer ce pays de merde. »

Un ponte de l'antiterrorisme me confirmera « cette stratégie de saturation » programmée par l'Amniyat : « Ils désignent de multiples cibles, ce qui nous amène à prendre des mesures de protection. Ils savent que cela va nous affaiblir sur le long terme. »

Dans l'histoire du djihad, il existe un célèbre précédent : le 28 juillet 2001, l'Algérien Djamel Beghal est arrêté à Dubaï, de retour d'Afghanistan. Il est suspecté de fomenter un projet d'attentat contre l'ambassade des États-Unis à Paris. Les services secrets occidentaux sont alors convaincus qu'une opération d'envergure se prépare en Europe. Un mois plus tard survient le 11 Septembre.

Depuis, certains dans les services français ont la conviction qu'Al-Qaïda a utilisé Beghal comme leurre. L'ancien directeur du renseignement de la DGSE, Alain Chouet, évoquera une possible manipulation dont Djamel Beghal aurait été la victime collatérale : « Les Américains ont eu l'information grâce à une écoute du Koweïtien Khalid Cheikh Mohamed[1]. Or, d'habitude, il était toujours très prudent sur ses communications. C'était un leurre, il a lâché l'information sur une ligne surveillée pour détourner les regards de ce qu'il préparait aux États-Unis… »

Les intoxications peuvent aussi avoir, pour les organisations terroristes, une autre utilité. Le 17 juin 2016, les services secrets britanniques communiquent un projet d'attentat imminent contre un bar fréquenté par la communauté lesbienne dans le Marais. Le renseignement est précis et crédible, l'Euro a démarré depuis une semaine, et un djihadiste américain vient de commettre cinq jours plus tôt un massacre dans une boîte gay à Orlando.

« Soyez malins dans l'exploitation de l'information », supplient les Britanniques. Leur source en Syrie est déjà dans le viseur de l'Amniyat.

À Paris, des policiers sont envoyés planquer dans les environs du bar en question. Aucun terroriste ne viendra ; en revanche, les services anglais font savoir que leur source a cessé définitivement d'émettre… « L'EI refile des informations bidon pour voir qui sont les traîtres », constate un officier de renseignement.

Deux mois plus tard, le journal *al-Naba* de l'EI vante les qualités de l'Amniyat quand il s'agit de « tromper l'ennemi et contrecarrer ses plans de sécurité ».

1. L'architecte des attentats du 11 Septembre.

XXXIII

Le cousin

Pendant que les forces de l'ordre sont obsédées par le bon déroulement de l'Euro et la sécurisation de ses « fan zones », la France est frappée par l'État islamique. Trois jours après le coup d'envoi de la compétition de foot, le 13 juin 2016, un djihadiste tue à coups de couteau un couple de policiers à son domicile de Magnanville, dans les Yvelines. Dans une vidéo de revendication publiée par l'organe de communication du califat, le tueur de flics, qui quelques années plus tôt s'entraînait en égorgeant des lapins en forêt, lit une déclaration écrite à l'avance. Ses nombreuses hésitations laissent penser qu'il n'en est peut-être pas l'auteur. L'assassin appelle ses successeurs à occire de nouveau des policiers, y compris musulmans. « Et même s'ils s'appellent Mohamed ou Aïcha, tuez-les ! »

Les mots ne sont pas les mêmes, mais ils reprennent une idée exprimée dès 2013 par Tyler Vilus sur les réseaux sociaux : « T'égorges le premier flic que tu croises. Si c'est un arabe c'est mieux et une femme arabe c'est le top. »

Quinze jours après la fin de l'Euro, deux terroristes de dix-neuf ans à peine poignardent à mort le père Jacques Hamel, quatre-vingt-cinq ans, devant l'autel de son église à Saint-Étienne-du-Rouvray, en Seine-Maritime. Ces deux attentats ont pour dénominateur commun d'établir une connexion avec ce qu'un gradé de la DGSI me décrit alors comme « notre nouvel ennemi public numéro 1 », Rachid Kassim.

Ce djihadiste venu de Roanne était ami sur Facebook avec le tueur de policiers de Magnanville et en contact direct sur Telegram avec l'un des deux assassins du prêtre de Saint-Étienne-du-Rouvray. Une série de messages audio, le 20 juillet 2016, donne une idée des objectifs politiques poursuivis par l'État islamique. Kassim préconisait par exemple au futur tueur du père Hamel de ne « pas forcément se focaliser sur les juifs ».

« Tu sais pourquoi je te dis ça ? Parce que quand tu tapes la synagogue, les gens, ils pensent tout de suite au conflit israélo-palestinien, alors que là le conflit contre la France, c'est que non seulement ils soutiennent justement Israël, mais qu'ils combattent eux-mêmes, ils bombardent, ils veulent faire un truc de fou, tu vois ? Ils veulent amener leur porte-avions Charles-de-Gaulle ! Donc, la boîte de nuit c'est toucher au symbole français. Ça veut dire toucher à tout et c'est la merde. Franchement, c'est le mieux ! »

Pour cela, Kassim entend faire passer un message sans ambiguïté. « Tu dis que tu prêtes allégeance à Abou Bakr al-Baghdadi, tu parles du sujet là que je t'ai dit parce que c'est très, très important. Et en concluant, en gros, tu dis : "Tant que vous n'arrêtez pas vos avions, tant que vous continuez de bombarder", tu dis qu'on va intensifier les attaques. »

En quelques semaines, Rachid Kassim est devenu l'incarnation de la menace que fait peser le califat sur l'Hexagone. Pourtant ce Roannais n'a rejoint la Syrie qu'en mai 2015. Dans certains messages postés sur Telegram, il affirme être membre d'un bureau chargé de traduire en arabe et de diffuser les vidéos d'allégeance et de revendication des attentats commis en France. En réalité, il travaille, au sein du bureau des opérations extérieures, dans la cellule chargée du recrutement à distance des candidats terroristes, aux côtés du Normand Maxime Hauchard. Il n'est pas un émir de l'Amniyat, simplement un petit commis de la terreur.

En novembre 2016, Kassim accorde une interview à un chercheur anglophone. Le djihadiste roannais livre, noyée dans le flot de ses réponses, une clé de son intégration au sein de l'appareil sécuritaire du califat. Il désavoue sa famille, résolument « contre le djihad », à une exception près, son « bien-aimé » cousin ayant combattu en Tchétchénie, en Afghanistan. Un homme ayant occupé un poste important au sein de l'État islamique et mort récemment au cours d'une bataille : un certain Abou Mouthana al-Djaziri. Alias Abdelnasser Benyoucef.

Toutefois, ce piston ne suffit pas. Surtout depuis la mort de Benyoucef. Si les assassinats de Magnanville et de Saint-Étienne-du-Rouvray sont, pour l'organisation terroriste, une réussite, un nombre conséquent de projets ont échoué parce que Rachid Kassim n'a pas été assez discret ou a employé des jeunes gens sans expérience. Mais, pour l'Amniyat, il présente toujours l'avantage de prendre la lumière, de focaliser l'attention des services sur sa petite personne, tandis que d'autres, dans l'ombre, sont à l'œuvre.

À l'automne 2016, les services français récoltent des informations confirmant la volonté de l'État islamique, en réaction à l'offensive militaire contre son fief de Mossoul, « de réitérer une attaque de grande ampleur en Occident ». Un nouveau 13 Novembre. Cette fois, il ne s'agit pas d'un leurre ou d'une attaque de diversion. Boubakeur el-Hakim est à la manœuvre.

XXXIV

Nom de code « Ulysse »

Lorsque la Direction générale de la sécurité intérieure prend connaissance, le 14 novembre 2016, du message adressé sur Skype à deux Strasbourgeois, elle ne doute pas un instant que l'expéditeur soit l'émir à la Kia blanche. El-Hakim n'est peut-être pas le rédacteur du message mais, à tout le moins, celui qui a soufflé les mots. C'est ce qu'elle écrira, quelques semaines plus tard, dans une note remontée au plus haut niveau de l'État.

Fin août, un service secret étranger alertait les renseignements français : deux opérationnels de retour du Shâm prépareraient un attentat depuis l'Alsace sous la direction d'un émir de l'État islamique. La DGSI identifie les deux hommes sans grande difficulté. Dans leur quartier de la Meinau, ils se vantent d'être allés en Syrie en 2015. Depuis, ils échangent de manière ininterrompue avec un compte Skype utilisé par le bureau des opérations extérieures de l'Amniyat. Durant dix-huit mois, ils ont l'impression que, d'une conversation à l'autre, leur interlocuteur change, mais que le message reste le même : il faut commettre un attentat.

Courant novembre, la DGSI apprend que le projet est désormais imminent : les Alsaciens ont proposé une date, le 1er décembre.

« Parce qu'on est à sec, expliquent-ils à leur émir. On n'a pas d'argent pour se déplacer, se loger et manger sur Paris. Notre salaire rentre le 28 novembre, *inch'Allah,* et le lendemain on décolle. Est-ce que c'est possible ? »

C'est possible.

Ils reçoivent l'ordre d'aller récupérer, dès les fonds reçus, quatre kalachnikovs enterrées « dans un trou » en région parisienne et, dans la foulée, de frapper la capitale.

Le 14 novembre, un nouveau message leur explique comment rentrer les coordonnées GPS dans Google Maps. Depuis la Syrie, leur interlocuteur leur communique la marche à suivre pour trouver la cache d'armes.

« Il faut se garer au fond du parking au niveau de la barrière verte. Quelques mètres avant, il y a un arbre marqué 246. À la droite de cet arbre, il y a un chemin qui descend sur à peu près 200 mètres jusqu'à un grand arbre avec un point blanc dessus. Avant cet arbre, il faut prendre à droite un petit chemin de feuilles qui monte sur à peu près 50 mètres jusqu'à voir deux arbres marqués de ce symbole. Arrivé là, direct à gauche, il y a un arbre couché par terre. Sous cet arbre il y a une bûche posée là où il faut creuser. »

L'auteur du message précise enfin le nom de la commune du Val-d'Oise où se trouve la cache : Montmorency.

À la lecture de ce simple mot, les agents de la DGSI esquissent un sourire. Ils vont pouvoir réactiver le dossier « Ulysse ».

*

Huit mois plus tôt, le 3 mars 2016, Salah-Eddine Gourmat, alias GTA, s'est montré directif lorsqu'il a pris contact sur Telegram avec un sympathisant de l'État islamique basé en France et qui a promis d'aider la cause[1]. « On veut quatre kalach ! Et, avec chaque kalach, quatre chargeurs et des munitions ! »

Le sympathisant se veut rassurant. Il connaît un copain qui lui-même connaît un marchand d'armes dans son quartier. Ce dernier vend des kalachnikovs aux équipes de braqueurs.

« Il faut absolument que tu y ailles tout seul et que tu les achètes, ordonne Gourmat. Ensuite, on verra comment faire pour les récupérer chez toi. »

Le sympathisant s'inquiète, il n'y connaît rien en armes et ne voudrait pas se faire abuser lors de l'achat. Il préférerait être accompagné de son interlocuteur.

« J'ai des instructions, je ne peux pas me permettre de te rencontrer, désolé. Va falloir que tu les achètes tout seul », lui répond Gourmat, qui envoie au néophyte une vidéo cryptée montrant comment démonter et monter un AK-47.

Le salafiste prévient un peu plus tard qu'il a vu le marchand d'armes. Ce dernier proposerait les quatre kalachnikovs et seize chargeurs garnis pour douze mille euros.

Le 15 mars, Gourmat est aux abonnés absents.

« Tu es là ? » tente le salafiste en début d'après-midi.

En temps normal, Gourmat se connecte à partir de 15 heures sur Telegram. À 17 h 56, il donne un fugace signe de vie.

« Ouais, attends, je vais te répondre. Juste je suis occupé. »

D'habitude, l'achat des quatre kalachnikovs est une priorité

---

1. Le recrutement du sympathisant met en lumière la compartimentation des tâches et l'organisation très hiérarchisée du bureau des opérations extérieures. Ce salafiste résidant en France a été hameçonné par un proche d'Abaaoud puis par un égorgeur apparaissant sur une vidéo de décapitation aux côtés de Rachid Kassim. Ces recruteurs sont d'abord chargés de chasser, sur les réseaux sociaux, des candidats aux attentats suicides dans l'Hexagone. Ensuite seulement, ils mettent les nouvelles recrues en lien avec les émirs de la Dawla. Ainsi, le 3 mars, l'égorgeur met le sympathisant en relation « avec son émir », Gourmat, qui lui-même en réfère à Boubakeur el-Hakim.

pour lui. Pas ce jour-là. Quelques heures plus tôt, la police belge est tombée, presque par hasard, sur la planque de Salah Abdeslam et de ses complices, qui ont fait feu. Deux hommes seraient en fuite, annoncent les médias. À Raqqa, le bureau des opérations extérieures est sur le pont.

Le 16 mars, tandis que la police belge est à la poursuite du fuyard Salah Abdeslam, la DGSI arrête un ancien complice de Gourmat, qui préparait un attentat en France. Gourmat adresse au sympathisant un message qui, derrière son ton impératif, laisse percevoir une certaine panique.

« Frère, anéantis ton téléphone ! Jette-le là où personne ne peut le retrouver ! »

Cinq jours plus tard, alors que se pose la question de faire parvenir les douze mille euros au salafiste qui trouve le temps long, Gourmat l'incite à la prudence.

« Avec les événements qu'il y a en ce moment, on cherche le meilleur moyen pour ne laisser aucune trace. Patiente un peu. »

Le lendemain, le 22 mars, ont lieu les attentats de Bruxelles et de l'aéroport de Zaventem. Salah-Eddine Gourmat arrête d'émettre durant six jours. C'est aussi la période où le bureau des attentats est sinistré avec la perte de son mentor, Abdelnasser Benyoucef.

GTA Gourmat réapparaît le 28 mars.

« Excuse-moi, frère, j'avais trop de taf, là… »

Le lendemain, il délivre ses nouvelles instructions.

« Frère, pour commencer je m'excuse encore du retard mais on a eu quelques empêchements. […] J'ai trouvé un moyen de t'envoyer de l'argent. Une fois que tu as les armes, il faut que tu gardes une arme pour toi, pour que tu travailles [comprendre « commettre un attentat »]. Les autres, tu les enterres dans un endroit et tu nous envoies la position GPS. »

Cela va se révéler plus compliqué que prévu. Trois mois supplémentaires sont nécessaires à Gourmat pour faire voyager la somme depuis l'État islamique.

« Ce n'est pas simple d'envoyer de l'argent intraçable. Même les plus grands bandits, ils galèrent à faire ça, explique-t-il au sympathisant. Parce que tu sais très bien que, s'il y a une seule erreur, tu vas plonger longtemps, et nous on ne veut pas envoyer nos frères en prison. »

Le 24 juin, l'argent est enfin arrivé en France. Il se cache entre les morts. Les clandestins de l'EI ont dissimulé 13 300 euros dans une enveloppe sur une tombe du cimetière du Montparnasse, à Paris. Le salafiste doit aller la récupérer le lendemain à la première heure.

Il y a plus que le nécessaire pour acheter les quatre AK-47 et leurs munitions.

« Ce qui reste de l'argent, ne l'utilise pas sans notre autorisation », avertit Gourmat.

Une semaine plus tard, Gourmat recadre le salafiste. Celui-ci lui a envoyé les coordonnées GPS de l'endroit en forêt où, avec un complice, il a enterré toutes les armes. Sans en parler à son émir.

« *Akhy,* il y a certaines choses qu'on doit remettre au clair : tu aurais dû me consulter avant d'aller enterrer les affaires. Tu t'es précipité et maintenant on va devoir refaire les choses correctement. 1) Tu dois enterrer trois kalach et en garder une pour toi. 2) Il faut que personne ne connaisse l'endroit où tu les as enterrées (même pas ton pote qui t'a aidé à porter), par conséquent, il va falloir que tu changes d'endroit. Je ne peux pas me permettre que quelqu'un d'autre que toi et moi connaisse la planque : c'est notre méthodologie de travail. […] Une fois que tu as fait ça, tu nous transmets les informations. Ensuite il faudra que tu passes à l'action SEUL. »

Mais le salafiste ne témoigne pas d'un enthousiasme débordant à l'idée de déterrer les armes de guerre.

Gourmat le relance dans la nuit.

« Tu es un soldat du califat ! Sache que tout soldat doit obéissance à son émir. Il se peut que je te demande de faire telle ou telle chose, sache que ce sont des commandements qui te viennent d'en haut et non pas le fruit de mes désirs personnels. »

Rien n'y fait.

Les armes restent enterrées sous un arbre de la forêt de Montmorency.

*

Dans la mythologie grecque, Ulysse est ce héros qui donna son nom au voyage long de dix années qu'il entreprit pour rejoindre son foyer et sa bien-aimée. Il est aussi celui qui inventa le cheval de Troie permettant, par la ruse, de triompher d'une guerre qui n'en finissait pas. C'est en référence à ce dernier fait d'armes qu'Ulysse est le nom de code donné, sur les procès-verbaux, au cyberpatrouilleur chargé d'infiltrer le bureau des opérations extérieures de l'Amniyat. Sa cible, Salah-Eddine Gourmat, est baptisée Priam, du nom du roi de Troie qui laissa entrer le cheval de bois rempli de soldats grecs dans sa cité.

Quand Gourmat contacte sur Telegram le sympathisant recruté par les Amniyyin du premier échelon, il ne s'imagine pas que l'individu, effrayé par la tournure qu'ont prise ses conversations avec les djihadistes, est déjà allé sonner à la porte de la DGSI. L'homme est salafiste, certes, et il désapprouve les lois de la République, mais il n'entend pas être impliqué dans un projet d'attentat. Le contre-espionnage se procure alors les identifiants et les codes de ses comptes en relation avec les membres de l'EI.

Démarre ce que le jargon administratif désigne sous l'expression d'« enquête sous pseudonyme ».

Et c'est donc à Ulysse, un agent de la DGSI, que Gourmat passe la commande de quatre kalachnikovs et d'autant de chargeurs, et qu'il révèle certaines des façons d'opérer de l'Amniyat.

En 2013, le « magazine du salafi moderne » se retrouvait dans les ordinateurs de nombreux islamistes français. Son auteur y présentait « les 10 étapes pour démasquer facilement un infiltré ». Depuis, plusieurs tutoriels de l'EI ont répété les consignes de sécurité afin d'éviter pareil désagrément. En cette occasion, le propre service secret du califat s'est cependant fait berner.

Pourtant, comme à leur habitude, les Amniyyin ont mené une enquête sur leur nouvelle recrue. Un jour, Gourmat pose dans la conversation une question piège :

— Quand tu es venu avec ta famille en Turquie, il s'est passé quoi en France ?

— Je n'ai jamais été en Turquie avec ma famille, répond Ulysse, parfaitement au courant du passé de celui dont il emprunte l'identité.

La légende d'Ulysse tient bon. L'opération d'infiltration peut se poursuivre.

Le 24 juin, lorsque Gourmat indique à Ulysse l'endroit où repose l'argent envoyé de Syrie, des policiers vont planquer aux alentours du cimetière du Montparnasse, bien que ses portes soient déjà closes. Ils passent la nuit à observer les allées et venues des noctambules.

Le lendemain matin, dix minutes avant l'ouverture, un agent s'assoit sur un banc face à l'entrée du cimetière. Il fume une cigarette. À 8 h 27, les grilles s'ouvrent. L'agent se lève du banc et pénètre dans le cimetière. Vingt minutes plus tard, il atteint l'endroit indiqué par Ulysse : la vingt-huitième section de la troisième division du cimetière parisien. L'agent prend son temps, semble hésiter, déambule dans les allées. À 9 h 3, il fait face à la sépulture d'un certain Emmanuel Meyer et plonge la main entre la dalle et la pierre tombale. Dans l'interstice recouvert par la végétation, une enveloppe cartonnée. À l'intérieur, 13 300 euros en provenance de Raqqa.

L'agent s'en saisit, rebrousse chemin et sort du cimetière. Il est suivi par des collègues jusqu'à une station de métro afin de s'assurer qu'il ne fasse pas l'objet lui-même d'une filature.

Cinq jours plus tard, un policier se rend au petit matin dans la forêt de Montmorency. À 5 h 10, il commence à creuser un trou. Puis y dépose deux sacs : l'un contient quatre kalachnikovs emballées dans du film alimentaire ou dans du papier kraft ; l'autre, seize chargeurs garnis de cartouches ainsi que quelques centaines d'euros, le reliquat de la vente d'armes. Une demi-heure plus tard, le trou est rebouché. Tout autour du bois, des forces de l'ordre attendent que des terroristes viennent chercher leurs instruments de travail. La souricière est en place.

Le lendemain, Ulysse se prend la tête avec Priam. Le « sympathisant » rechigne à commettre un attentat, alors Gourmat, méfiant face à ce comportement de mauvais moudjahid, le menace : « Ta manière de travailler et les choix que tu as faits te mettent dans une situation où l'on peut même douter de ta personne ! *Akhy,* je te rappelle que ce n'est pas un jeu… »

Leur relation est dans l'impasse.

Deux semaines plus tard, un nouveau personnage contacte Ulysse. Le ton se veut plus conciliant, plus charmeur, plus structuré aussi que celui de Gourmat.

« Cher frère, j'espère de tout cœur que tu vas bien et je demande à Allah de te protéger. J'étais en Irak et je viens de revenir. Dorénavant, je communiquerai avec toi. »

Après avoir lu « toutes les lettres que tu as envoyées aux frères ainsi que celles que les frères t'ont envoyées » — ce qui témoigne d'une volonté de s'imprégner du dossier et de connaître la personnalité du moudjahid qu'il va devoir désormais diriger —, son interlocuteur ne peut, « pour commencer », que remercier Ulysse pour tout ce qu'il a fait.

Ensuite viennent les points sensibles. Le nouveau moyen de communication que Gourmat voulait lui faire adopter ? « C'est pour ta sécurité, car le programme que l'on utilise en ce moment est connu des services de renseignement, même s'il reste très dur à décrypter. »

L'Amniyat n'ignore pas que la police belge a mis la main sur l'ordinateur de Laachraoui, qui recelait nombre d'informations sur sa façon de procéder. Aussi le service secret djihadiste entend-il renouveler son mode opératoire pour rester hors de portée des radars occidentaux.

Enfin, le nouvel interlocuteur aborde la suite de la collaboration. Il ne revient pas sur l'éventuelle participation d'Ulysse à un attentat. « Dans le cas où tu voudrais continuer à nous aider, s'il y a d'autres choses que tu es capable de faire, j'aimerais bien que tu me mettes au courant : comme déplacer des armes d'un endroit à un autre ; aller voir des cibles que l'on pourrait attaquer ; transférer de l'argent… Bref, tout ce que tu peux faire pour nous aider. Ton frère qui t'aime en Allah. »

Les analystes de la DGSI croient reconnaître le style de Boubakeur el-Hakim. La violence du terroriste sait s'effacer lorsque le besoin s'en fait sentir : dix ans plus tôt, le détenu islamiste qui, dans le même temps, recrutait à tour de bras à la maison d'arrêt d'Osny se révélait toujours courtois dans ses rapports avec l'administration pénitentiaire. Dans une syntaxe irréprochable, El-Hakim demandait par exemple à « Madame la Directrice » s'il pouvait récupérer « un livre à couverture rigide que [j'ai] reçu à mon parloir ». Déférent, il concluait chacune de ses missives d'un « Sincères salutations ».

Ulysse a-t-il commis une faute dans la réponse, sommaire, qu'il adresse à son nouvel émir ? Le contact est coupé mi-juillet. Durant quatre mois, personne n'adresse plus de message au cyberpatrouilleur. La DGSI ne relâche toutefois pas son dispositif de surveillance de la forêt de Montmorency. Les grandes oreilles de la NSA américaine ont enregistré des conversations au cours desquelles des djihadistes français parlent de « leur cache d'armes à côté de Paris ». Alors, dans l'espoir qu'ils servent d'appât à des terroristes, les AK-47 dorment toujours sous terre.

XXXV

La forêt aux espions

En juin, les policiers en planque aux abords de la forêt de Montmorency avaient alerté La Ferme de Levallois. Un homme « de type caucasien », selon le jargon policier, vêtu d'une veste de sport à l'effigie de l'Olympique de Marseille, s'était approché de la cache d'armes, balayant les environs du regard, à droite et à gauche, à la recherche de quelque chose. Il s'était accroupi devant la souche d'un arbre devant servir de repère pour ceux qui viendraient récupérer les kalachnikovs. Il ne fouillait ni ne touchait le sol. Au bout de quelques instants, le supporter de l'OM reprenait son chemin, les yeux toujours rivés par terre. On ne saura jamais si c'était un simple promeneur ou un terroriste.

En revanche, le 14 novembre 2016, tandis que Boubakeur el-Hakim et ses sbires envoient les coordonnées GPS de la cache d'armes aux deux opérationnels basés à Strasbourg, les agents sur le dispositif de Montmorency ne repèrent pas le Maghrébin revêtu d'un manteau en cuir noir et portant en bandoulière un sac vert et orange qui pénètre dans le bois. L'homme regarde son téléphone portable, arpente la forêt, regarde son portable, arpente la forêt... Il ne trouve pas la souche. Sans doute a-t-il fait une erreur lorsqu'il a entré les coordonnées GPS dans son téléphone. Au bout de quarante minutes de vaines recherches, il rentre à Paris sans avoir attiré l'attention des policiers. L'inconnu est passé vraiment trop loin de la cache.

Cet inconnu s'appelle Hicham el-Hanafi et, pour l'Amniyat, il représente ce qui se rapproche le plus d'un nouvel Abaaoud.

Plusieurs services européens avaient déjà signalé à leurs homologues français le profil de ce Marocain de vingt-six ans, formé en Syrie en 2014 et qui depuis a sillonné l'Allemagne, l'Espagne, la France, la Grèce, l'Italie, les Pays-Bas, le Royaume-Uni, et ce à plusieurs reprises. En juin 2016, il a passé quinze jours de « vacances » au Brésil, deux mois avant que ne démarrent les Jeux olympiques de Rio, ciblés par l'État islamique. De retour du Brésil, il séjourne à Düsseldorf, où un commando devait commettre une tuerie de masse.

En Espagne, El-Hanafi se laisse volontiers filmer en train de fumer du haschich tout en écoutant de la musique forte avec des connaissances d'un soir ; un leurre, explique-t-il à un proche, pour tromper les forces de l'ordre ibériques. À Paris, comme d'autres membres de l'EI avant lui, il prend la pose devant la tour Eiffel. Il s'est choisi pour zone de repli le Portugal et voyage avec un jeu de faux papiers, ouvre des comptes un peu partout en Europe sous des noms d'emprunt pour bénéficier de prêts. Autant d'escroqueries destinées à financer des cellules dormantes de l'EI, au Maghreb comme en Europe.

À Fès, d'où il est originaire, Hicham el-Hanafi cherche à recruter un ami d'enfance, sergent de la Protection civile. Il convainc un autre Marocain, rencontré en Espagne, de participer à un projet qu'il est en train d'élaborer pour frapper de nouveau Paris. El-Hanafi explique à sa recrue que les dirigeants de l'EI « accordent une grande importance à la capitale française ». Ils veulent l'attaquer parce qu'ils la considèrent « comme le symbole de la laïcité, de la corruption et de la dépravation des mœurs ».

Le 18 novembre, quatre jours après sa fouille infructueuse dans la forêt de Montmorency, El-Hanafi, cheveux longs frisés sous un bonnet noir, frappe à la porte d'un appartement à Trappes. Un proche des Amniyyin originaires de cette commune des Yvelines lui remet quatre mille euros en petites coupures. El-Hanafi n'a pas réussi à trouver les armes enterrées, il va donc falloir en acheter. Le bureau des opérations extérieures lui a expédié l'argent nécessaire.

Le même jour, le Marocain recruté par El-Hanafi rencontre un moudjahid saoudien dans un jardin de la zone industrielle de Gaziantep, en Turquie, où El-Hanafi l'a envoyé pour s'aguerrir et prendre les dernières informations des commanditaires. Le Saoudien donne à la recrue une carte mémoire à remettre en mains propres à El-Hanafi. Elle contient les coordonnées GPS et une photo de la cible, le Café de Paris, dans la capitale.

La rencontre sitôt achevée, le téléphone du Marocain sonne. Au bout du fil, l'émir qui supervise le projet d'attentat en cours, un certain Abou Ahmed al-Andaloussi. Est-ce Oussama Atar, qui aurait légèrement modifié sa *kounya* en se qualifiant d'Andalou après avoir été l'Irakien ? Ou un autre membre du bureau des opérations extérieures ? La recrue ne rencontrera jamais cet Abou Ahmed qui la briefe sur « les procédures de sécurité de l'Amniyat », avant qu'elle ne retourne en Europe.

Le lendemain, à 11 h 3, Hicham el-Hanafi se présente à un guichet gare de Lyon, puis il monte dans un TGV qui doit le conduire à 14 h 57 à Marseille.

*

Une réunion houleuse se tient à La Ferme de Levallois. Le 7 novembre, « un partenaire étranger » a signalé à la DGSI qu'un projet d'attentat était dirigé par Boubakeur el-Hakim depuis Raqqa et visait l'Allemagne. Un second service prévient que l'opérationnel chargé d'exécuter l'attaque serait un Marocain passé par un camp d'entraînement de l'EI : Hicham el-Hanafi.

Et voilà que ce dernier se dirige vers Marseille. La DGSI exploite les fadettes[1] du clandestin et découvre qu'il est allé se promener dans le bois de Montmorency. Là où un policier infiltré a enterré les armes sur ordre de Salah-Eddine Gourmat, là où Boubakeur el-Hakim vient de commander à deux opérationnels basés à Strasbourg de se rendre. Les trois dossiers sont liés.

Trois dossiers, trois régions concernées, autant de directeurs zonaux de la Sécurité intérieure, plus celui, à Levallois-Perret, qui dirige le contre-terrorisme. Tout le monde a son mot à dire, tout le monde veut avoir la main sur cette enquête. Personne n'est d'accord sur ce qu'il convient de faire. Faut-il interpeller tout de suite ? Attendre pour identifier l'ensemble du réseau ? Cela s'engueule. Cela cafouille. Jusqu'à ce que Patrick Calvar tape du poing sur la table, d'après un témoin de la scène.

« Il a donné la priorité au policier sur le terrain, à celui qui était au contact des terroristes. C'est lui, a-t-il dit, qui devait donner le tempo », se souviendra ce témoin.

Car un second cyberpatrouilleur de la DGSI a infiltré le bureau des attentats de l'Amniyat après la défection d'un autre sympathisant de l'État islamique. El-Hakim ou un de ses proches avait contacté l'homme, puis lui avait demandé de récupérer les quatre mille euros à Trappes, mission dont El-Hanafi s'était finalement chargé. Une nouvelle « enquête sous pseudonyme »

---

1. Abréviation utilisée dans le jargon policier pour désigner les factures détaillées de téléphonie.

est initiée quand le sympathisant est venu trouver les services de renseignement. Et cette fois, le commanditaire de l'attentat demande à un policier s'il est capable de trouver un hébergement sécurisé pour El-Hanafi à Marseille.

Bien sûr, il peut.

Le 18 novembre à 20 h 27, le commanditaire — qui n'est pas affublé, en procédure, d'un nom aussi romanesque que Priam, mais du plus prosaïque OpEx (pour opérations extérieures) — insiste :

« Le frère, demain, *inch'Allah*, il arrive [à Marseille]. Il ne reste pas longtemps. Lui, il est pressé [de passer à l'acte]. »

Le cyberpatrouilleur donne le numéro d'un contact à Marseille, un marchand de sommeil, en réalité un autre policier infiltré, à charge pour le commanditaire de le communiquer à son homme en route pour la cité phocéenne.

Mais Hicham el-Hanafi est un clandestin trop distrait. Il a mal orthographié le numéro que lui a donné son émir en Syrie. Il ne parvient pas à joindre le faux marchand de sommeil et trouve refuge auprès de la concurrence, chez un Afghan. Son émir le contacte dans la soirée pour lui redonner le bon numéro et l'exhorter à quitter les lieux.

« Éloigne-toi de cet Afghan, recommande l'émir. On ne sait pas à qui on a affaire ! »

Alors El-Hanafi obéit et, à 23 h 14, prend langue avec le policier infiltré. Un rendez-vous est fixé dans l'heure devant le 12, un immeuble de béton gris de la rue Pontevès.

*

Il est minuit passé de cinquante-deux minutes dans la nuit du 19 au 20 novembre lorsque la voiture de l'agent « Franck » s'arrête devant le 12 de la rue Pontevès. L'agent patiente dix minutes avant de voir un homme sortir de l'immeuble et monter dans son véhicule. En route vers le logement que Franck est censé lui louer, l'inconnu s'assure qu'il est bien possible de se faire à manger dans l'appartement, où il compte rester cloîtré.

À un feu rouge, la voiture s'arrête. Le groupe d'appui opérationnel de la DGSI surgit et procède à l'interpellation de Hicham el-Hanafi.

Une heure après, à l'autre bout de la France, les deux opérationnels strasbourgeois et deux amis d'enfance, avec lesquels il s'apprêtait à passer à l'acte, sont interpellés. Deux pistolets automatiques et un pistolet-mitrailleur sont découverts aux domiciles des suspects.

La cible des terroristes présumés n'a pas pu être déterminée, même si des consultations de sites Internet permettent de déduire que le Palais de Justice de Paris ou le 36, quai des Orfèvres étaient notamment envisagés.

Un des gardés à vue s'offusque quand on lui demande pourquoi il a tapé dans un moteur de recherche « bâtiment de la DGSE ». « Pourquoi on n'a pas le droit de taper "bâtiment de la DGSE" ? C'est interdit ?! s'insurge-t-il. Je ne vais pas perpétrer un attentat dans un endroit où les gens sont armés jusqu'aux dents. »

Entendu dans le bureau d'à côté, l'un de ses complices explique pourtant que « le but était de se faire tuer par des policiers ou des militaires ».

Depuis que la presse a révélé que la DGSE était impliquée dans le bombardement d'un camp d'entraînement où étaient censés se trouver Abdelhamid Abaaoud et Salim Benghalem un mois avant le 13 Novembre, l'Amniyat s'intéresse en effet au « bureau des légendes » français. Salim Benghalem a notamment consulté depuis la Syrie une édition numérique du *Figaro Magazine* consacrée à la DGSE et rappelant où loge le service secret.

*

Le lendemain du coup de filet, Patrick Calvar adresse un message interne à ses hommes pour les féliciter pour leur « travail exemplaire » réalisé sur une période de huit mois et qui a permis « d'éviter un nouveau drame dans notre pays ». Son service vilipendé pour ses ratés depuis le début de la vague d'attentats connaît là un succès spectaculaire, qui s'explique autant par des raisons structurelles que conjoncturelles.

Structurelles : en deux ans, la DGSI a rattrapé une partie de son retard. Jacques m'avouait être dépassé par la personnalité des djihadistes à l'automne 2014 ; désormais les procès-verbaux ne sont plus truffés de fautes d'orthographe sur les *kounya*, le moindre OPJ maîtrise les différentes expressions et concepts djihadistes. Le niveau général a progressé. Et puis la DGSI dispose de nouvelles techniques d'enquête[1] et les mixe avec des méthodes plus traditionnelles. Autre facteur décisif : la coopération internationale fonctionne à plein. Sur ce seul dossier, les services américains, israéliens, marocains, allemands, espagnols et portugais (pour ceux dont on a connaissance) se sont échangé des informations.

« En matière de terrorisme, la coopération dépasse les ego des nations, confie un acteur de ces échanges. Contrairement à ce qui peut se passer d'habitude dans le monde du renseignement, là on se file tout. Nous travaillons tous ensemble. Même les Russes jouent le jeu. »

Conjoncturelles : face à l'avalanche de drames, la guerre des services est mise, un temps, de côté. DGSE et DGSI ne se marchent plus sur les pieds. « Il y a tellement d'affaires à traiter

1. Concernant les techniques d'enquête abordées dans les deux chapitres consacrés à cette affaire, celles qui ont été laissées dans l'ombre, et les raisons de ces choix, voir les sources en fin d'ouvrage.

qu'on n'a pas le temps de se quereller, chacun a sa part de travail à faire », avoue un membre d'un de ces deux services.

Par ailleurs, les attentats de Paris, Bruxelles et Nice ont terrorisé le monde entier, y compris des criminels de droit commun et des gens acquis aux thèses de l'État islamique. Il n'est pas anodin que, dans la même affaire et à quelques mois d'intervalle, deux hommes sollicités par l'Amniyat se soient tournés l'un et l'autre vers le contre-espionnage français.

Interrogé plusieurs mois avant le dénouement de cette affaire, un gradé des services de renseignement avait justifié la frilosité actuelle des marchands d'armes, s'agissant de fournir des djihadistes : « Ce sont des businessmen très pragmatiques. Ils regardent ce que cela leur rapporte, ce que cela leur coûte. Désormais, le moindre trafiquant européen a compris que, si on retrouve ses armes non pas sur un braquage ou sur un règlement de comptes, mais sur un attentat, il risque la perpétuité. Et que les frontières ne le protégeront pas. Au besoin, si les contraintes juridiques sont trop fortes, il finira au fond d'un lac, et son propre pays n'ira pas se plaindre. Ça, les trafiquants l'ont bien intégré… »

Enfin, l'Amniyat, à en croire un magistrat, serait « en perte de vitesse » : « Avec les attentats de Bruxelles, ils ont perdu leur réseau belge, toute leur infrastructure logistique. Là, les opérationnels de Strasbourg ne sont pas du même niveau… »

Après les arrestations de Strasbourg et de Marseille, des policiers restent en planque durant encore deux jours aux abords du bois de Montmorency. Personne ne vient. Alors, à 23 heures passées, le 22 novembre, un promeneur se dirige droit sur la souche. À la belle étoile, il creuse la terre sous les yeux d'une équipe de la DGSI disposée à distance, qui ne bronche pas. L'homme déterre les sacs contenant les AK-47, les transporte jusqu'au coffre de sa voiture. Et le policier infiltré les rapporte à son service.

XXXVI

Raqqa ne répond plus...

Cent dix kilos de muscles, d'os et de haine conduisent la destinée de la voiture qui longe le stade municipal al-Baladi, où siège l'Amniyat. En ce 26 novembre 2016, le regard de l'homme au volant est encore plus noir que d'habitude. Ces derniers jours, Boubakeur el-Hakim peine à contenir sa fureur. Il a compris qu'il s'était fait piéger par le contre-espionnage français et que son grand projet de réitérer le scénario du 13 Novembre est tombé à l'eau. Momentanément, pense-t-il.

Il ignore qu'il ne lui reste que quelques minutes à vivre.

La bataille qui a commencé à Mossoul, un mois plus tôt, tend la situation à Raqqa, dépeuplé de ses soldats et de ses espions. L'État islamique a transféré une partie de ses moudjahidines de la Syrie vers l'Irak. Mais certains renâclent. Ils n'ont plus envie de combattre. Ni de mourir, même *shahid*. Alors des Amniyyin sont envoyés au front afin de s'assurer que chaque soldat du califat tient sa place. Malheur à ceux qui refusent de se plier aux ordres. Sur le millier de djihadistes restés en garnison à Raqqa, cent soixante-quinze Irakiens, Ouzbeks et Tunisiens ont été exécutés courant octobre, à titre d'exemple, pour avoir refusé de combattre.

L'Amniyat, ou ce qu'il en reste, doit tenir la ville. Et El-Hakim préparer sa vengeance. Le 30 août 2016, son grand ami et maître, le cheikh Abou Mohamed al-Adnani, a été tué près d'al-Bab, où il était venu soutenir le moral vacillant de ses troupes après plusieurs défaites. Une rumeur circule dans les rangs djihadistes : il aurait été éliminé par Abou Lôqman — le chef de l'Amniyat et autre proche d'El-Hakim — qui aspirait à prendre la place d'Al-Adnani à la droite du calife. Des médisances. Les États-Unis revendiquent la paternité du missile ayant fait taire le porte-parole de l'organisation terroriste. Et on apprendra plus tard qu'Abou Lôqman combattait aux côtés du cheikh et aurait échappé de peu au missile.

Dans la nécrologie qu'elle lui consacre, la DGSI considère qu'avec la mort d'Al-Adnani disparaît le terroriste qui a supervisé les attaques de Paris et de Bruxelles. Deux autres cadres impliqués dans la préparation des attentats ont déjà perdu la vie ces derniers mois : en février c'était Abou Walid al-Souri, le responsable de la formation des opérationnels de l'État islamique, puis en juillet Abou al-Bara al-Iraki, l'adjoint du cheikh. À chaque fois à Raqqa.

Pour combler leur absence, Boubakeur el-Hakim se démultiplie depuis la rentrée. En septembre, il mandate un artificier pour mener des attaques contre des chrétiens installés au Maroc. En octobre, il projette des agressions contre des touristes en Algérie, commandite l'agression d'un policier à Constantine et communique avec un Syrien en Allemagne au sujet de la fabrication d'une ceinture explosive et d'un projet d'attentat contre un aéroport. Les services occidentaux et africains ont fait leurs comptes : en tout, le terroriste a planifié une demi-douzaine d'attentats devant frapper l'Europe et le Maghreb rien que sur les deux derniers mois.

Il est temps d'en finir. Les Français ont attendu d'être sûrs qu'aucun candidat terroriste envoyé par El-Hakim ne se présenterait devant la cache d'armes de Montmorency. Mais ils se sont rendus à l'évidence : il n'y a plus personne à interpeller, pas de nouveau réseau à démanteler. Alors, tandis que l'émir El-Hakim fulmine au volant de sa voiture dans un Raqqa déserté, un missile américain met un terme définitif à la carrière du Français le plus haut gradé au sein de l'État islamique. C'est le deux cent vingt-troisième djihadiste français à trouver la mort en Syrie ou en Irak. Il était âgé de trente-trois ans.

Dans un courriel à l'AFP, un porte-parole du Pentagone, Ben Sakrisson, se félicite qu'un drone « prive l'État islamique d'un cadre clé impliqué depuis longtemps dans la préparation et l'organisation d'opérations extérieures et affaiblisse sa capacité à mener des attaques terroristes ». Son décès constitue « un événement important pour la lutte antiterroriste », se réjouissent les services français.

D'autant plus qu'une semaine plus tard le Pentagone annonce avoir tué Salah-Eddine Gourmat et deux autres commis d'El-Hakim, suspectés d'être impliqués dans les attentats de Paris et la cellule de Verviers. Toujours lors d'une frappe de drones à Raqqa, où le climat commence à devenir malsain pour les survivants des services secrets djihadistes.

Ce sont donc des missiles américains qui éliminent des membres français du bureau des opérations extérieures de l'Amniyat. « Les Américains nous disent que nous sommes devenus leur frontière extérieure, dira un gradé à l'occasion de la mort d'El-Hakim. Alors, dès que nous avons un besoin spécifique, on leur demande… »

Les États-Unis font profiter la France des informations recueillies par la NSA et des frappes de leurs drones. Tous les mois, lorsque les Américains ont atteint leurs propres quotas de cibles déterminées par leur état-major, ils se tournent vers leurs alliés français pour leur demander s'il y a des lieux ou des individus qu'ils souhaiteraient voir visés. Les Français transmettent les coordonnées ou les renseignements, et c'est ainsi que des djihadistes sont rayés de la carte du monde… Dans le cas de Boubakeur el-Hakim, il n'a pas été nécessaire d'attendre, son dossier était en haut de la pile.

Quelques semaines après sa mort, je déjeune avec un membre d'un service secret français. Je ne le qualifierai pas de source. C'est un de ces rendez-vous d'où vous ressortez avec l'impression que votre interlocuteur en a plus appris sur vous que l'inverse. Et le journaliste de rentrer, penaud, avec la seule et bien vaine satisfaction de pouvoir dire « j'ai rencontré tel service… ». Ce jour-là, nous nous voyons pour évoquer un sujet très loin de la Syrie et pour lequel, comme à son habitude, ma « source » se révèle beaucoup moins bavarde qu'espéré. Au détour d'une phrase, le nom d'El-Hakim est prononcé, soudain son visage s'illumine d'un grand sourire, et voilà cet homme par nature si prudent qui me déclare que la menace sur le territoire national a baissé depuis la mort de l'émir à la Kia blanche.

Dans le courant de l'année 2017, je croise à un pot de départ des magistrats spécialisés dans la lutte antiterroriste. Lorsque je demande à l'un d'eux ce qu'il en est d'une rumeur en provenance des services irakiens, dont les déclarations doivent être envisagées avec précaution, qui donnerait Boubakeur el-Hakim toujours en vie, le magistrat me coupe. « Ah, non, ça m'étonnerait ! Avec la bombe qui lui a été balancée dessus… », lance-t-il dans un soupir de contentement.

Jamais je n'ai vu un membre des services secrets et un magistrat se féliciter à ce point de la mort d'un homme.

XXXVII

… Mayadin non plus

À Raqqa, ses membres font l'objet d'exécutions ciblées. La ville elle-même tombera, ce n'est qu'une question de mois. Alors l'Amniyat « déménage tout sur les bords de l'Euphrate », selon les confidences d'un haut gradé de la lutte antiterroriste. Le service secret djihadiste positionne dans cette zone éloignée des combats les membres de son bureau des opérations extérieures afin qu'ils puissent poursuivre leur sinistre ouvrage en toute quiétude.

Cette fois, ce déplacement stratégique n'échappe pas aux services de renseignement traditionnels. Début 2017, le Mossad établit que les cadres impliqués dans la planification des attentats ont été déplacés à Mayadin, une ville déjà fréquentée avec assiduité par Abdelhamid Abaaoud avant qu'il ne mène son commando sur Paris. D'autres administrations du califat et certains de ses plus hauts responsables sont disséminés dans la ville d'al-Boukamal et les villages environnants.

Parmi les nouveaux habitants de Mayadin, Samir Nouad. Le vétéran algérien est en train de fomenter un projet d'attaque contre des avions de ligne en partance du Maghreb. Il n'aura pas le temps de le mettre en œuvre. Le 22 avril 2017, une frappe de la coalition met définitivement hors d'état de nuire le frère d'armes d'Abdelnasser Benyoucef. Quinze jours plus tôt, un Ouzbek suspecté d'avoir conçu l'attaque contre la discothèque Reina d'Istanbul, qui avait fait trente-neuf morts lors du réveillon du nouvel an, disparaissait de la même façon.

Dans le courant de l'été 2017, les décès d'une vingtaine de responsables de l'État islamique impliqués dans la planification des attentats sont revendiqués par la coalition internationale, à chaque fois dans les environs de Mayadin. Dans le lot, Abou Maryam al-Iraki, abattu le 5 juillet 2017. Cet homme cruel, spécialisé dans les contre-interrogatoires, avait exercé des responsabilités à l'hôpital ophtalmologique, en même temps que la taupe Abou Obeida. Il faisait surtout partie des djihadistes à la manœuvre dans le transfert des opérationnels du 13 Novembre vers la Turquie. Une semaine plus tard, le 11 juillet 2017, c'est au tour d'Abou Mahmoud al-Chami, l'homme qui avait aidé Laachraoui à confectionner ses ceintures explosives en Belgique, de rendre l'âme.

Si l'été a été meurtrier pour l'Amniyat, l'automne lui sera fatal, en tout cas d'après le Mossad, qui considère que le bureau des opérations extérieures et notamment sa branche chargée des attentats en Europe ont été décapités avec la neutralisation des derniers membres et la chute de Mayadin en octobre. Enfin, le 17 novembre 2017, deux ans presque jour pour jour après les attentats de Paris qu'il a pilotés, Oussama Atar, le chef de l'Amn al-Kharji, est à son tour tué dans une frappe de la coalition.

Pour la DGSE, la boucle est bouclée. Après les éliminations d'Abou Mohamed al-Adnani, le porte-parole et référent des opérations extérieures de l'EI, de son adjoint Abou al-Bara al-Iraki, d'Abou Walid al-Souri, le responsable de la formation des kamikazes, de Boubakeur el-Hakim, le responsable de la planification et de la coordination d'attentats en Europe, d'Abou Maryam al-Iraki et d'Abou Mahmoud al-Chami, le service de renseignement français considère qu'Oussama Atar était le dernier cadre de l'État islamique impliqué dans l'attentat du 13 Novembre encore en vie.

La DGSI ajouterait bien un nom à cette liste des cousins de la DGSE : Abou Lôqman, le chef de l'Amniyat, désigné par plusieurs renseignements comme supervisant les attaques visant les pays francophones et anglophones. Et, à ce titre, parmi les dignitaires ayant validé le projet d'attentat parisien.

Le 17 avril 2018, celui que les services pressentaient pour être le seul Syrien capable de remplacer le calife irakien Al-Baghdadi aurait été victime d'un bombardement américain alors qu'il participait à une réunion avec plusieurs caciques de l'organisation terroriste dans les environs d'al-Boukamal.

Un dernier membre de l'Amniyat suspecté d'être impliqué dans les attentats de Paris aurait également trouvé la mort non loin d'al-Boukamal. Le Français Salim Benghalem a rejoint la liste des djihadistes « présumés décédés ». Ses proches en ont été informés, le jeudi 10 mai 2018, par une « personne de confiance » se trouvant sur place. Benghalem serait mort en novembre 2017 dans un bombardement du régime syrien, d'après ce contact qui leur aurait aussi montré une photo.

Selon l'analyse de l'agrégé d'histoire qui se cache derrière le pseudo Historicoblog, ce bombardement correspond à la bataille d'al-Boukamal, dernière ville d'importance contrôlée par l'État islamique en Syrie, près de la frontière irakienne. Durant deux semaines, ce reliquat du califat a été pilonné par le régime syrien avec pour soutien aérien des avions russes. Mais, face à ce déploiement de forces, l'État islamique, qui avait pourtant annoncé un mois plus tôt ne plus vouloir mener de guérillas urbaines, oppose à al-Boukamal une résistance farouche avant de finir par abandonner la ville, non sans avoir enregistré une centaine de pertes dans ses rangs.

« Nous n'avons jamais compris pourquoi l'EI a déployé une telle résistance à al-Boukamal, s'étonne l'historien au téléphone. Cherchait-il à gagner du temps pour permettre l'évacuation de certains de ses plus hauts cadres encore en vie ? »

La veille du 13 Novembre, une note de la DGSI rappelait que le « but premier » de l'Amniyat consistait à « préserver le commandement du califat ». Salim Benghalem serait-il mort en effectuant une dernière mission : assurer la protection d'un cacique du régime terroriste ? Celle d'Abou Lôqman qui était alors toujours en vie et que Benghalem côtoyait depuis plus de trois ans ?

Il convient d'aborder avec prudence cette énumération funèbre au sein de l'Amniyat. Le Cannois Rached Riahi, qui avait été annoncé mort à sa famille en 2016, tentera de passer la frontière turque… en avril 2018. Mais, au-delà de quelques cas toujours possibles de djihadistes ressuscités, c'est le tableau d'ensemble qui importe. Tous les responsables des attentats de Paris et Bruxelles ont été traqués et abattus, autant pour les empêcher de nuire dans le futur que par sentiment de vengeance. Cela n'a pas seulement entravé la capacité de nuisance de l'Amniyat : cela signe sa défaite. Face aux moyens techniques et humains d'une coalition internationale, le service secret djihadiste a échoué à assurer la sécurité de ses propres membres.

Et les Amniyyin survivants, qui autrefois se chargeaient de faire taire toute dissidence, se sont révélés très bavards quand ils ont été à leur tour interrogés. Ainsi, les services occidentaux n'ont eu quasiment qu'à se baisser, dans les décombres du califat, pour dénicher l'un des derniers secrets de la tuerie parisienne.

XXXVIII

Cherchez la femme !

Les agents de la DGSI ont retrouvé Tarik Jadaoun incarcéré dans une prison irakienne, sept mois après l'avoir cherché dans un train en région parisienne. Le 6 mai 2017, un « service partenaire » avait signalé au contre-espionnage français que le Belge Jadaoun pourrait rejoindre l'Hexagone pour y perpétrer un attentat commandité par l'État islamique. La fiche de police de ce natif de Verviers ainsi que celles des deux autres djihadistes censés l'accompagner avaient été aussitôt diffusées sur Twitter par un journaliste habitué du genre. Ce qui avait occasionné l'évacuation de la gare du Nord, une guichetière de la SNCF croyant, à tort, avoir reconnu les visages des terroristes.

La publication d'une vidéo montrant Jadaoun en Irak deux semaines plus tard avait alors suscité des sueurs froides au sein de la lutte antiterroriste. Était-ce un nouveau piège des survivants de l'Amniyat ? Un leurre visant à masquer la présence réelle en Europe de Tarik Jadaoun, que la presse belge présentait comme « le nouvel Abaaoud » ?

Mais non, Tarik Jadaoun était bel et bien présent en Irak. Caché dans le quartier al-Farouk dans la vieille ville de Mossoul libérée de l'emprise de l'État islamique, il s'est rendu aux forces irakiennes, au petit matin du 12 juillet 2017. Sans arme, ni document compromettant, Jadaoun se présente comme un modeste infirmier du califat mais, quoi qu'il dise, il ne peut camoufler son passé. En trois ans, il a menacé la Belgique, participé à des exécutions et entraîné au combat des enfants âgés de huit à treize ans. Interrogé par la CIA, il reconnaît lui-même avoir été en contact avec les futurs auteurs des attentats de Magnanville et de Saint-Étienne-du-Rouvray. Il semble avoir travaillé pour la cellule de recrutement en Europe de terroristes, au même titre que Rachid Kassim et Maxime Hauchard.

Après les Irakiens, les Américains et les Belges vient le tour des Français, qui l'interrogent, au mois de novembre, à propos d'un ressortissant djihadiste de seconde zone. Tarik Jadaoun leur répond qu'il a beaucoup mieux à raconter. Si ça intéresse les renseignements, il est susceptible de communiquer des informations sur Tyler Vilus.

Sous le coup d'une probable condamnation à mort en Irak, Tarik Jadaoun cherche à monnayer sa vie. Ses déclarations sont donc sujettes à caution. Ayant déjà proposé de coopérer avec les services de renseignement d'outre-Quiévrain, il s'était vu opposer une fin de non-recevoir par le Premier ministre belge Charles Michel : « Nous ne négocions pas avec des terroristes ! »

La France n'a pas de solution à lui offrir. Comme le Belge ne fait l'objet d'aucune poursuite dans l'Hexagone, un magistrat instructeur délivre une demande de commission rogatoire internationale pour l'entendre comme simple témoin.

Le 23 janvier 2018, une délégation composée d'un juge et de plusieurs officiers de la DGSI se rend dans une prison à Bagdad pour écouter ce que Tarik Jadaoun a à dire à propos de Tyler Vilus. Cela va durer quatre jours.

À l'en croire, Jadaoun n'aurait croisé la route de Vilus qu'à une seule occasion, alors que celui-ci circulait en jeep dans le centre-ville de Shaddadi. Encagoulé, Vilus participait à des arrestations de civils. Jadaoun dit aussi avoir visionné une vidéo du Français en train de fouetter en place publique des contrevenants aux lois du califat. Surtout, Jadaoun assure connaître les véritables raisons de son départ de Syrie, à l'été 2015. Il aurait reçu des confidences de première main. D'abord en la personne de Rached Riahi, le meilleur ami de Vilus : le Cannois aurait confié à Jadaoun la raison pour laquelle Tyler rejoignait l'Europe : « Il devait faire les attentats avec Abaaoud », lui aurait dit Riahi.

Jadaoun a encore mieux à faire valoir.

L'adage policier, un brin misogyne, recommande « Cherchez la femme ! » — cela afin de trouver le mobile du crime. En l'espèce, Tarik Jadaoun l'a épousée. Née à Gand mais de nationalité française, Inès avait d'abord été mariée en Syrie à… Tyler Vilus. C'était elle qui s'était fait tirer dessus par la première épouse du polygame. Depuis, cet aléa de la vie djihadiste avait été oublié. Le couple se portait bien. Jusqu'au 2 juillet 2015 et à l'arrestation du Français à Istanbul. La veille de son départ, l'Amni avait autorisé Inès à se remarier, car il s'apprêtait « à mourir en martyr » en France. Tyler Vilus lui aurait même remis son testament à cette occasion.

Inès ne pourra pas confirmer. D'après Tarik Jadaoun, elle serait morte lors d'un bombardement au cours du siège de Mossoul.

Ce qu'ignore le Belge en faisant ces confessions, c'est qu'il existe des preuves de la connaissance qu'avait Inès de projets d'attentats visant la France. Au début de l'été 2014, la jeune femme avait adressé des courriers pour avertir sa mère et sa grand-mère, des lettres interceptées par la DGSI.

À sa mère, Inès écrit :

« Dans pas longtemps, la France sera attaquée. […] *Inch'Allah*, bientôt vivront les gens dans la peur qu'Allah nous explose ! »

À sa grand-mère :

« La France va être attaquée, ce n'est pas que des menaces, c'est une vérité. Les mécréants vivront dans la peur. »

Le principe de non-mixité étant appliqué à la lettre dans le ressort du califat, il est difficile d'imaginer qui, à part son mari membre de l'Amniyat, peut l'avoir informée des projets d'attentats de l'EI.

Enfin, le tissu relationnel syrien de Tarik Jadaoun crédibilise son récit. Le Belge a hébergé un proche de Boubakeur el-Hakim, était un ami d'Abdelhamid Abaaoud, connaissait Rached Riahi. Et a épousé l'une des femmes de Tyler Vilus. Quelle que soit la façon dont il le raconte, peut-être pour minimiser son propre rôle au sein de l'Amniyat, il était bien placé pour avoir un écho de ce qui s'est passé en amont du 13 Novembre.

Au sortir des quatre jours d'audition de Jadaoun, la DGSI et le juge d'instruction ont considéré que l'implication de Tyler Vilus dans les attentats de Paris et Saint-Denis était « plausible », sans pouvoir l'établir judiciairement. Des investigations sont toujours en cours pour établir si oui ou non Tyler Vilus rentrait en Europe pour commettre un attentat.

XXXIX

Demain

Face à Laurent Delahousse, le 17 décembre 2017, Emmanuel Macron prédit que « d'ici à la mi ou fin février nous aurons gagné la guerre en Syrie ». La guerre contre l'État islamique, s'entend. Personne ne contredit le président de la République. Il flotte dans l'inconscient collectif comme un air de victoire. L'État islamique n'est plus. Ou n'est bientôt plus. Mais au diable le détail.

Les efforts consentis se relâchent, les vieilles rancœurs un temps enfouies entre services resurgissent. « Ils nous demandent beaucoup, mais donnent très peu. Il n'y a pas de réciprocité », pleurent les uns. « Ils se positionnent comme les chefs de la communauté du renseignement », se plaignent les autres. Les hommes qui ont mené cette guerre secrète contre l'EI se lassent. Sur les cent vingt OPJ qui ont eu à gérer les plus de trente mille procès-verbaux du 13 Novembre, il n'en resterait plus qu'un seul au sein de « J », la section chargée du judiciaire à la DGSI. Les autres ont préféré abandonner le terrain de la lutte antiterroriste pour des postes moins exposés. Jacques, qui avait dressé un tableau très noir mais douloureusement vrai du contre-espionnage, a quant à lui quitté la police. Progressivement, la lutte contre le terrorisme rétrograde dans les discours des politiques. À La Ferme de Levallois, là où le règlement des heures sup n'était pas un problème deux ans plus tôt, un panneau revendicatif prévient : « Pas d'argent pour les astreintes, pas d'agent pour les astreintes ! »

Pourtant, les mêmes services qui, en 2016, écrivaient dans leurs documents internes qu'ils prenaient soin « de ne pas être trop anxiogènes » lorsqu'ils communiquaient leurs informations au gouvernement tirent désormais la sonnette d'alarme : l'État islamique n'est pas mort, il a basculé dans la clandestinité. L'organisation terroriste n'a pas attendu le pronostic du président de la République française pour anticiper la fin de son califat. Alors que les derniers bastions de la vallée de l'Euphrate tombent à leur tour, la Dawla se réorganise et « engage des réformes internes visant à assurer sa pérennité ».

Tous les services occidentaux planchent désormais sur le « Comité d'émigration et de logistique », cette cellule composée d'anciens de l'Amniyat qui se serait installée en Turquie dès les premiers mois de 2017, mais aussi en Jordanie et au Liban. L'organisme clandestin assurerait la sécurité de responsables de la Dawla en fuite, cherchant à gagner des pays plus sûrs. Les services craignent que le comité ne serve aussi à projeter des djihadistes européens dans leurs pays d'origine pour y préparer de nouveaux attentats.

Auditionné une dernière fois (avant son départ, pour cause de limite d'âge atteinte, dans le privé) par la commission des affaires étrangères de l'Assemblée nationale le 14 février 2017, Patrick Calvar, le patron de la DGSI, a tenu à rappeler que, malgré ses difficultés, « l'organisation a démontré sa capacité à planifier dans le temps, avec professionnalisme, patience et pugnacité, ses actions terroristes », précisant : « Des projets élaborés par Daesh, du même type que l'attentat du 13 Novembre 2015 à Paris, ont été stoppés, mais nous savons que d'autres sont en cours. »

Du commando de Bruxelles à celui de Strasbourg, le Centre d'analyse du terrorisme (CAT) dénombre en Europe quarante et un opérationnels de l'État islamique arrêtés ou tués depuis l'été 2015. Abdelhamid Abaaoud avait parlé de quatre-vingt-dix kamikazes déjà sur place.

*

En attendant que d'éventuels clandestins ne réapparaissent, le mode opératoire a muté. Aux projets planifiés par l'EI depuis la zone syro-irakienne et mis en œuvre par des djihadistes aguerris ont succédé des attentats d'opportunité exécutés par des acteurs locaux qui n'ont jamais pu rejoindre le califat, utilisant les moyens à leur disposition et frappant leur pays de résidence.

Désignées dans le jargon des services comme de « faible intensité », ces attaques se multiplient en Europe depuis que l'EI perd du terrain en Irak et en Syrie. Les pays cibles se sont diversifiés : l'Allemagne (six attentats), la Grande-Bretagne (cinq attentats) et la Belgique (cinq attentats) ont été le théâtre d'attaques répétées, tandis que la Suède et la Finlande ont été touchées pour la première fois sur leur sol. Sans oublier le double attentat au véhicule-bélier de Barcelone-Cambrils, le 17 août 2017, qui a fait seize morts. À une occasion, le scénario des années passées se rappelle à nos plus sinistres souvenirs. Juste avant de se faire exploser au milieu des fans de la chanteuse Ariana Grande lors d'un concert à Manchester, le futur kamikaze s'est rendu en Libye pour y rencontrer d'anciens membres de la katibat al-Battar.

L'Amniyat n'existe peut-être plus. Les moyens d'un appareil d'État ne sont plus mis à disposition de projets terroristes. Mais il ne faut pas sous-estimer le noir héritage des espions de la terreur, qui, au-delà de toute structure, s'y entendent pour transmettre de génération en génération leur savoir-faire. La prolifération des tutoriels djihadistes sur le Net complique la tâche de la lutte antiterroriste, qui constate, depuis 2015, que les apprentis terroristes restés en France déploient les mêmes mesures de sécurité que les Amniyyin en Syrie.

Comme Mohamed Lahouaiej Bouhlel qui, à bord de son camion, tue quatre-vingt-six personnes sur la promenade des Anglais à Nice, le 14 juillet 2016.

Dès 2010, *Inspire*, la revue de propagande d'Al-Qaïda dans la péninsule Arabique, préconisait l'utilisation d'un 4x4 comme voiture-bélier, conseillait aux apprentis djihadistes de prendre leur temps et de choisir avec minutie un endroit densément peuplé « pour réussir le plus grand carnage ».

Le scénario appliqué par Mohamed Lahouaiej Bouhlel met en œuvre les préceptes déclinés dans les pages qui suivent le dossier consacré au véhicule-bélier. Dans une liste de recommandations à l'intention de « ceux qui planifient des opérations », le rédacteur en chef leur enjoignait de prendre tout leur temps, « six mois ou même un an », d'éviter de fréquenter des sympathisants à la cause ou des sites Internet dédiés au djihad, mais de privilégier, au contraire, des sites généralistes pour obtenir les informations nécessaires aux préparatifs de leur attentat. « *If you are clean, stay clean !* » insistait-il.

Les services de renseignement ne pourront ainsi que constater, au lendemain des attentats du 14-Juillet à Nice, que le tueur était jusqu'ici « inconnu sur le plan de l'islamisme radical ». Il n'était au contact d'aucun « fiché S » ou autre repris de justice condamné pour terrorisme. Seul l'examen de son matériel numérique révélera qu'il projetait son crime depuis plus d'un an et qu'il se documentait en consultant de simples articles de presse sur Internet.

Dans la mémoire de l'ordinateur portable découvert dans le salon de son appartement, une concession aux consignes de prudence : des photos de figures du djihad mondial. Oussama Ben Laden et… Boubakeur el-Hakim.

Épilogue

La tragédie de Cassandre

À l'intérieur de son box vitré, Nicolas Moreau ne décolère pas.

À l'intention des trois magistrats de la seizième chambre du tribunal correctionnel de Paris qui s'apprêtent à le juger pour « association de malfaiteurs en vue d'une action terroriste », ce 14 décembre 2016, il lance en référence au 13 Novembre : « Vous avez appris à vos dépens que j'avais raison ! »

Face à un auditoire composé de nombreux journalistes venus entendre le « repenti de Daesh » et de quelques collégiens qui assistent à leur premier procès — aucun membre de sa famille n'est présent —, le djihadiste revendique pêle-mêle la lecture de Jean-Jacques Rousseau et son statut d'« insoumis », manie dans une même phrase une promesse (« Je peux encore changer de vie ») et une menace (« Je reprendrai les armes »). Dans son réquisitoire définitif, le vice-procureur de la section antiterroriste du parquet de Paris ayant suivi son dossier avait souligné sa « logorrhée empreinte de délire narcissique » et brossé le portrait d'un individu « imbu de lui-même ».

Lors de l'audience, Nicolas Moreau joue son rôle préféré, celui de victime. Celui qui s'est surnommé lui-même « Trompe la mort » au regard de ce qu'il a connu en Syrie et en Irak reprend son leitmotiv sur « l'ingratitude de la justice française » à son égard. Il aurait aimé obtenir le statut de repenti que lui accole la presse, mais que les magistrats lui refusent. Et s'en tirer à bon compte.

« Je ne vous cache pas que, si vous me mettez une peine importante, je ne me laisserai pas faire. Ce serait idiot pour vous... »

En attendant, il décrit l'enfer carcéral qu'il subit à la maison d'arrêt de Fleury-Mérogis, les menaces des détenus djihadistes qui lui reprochent d'avoir collaboré avec la justice. Les surveillants pénitentiaires ont découvert, dissimulé sous le matelas de sa cellule, un couteau de fortune.

« J'ai fabriqué des armes en prison pour me protéger de Daesh ! » se justifie-t-il à l'audience.

À propos de ses révélations en garde à vue sur Abaaoud et l'Amniyat, le président du tribunal se tourne vers le ministère public. « Vous aurez certainement des questions à poser au prévenu. »

Les questions ne viendront jamais. Le vice-procureur ne cache pas qu'il est fatigué de Nicolas Moreau. Il n'attend plus rien de lui. Le magistrat rappelle que le prévenu, interrogé quelques semaines avant le 13 Novembre sur d'éventuels attentats imminents, avait été incapable de répondre.

« Son silence trahissait au pire une complicité par abstention, au mieux une méconnaissance des véritables projets criminels de Daesh », conclut-il.

Le parquet de Paris a toujours été sceptique vis-à-vis de Nicolas Moreau. Notamment en raison de son dernier emploi au sein du califat. Après avoir été écroué vingt-deux jours à Raqqa pour insubordination, il a été durant une dizaine de jours membre de la police islamique avant de s'envoler pour la France.

À l'issue du procès, Nicolas Moreau a été condamné à dix années de prison.

*

Huit jours après l'audience — un hasard du calendrier —, une note de la DGSI consacrée à un autre djihadiste prénommé Tarik offre un éclairage nouveau sur le parcours de Nicolas Moreau. Interrogée au Maroc dans le cadre d'une commission rogatoire internationale, l'épouse de Tarik raconte que son mari avait été arrêté par les services secrets de l'EI pour une peccadille, et écroué dans les sous-sols du stade de foot de Raqqa en compagnie d'autres détenus, dont un Français d'origine coréenne, Nicolas Moreau. Un certain Abou Omar, c'est-à-dire Abaaoud, aurait intercédé pour libérer Tarik et, ensuite, lui obtenir la permission de rentrer en France. Son mari aurait alors été exfiltré de Syrie en compagnie d'autres « opérationnels de cette organisation ».

Un témoignage qui fait écho à celui de Bilal Chatra qui, entendu par la police allemande, explique avoir été détenu dans une prison à Raqqa au mois de mars 2015 jusqu'à l'intervention d'Abaaoud. « Omar est arrivé, a parlé avec les personnes encagoulées et m'a sorti de là. D'ailleurs, Omar lui-même faisait partie des personnes encagoulées dans cette prison. »

Bilal Chatra, Tarik et Nicolas Moreau se trouvent tous les trois en prison en même temps. Tous trois connaissent Abdelhamid Abaaoud et au moins deux d'entre eux ont été libérés grâce à lui. Bilal Chatra a reconnu qu'Abaaoud l'avait par la suite missionné pour ouvrir la route aux commandos du 13 Novembre. Les trois quittent la Syrie pour rejoindre la France entre les mois de mai et de juin 2015.

La note de la DGSI ne fait pas le rapprochement, mais on peut également ajouter le cas d'un ingénieur en télécommunication, qui séjourne dans les entrailles du stade de foot de Raqqa parce qu'il a eu le malheur de rétablir le réseau GSM en pleine bataille, ce qui avait permis aux soldats de Bachar al-Assad d'appeler des renforts. Lui aussi était détenu en mars 2015 avant d'être subitement libéré par l'entremise d'Abou Lôqman.

L'ingénieur en télécommunication a également rejoint la France dans le courant du mois de mai, avec ses fils de dix-sept et vingt ans. Dans un ordinateur et un iPad retrouvés dans leurs bagages seront découverts des dizaines de cartes d'aviation de différents pays, des trajectoires d'atterrissage, des itinéraires de vol, des clichés de cockpit détaillant le fonctionnement et l'usage de chaque manette ou indicateur du tableau de bord, des notes de méthodologie de pilotage d'un Boeing, ainsi que les coordonnées Google Maps de la tour Eiffel et du pont d'Iéna…

L'Amniyat et Abdelhamid Abaaoud ont-ils cherché à recruter leurs kamikazes au sein des djihadistes détenus dans leurs prisons ? Leur proposant de les libérer en échange de leur participation à un attentat ? Cela expliquerait que Nicolas Moreau ait pu passer du statut de prisonnier à celui de policier en quelques heures, puis que dix jours plus tard, alors que le califat confisquait les papiers d'identité de tous les étrangers, il ait pu récupérer les siens et rejoindre sans encombre la Turquie.

Cela pourrait expliquer qu'il connaisse Boubakeur el-Hakim, Abdelhamid Abaaoud, Samy Amimour et Mohamed Abrini. Surtout que, cela n'a jamais été relevé, certaines informations qu'il donne sur Abaaoud sont postérieures à la fermeture de son restaurant à Raqqa…

Cela pourrait expliquer aussi que, quand il sollicite la justice pour faire des révélations au lendemain du 13 Novembre, le djihadiste nantais se retrouve coincé, ne pouvant dire tout ce qu'il sait sous peine de s'incriminer également[1].

1. Contacté, l'avocat de Nicolas Moreau n'a pas répondu à nos sollicitations.

Les magistrats l'ont toujours suspecté d'avoir été envoyé en Europe par le service secret djihadiste pour y commettre un attentat.

« Comment connaissez-vous aussi bien le fonctionnement de l'Amniyat ? » lui a demandé la juge d'instruction en octobre 2015, à une époque où Moreau lui parlait encore.

Sur le procès-verbal de l'interrogatoire, le greffier a écrit à l'emplacement prévu pour la réponse : « Mentionnons que la personne mise en examen reste silencieuse. »

LES TERRORISTES MORTS DANS DES ATTENTATS EN EUROPE

Abdelhamid Abaaoud, Samy Amimour, Ibrahim et Khalid el-Bakraoui, Najim Laachraoui, Foued Mohamed-Aggad et sept autres complices.

LES DJIHADISTES « PRÉSUMÉS DÉCÉDÉS » EN SYRIE ET EN IRAK

Oussama Atar ; Abou al-Athir ; Abou Mohamed al-Adnani ; Abou al-Bara al-Iraki ; Haji Bakr ; Ali Moussa al-Shawak, alias « Abou Lôqman », alias « Abou Ayoub al-Ansari » ; Abou Mahmoud al-Chami ; Abou Maryam al-Iraki ; Abou Walid al-Souri ; Salim Benghalem ; Abdelnasser Benyoucef ; Mohamed Amine Boutahar, alias Abou Obeida al-Maghribi ; Mohamed Emwazi, alias Jihadi John ; Salah-Eddine Gourmat ; Boubakeur el-Hakim ; Maxime Hauchard ; Rachid Kassim ; Samir Nouad.

LES SURVIVANTS

Abou Bakr al-Baghdadi

À l'heure où ces lignes sont écrites, le calife est en vie et dirige toujours l'État islamique. Dans un message de cinquante-cinq minutes diffusé le 22 août 2018 sur Telegram, Abou Bakr al-Baghdadi a appelé à poursuivre le djihad malgré les défaites.

Salah Abdeslam

Condamné à vingt ans de réclusion criminelle en Belgique pour son implication dans la fusillade de Forest en mars 2016. Au cours de son procès, Salah Abdeslam a refusé de s'exprimer sur les faits, contestant la légitimité du tribunal.

« Jugez-moi, je n'ai pas peur de vous et de vos associés. Je ne mets ma confiance qu'en Allah, a-t-il expliqué. Mon silence ne fait pas de moi un criminel et un coupable. [...] Il y a des preuves tangibles dans cette affaire, je veux qu'on me juge pour ça. Pas pour satisfaire l'opinion publique et les médias. [...] Les musulmans sont jugés et traités de la pire des manières, impitoyablement, sans présomption d'innocence. »

Il est toujours mis en examen pour sa participation aux attentats du 13 Novembre.

Contacté par mail, l'avocat de Salah Abdeslam n'a pas donné suite.

Mohamed Abrini

Mohamed Abrini est mis en examen pour sa participation aux attentats du 13 Novembre à Paris et à ceux du 22 Mars à Bruxelles.

Anis Bahri & Réda Kriket

Suspectés d'avoir projeté un attentat en France, Anis Bahri et Réda Kriket sont mis en examen pour « association de malfaiteurs terroriste criminelle » et « infraction à la législation sur les armes en bande organisée ». En garde à vue, Réda Kriket avait assuré à propos de l'arsenal trouvé dans sa planque que « beaucoup de choses devaient servir à du banditisme ». Anis Bahri conteste toute participation à un projet terroriste. Après son interpellation aux Pays-Bas, il avait tenté de s'opposer à son extradition, assurant avoir peur d'une condamnation à la perpétuité et de « traitements inhumains » dans les prisons françaises.

Contactés, les avocats d'Anis Bahri et de Réda Kriket n'ont pas donné suite à nos appels.

(Les) Beatles

Début 2018, les deux derniers Beatles ont été capturés en Syrie. Alexanda Amon Kotey et El Chafee el-Cheikh faisaient partie de ce groupe de bourreaux britanniques qui aurait, selon l'estimation des États-Unis, assassiné vingt-sept otages occidentaux ou asiatiques.

Réda Bekhaled

Courant novembre 2018, Réda Bekhaled doit être jugé par une cour d'assises spéciale, en compagnie de ses cinq frères et sœur. Trois d'entre eux, toujours présumés en Syrie, devraient être absents. Réda est accusé d'avoir incité et facilité le départ de Français, dont plusieurs filles mineures, vers la Syrie, mais aussi d'avoir projeté un attentat en France.

Au cours de l'instruction, Réda Bekhaled a expliqué qu'il comptait commettre un braquage, et non un attentat. Contacté, son avocat, Me Florian Lastelle, prévient que « la thèse de l'accusation sera fermement discutée » et met en garde « contre la présentation qui est faite de ce jeune homme avant tout procès, il y a beaucoup de choses à dire sur son histoire, sa personnalité, la réalité n'est pas aussi simple ».

Jejoen Bontinck

Condamné à quarante mois de prison avec sursis pour son implication dans le groupe Sharia4Belgium, qui réclamait ouvertement l'instauration de la charia en Belgique, y compris par la violence.

Bilal Chatra

Le 29 avril 2016, le jeune Algérien a été arrêté à Aix-la-Chapelle pour escroquerie. Il est en prison quand les services de renseignement allemands alertent la justice : Bilal Chatra serait impliqué dans trois projets d'attentats menés par Abdelhamid Abaaoud. Extradé en France, Bilal Chatra est mis en examen pour « complicité de tentatives d'assassinat terroriste » et « association de malfaiteurs terroriste criminelle » dans le dossier de l'attaque ratée du Thalys.

Mourad Farès

S'est rendu à la DGSI en août 2014. En attente de son procès pour le rôle de recruteur qu'il a joué auprès de nombreux candidats au djihad.

Sid-Ahmed Ghlam

L'étudiant en électronique reconnaît sa participation à un attentat, mais assure que ce serait un certain Abou Hamza qui aurait tué Aurélie Châtelain dans sa voiture à Villejuif, avant de prendre la fuite. Contrairement à ce qu'indique une expertise balistique, Sid-Ahmed Ghlam se serait, selon ses déclarations, volontairement tiré une balle dans la jambe : « […] Si je ne le faisais pas et que je me rendais directement à la police, je ne savais pas ce qu'ils allaient me faire ou à ma famille. » Il est toujours mis en examen pour l'assassinat d'Aurélie Châtelain. Contacté, Me Christian Benoît, l'avocat de Sid-Ahmed Ghlam, n'a pas souhaité s'exprimer.

Hicham el-Hanafi

Mis en examen dans le cadre du projet d'attentat dit de Strasbourg-Marseille, Hicham el-Hanafi conteste les faits qui lui sont reprochés.

Réda Hame

Mis en examen, Réda Hame a reconnu avoir été mandaté par Abdelhamid Abaaoud pour commettre un attentat lors d'un concert mais assure avoir abandonné ce projet.

Mehdi Nemmouche

Mis en examen en Belgique comme auteur présumé de la tuerie du Musée juif de Bruxelles, et en France pour son rôle présumé de geôlier des otages occidentaux, Mehdi Nemmouche conteste les faits.

Contacté par mail, l'avocat de Mehdi Nemmouche n'a pas donné suite.

Rached Riahi

Condamné en son absence à vingt ans de réclusion criminelle en juin 2017 dans le procès de la filière Cannes-Torcy. Présumé décédé depuis plusieurs années, il a repris contact avec sa famille au printemps 2018.

Abdelmalek Tanem

Abdelmalek Tanem a été interpellé le 29 avril 2014 en Espagne alors qu'il s'apprêtait à rejoindre l'Algérie. Le garde du corps d'Abou Obeida a fui la Syrie au printemps 2014. « Il nous a laissés tomber », tempête alors Salim Benghalem. « Je sais que Malek était terrifié lorsqu'il est arrivé à Istanbul, car il avait peur des représailles. Salim m'a dit qu'il avait fait quelque chose de grave, il ne m'a pas dit quoi », expliquera l'épouse de Benghalem.

Le 7 janvier 2016, Abdelmalek Tanem a été condamné à neuf ans de prison pour sa participation à une filière d'envoi de djihadistes. Dans le courant de l'été 2018, il a été placé en garde à vue. Il est suspecté d'avoir été l'un des geôliers des otages occidentaux. Faute d'éléments concrets, il n'a pas été mis en examen dans ce dossier.

(La cellule de) Verviers

Les survivants de la cellule de Verviers ont été condamnés en juillet 2016 à des peines de prison allant de cinq à seize ans d'emprisonnement. Celui qui se faisait appeler Pachtoune a écopé de la plus grosse peine.

Tyler Vilus

À l'heure où ces lignes sont écrites, le rôle de Tyler Vilus dans la cellule des attentats de Paris n'a pas été établi judiciairement. En revanche, il a été mis en examen, en juillet 2017, pour « direction d'une organisation terroriste ». Un chef de mise en examen passible de trente ans de prison.

Interrogé par un juge d'instruction qui lui a demandé s'il était « l'un des leaders francophones de l'organisation », Tyler Vilus a nié.

— J'ai été un membre de l'État islamique, mais je n'ai pas participé à des actions qui étaient combattantes. J'étais dans les médias. Mon rôle consistait à écrire dans les journaux tenus par l'État islamique et à m'occuper des sites. [...] Pour être clair, j'allais sur les zones de combats avec les combattants, mais je ne combattais pas moi-même. Je m'occupais de tout ce qui était lié à la couverture médiatique de l'événement : je prenais des photos, j'écrivais des articles en français, etc.

— Quel est votre regard sur les attentats récemment survenus à Paris et à Saint-Denis ?

— Ma religion, l'islam, interdit à tout musulman de tuer des innocents.

Contacté, son avocat Me Louis-Romain Riché a répondu par mail qu'il ne souhaitait pas s'exprimer « dans la mesure où l'instruction est toujours en cours et de ce fait la présomption d'innocence doit être respectée. »

Khalid Zerkani
Condamné au printemps 2016 à quinze ans de réclusion criminelle pour son rôle de recruteur dans les filiales d'envoi de djihadistes en Syrie.

Enquêter sur les services secrets implique de se mouvoir dans un univers d'ombres où il est toujours difficile de démêler le vrai du faux. Alors, quand on choisit pour sujet les services secrets d'une organisation terroriste par essence clandestine, il faut accepter de travailler tout en sachant que certaines questions resteront à jamais sans réponse. Heureusement pour moi et pour ce projet, la thématique djihadiste ayant envahi nos sociétés depuis quinze ans, il reste suffisamment de sources pour répondre à l'ambition initiale de ce livre.

Les Espions de la terreur reposent beaucoup sur la documentation recueillie entre le printemps 2014, date à laquelle j'ai commencé à travailler sur le terrorisme, et l'été 2018. Ces quatre dernières années, je me suis plongé dans une cinquantaine de dossiers judiciaires représentant près de soixante-dix-sept mille procès-verbaux d'instruction ou d'enquête préliminaire (tous n'ont pas été lus). J'ai consulté des archives pénitentiaires et des notes de divers services secrets français, européens ou américains. J'ai épluché des kilomètres de retranscriptions d'écoutes téléphoniques, de messages électroniques, ainsi que la mémoire des ordinateurs de plusieurs cellules terroristes. J'ai porté un soin tout particulier à cette matière qui présente l'avantage d'offrir une plongée sans filtre dans la pensée des djihadistes.

Enfin, les études françaises ou anglo-saxonnes fleurissent, les livres et les articles de presse aussi. La lecture de ces sources qu'on qualifie d'ouvertes (accessibles à tous) offre parfois des contrepoints, souvent des mises en perspective éclairantes par rapport à ce qu'on peut trouver dans des dossiers judiciaires ou administratifs.

Cette somme documentaire ingurgitée, j'ai réalisé une quarantaine d'entretiens conduits auprès de magistrats, officiers de renseignement, policiers, gendarmes, militaires, secouristes, avocats, chercheurs, victimes d'actes de terrorisme, individus reconnus coupables d'association de malfaiteurs terroriste ayant purgé leurs peines et membres de leurs familles.

Qu'ils soient recueillis directement ou tirés de procédures judiciaires, les témoignages de djihadistes, même repentis, doivent toutefois être envisagés avec précaution, car on ne peut exclure qu'ils cherchent d'abord à s'exonérer de leurs propres crimes. Je n'ai donc conservé à l'intérieur de leurs citations que ce qui a pu être confirmé par une autre source ou par un document écrit. Un même tri sélectif a été opéré, pour d'autres raisons, auprès de sources institutionnelles, lorsqu'elles cherchaient, par exemple, à mettre leur travail en avant et que le rôle qu'elles se donnaient ne correspondait pas aux autres éléments en ma possession.

Quelques-uns de mes interlocuteurs sont identifiés par leur nom (merci aux universitaires et autres chercheurs). La plupart restent dans l'anonymat, en raison des risques administratifs ou pénaux pris parce qu'ils me parlaient. D'autres l'ont réclamé parce qu'ils craignent de devenir la cible des djihadistes ; y compris, dans certains cas, alors que les personnes interrogées étaient des membres de la famille des djihadistes en question.

Ce travail a été complété avec le suivi d'audiences de procès de djihadistes de retour de Syrie et de celui d'Abdelkader Merah, le frère du tueur de Toulouse et Montauban.

La multiplicité des sources, si elle réduit considérablement le risque d'erreur, ne garantit pas qu'ici ou là ne s'en soient pas glissées une ou deux. Si c'est le cas, je m'en excuse. Par ailleurs, certains soldats du califat changent de *kounya* à plusieurs reprises durant leur carrière criminelle pour éviter qu'un jour la justice puisse leur imputer telle ou telle exaction. Aussi, lorsque j'emploie dans le texte un conditionnel, il faut le lire pour ce qu'il est, la formulation d'une simple hypothèse. Rien de plus, rien de moins.

Enfin et surtout, il convient de rappeler que les accusations portées par les services de police et de justice ne préjugent d'aucune culpabilité. En vertu de la loi du 15 juin 2000, toute personne qui ne fait pas l'objet d'une condamnation définitive est présumée innocente. Cela s'applique aussi aux individus qui ont reconnu leur participation à des faits délictueux et, a fortiori, à ceux qui sont simplement mentionnés dans les enquêtes policières.

Pour les besoins du récit, les officiers de renseignement apparaissant dans ces pages, qu'ils m'aient parlé ou non, se sont vu attribuer des prénoms d'emprunt, indépendamment des véritables identités, des origines géographiques ou religieuses des agents. Cela à l'exception bien sûr des chefs de service habilités à s'exprimer publiquement.

Notes des services de renseignement

Tous les documents mentionnés ici, à l'origine classés secret-défense, ont été déclassifiés avant leur publication dans ces pages.

Note de surveillance concernant Saïd Kouachi, DGSI, le 11 avril 2012.

Rapport portant sur le « Départ d'une dizaine de combattants strasbourgeois pour le djihad en Syrie », Renseignement territorial du Bas-Rhin, 20 décembre 2013.

Note « Les volontaires français au sein de l'État islamique en Irak et au Levant », DGSE, 1er juillet 2014.

Note de renseignement concernant Foued Mohamed-Aggad, DGSI, 13 août 2014.

Note « Les djihadistes français de l'État islamique », DGSE, 8 janvier 2015.

Note de renseignement concernant la cellule dite de Verviers, DGSI, 9 janvier 2015.

Note « Le réseau terroriste récemment démantelé en Belgique probablement lié à l'État islamique préparait un attentat en Europe », DGSI, le 13 février 2015.

Débriefing de Daniel Rye Ottosen, Danish Security & Intelligence Service, 17 février 2015.

Notes à propos de Mohamed Amine Boutahar, Service des renseignements intérieurs des Pays-Bas, les 23 avril et 13 août 2015.

Message concernant Abdelhamid Abaaoud, DGSI, 6 juillet 2015.

Note sur l'« Actualité des flux de djihadistes à destination du théâtre syro-irakien », DGSE, le 20 août 2015.

Note « Abou Omar al-Belgiki, cadre de l'État islamique à Deir ez-Zor », DGSE, 3 septembre 2015.

Note « L'État islamique, entre conquête territoriale et menace globale », DGSE, 4 septembre 2015.

Note « Abdelhamid Abaaoud, acteur clé de la menace projetée vers l'Europe », DGSE, 9 septembre 2015.

Note « Point sur le phénomène djihadiste en zone syro-irakienne », DGSE, 29 septembre 2015.

Note « Évaluation de la menace terroriste émanant de la zone syro-irakienne », DGSE, 28 octobre 2015.

Notes de renseignement concernant Foued Mohamed-Aggad, DGSI, les 5, 16, 19 et 24 septembre 2015, les 12 et 18 novembre 2015.

Message de routine « Menaces liées au dossier Abdelhamid Abaaoud », DGSE, le 3 novembre 2015.

Note « Les cinq piliers du djihad mondialisé », DGSE, le 19 novembre 2015.

Note « L'État islamique », DGSE, 10 décembre 2015.

Note « Enseignements de la vidéo mettant en scène les terroristes des attentats de Paris », DGSE, 28 janvier 2016.

Note « La chaîne décisionnelle de projection de la menace de l'État islamique », DGSE, 19 février 2016.

Message « Probable implication du djihadiste belgo-marocain Najim Laachraoui dans les attentats de Paris », DGSE, 7 mars 2016.

Message « Attentats de Bruxelles, le deuxième kamikaze de Zaventem était impliqué dans les attaques de Paris », DGSE, 24 mars 2016.

Auditions et interrogatoires de mis en cause, de victimes et de témoins

Auditions de Farès F., DGSI, les 15 et 16 mai 2012.

Troisième audition de Salah-Eddine Gourmat, DGSI, 15 mai 2012.

Auditions de Jejoen Bontinck, police fédérale judiciaire d'Anvers, les 23 et 28 octobre 2013, les 7 et 12 novembre 2013.

Dépositions de Mehdi I., DGSI, les 12 et 13 Novembre 2013.

Deuxième déposition de Karim H., DGSI, 13 Novembre 2013.

Sixième déposition de Karl D., DGSI, 14 novembre 2013.

Deuxième déposition de Kahina Benghalem, DGSI, 28 janvier 2014.

Auditions de Mathieu A., police judiciaire fédérale suisse, les 17 et 18 mars, 22 avril, 19 juin et 24 juillet 2014.

Audition de Mathieu A., police judiciaire fédérale suisse, 22 avril 2014.

Auditions de Didier François, DGSI, 29 avril 2014 et 2 février 2015.

Auditions de Nicolas Hénin, DGSI, 2 mai et 29 août 2014.

Première audition d'Édouard Élias, DGSI, 5 mai 2014.

Cinquième audition de Karim Mohamed-Aggad, DGSI, 14 mai 2014.

Sixième audition de Radouane T., DGSI, 15 mai 2014.

Auditions de Federico Motka, Groupement opérationnel spécial des carabiniers à Rome, les 27 mai 2014 et 24 septembre 2014.

Auditions d'Erwan G., DGSI, les 10, 11 et 12 juin 2014.

Auditions de Toni Neukirch, Office fédéral allemand de police judiciaire, 25 juin, 26 juin et 22 août 2014.

Audition de Dan Fredslund Scholer, police du Jutland du Sud-Est (Danemark), 21 juillet 2014.

Auditions de Soufiane A., police fédérale belge, les 5 août, 7 septembre et 19 décembre 2014.

Dépositions d'Imad D., DGSI, 26 et 27 septembre 2014.

Interrogatoires de Mourad Farès devant la juge d'instruction les 30 septembre, 13 octobre et 6 novembre 2014, le 26 mai 2015.

Interrogatoire de Miloud M. devant la juge d'instruction, 14 octobre 2014.

Interrogatoires d'Ali H. devant la juge d'instruction, les 6 novembre 2014, 26 mars et 15 mai 2015.

Interrogatoire de Zakaria A. devant la juge d'instruction le 23 janvier 2015.

Sixième audition de Savas K., DGSI, 5 février 2015.

Auditions de Chemsedine D., brigade criminelle, les 7 et 8 mars 2015.

Interrogatoire de Mokhlès D. devant la juge d'instruction, 13 mars 2015.

Interrogatoire de Radouane T., devant la juge d'instruction, 16 mars 2015.

Dépositions d'Ipek O., DGSI, les 17 et 18 mars 2015.

Interrogatoire de Karim Mohamed-Aggad devant la juge d'instruction, 25 mars 2015.

Auditions de Sid-Ahmed Ghlam, brigade criminelle, 20 et 21 avril 2015.

Déposition de la belle-sœur de Foued Mohamed-Aggad, DGSI, 28 avril 2015.

Interrogatoire de Savas K., devant un juge d'instruction français, 12 mai 2015.

Auditions de Lotfi S., DGSI, 19 et 20 mai 2015.

Confrontation entre Miloud M., Banoumou K. et Mokhlès D. devant la juge d'instruction, 27 mai 2015.

Interrogatoires de Sid-Ahmed Ghlam devant le juge d'instruction, les 19 juin, 7 août et 1er octobre 2015, le 28 janvier 2016.

Auditions de Nicolas Moreau, DGSI, les 24 et 25 juin et le 19 novembre 2015.

Auditions d'Ismaël K., DGSI, les 13, 15 et 16 juillet 2015.

Interrogatoire de Banoumou K. devant la juge d'instruction, 15 juillet 2015.

Interrogatoire de Karim Mohamed-Aggad devant la juge d'instruction, 21 juillet 2015.

Auditions de Nils Donath, police criminelle allemande, 29 juillet 2015.

Interrogatoires de Nicolas Moreau devant le juge d'instruction, 4 août, 21 octobre et 19 novembre 2015.

Auditions de Réda Hame, DGSI, 13 août 2015.

Interrogatoire de Samy R. devant le juge d'instruction, 4 septembre 2015.

Audition d'une victime du Bataclan, brigade des stupéfiants, 14 novembre 2015.

Audition de la mère de Samy Amimour, DGSI, 16 novembre 2015.

Audition de l'ex-fiancée de Salah Abdeslam, police fédérale belge, 16 novembre 2015.

Auditions de l'amie de la cousine d'Abdelhamid Abaaoud, SDAT, les 16 et 20 novembre 2015.

Audition du professeur de mathématiques de la veuve de Samy Amimour, brigade criminelle, 17 novembre 2015.

Audition d'un ami ayant transporté Salah Abdeslam de Paris à Bruxelles, police fédérale belge, 18 novembre 2015.

Audition du père de Nicolas Moreau, PJ de Rennes, 18 novembre 2015.

Audition de la tante d'Abdelhamid Abaaoud, DGSI, 19 novembre 2015.

Première audition de partie civile de Didier François devant le juge d'instruction, 26 novembre 2015.

Huitième audition d'Elaïd B., DGSI, 16 janvier 2016.

Dossier d'interrogatoire de l'accusé Harry Sarfo devant la Cour fédérale allemande, 23 février 2016.

Interrogatoire de Tarik el-H. devant le juge d'instruction, 1er février 2016.

Audition de Muhammad Usman, direction de la police régionale de Salzbourg, 2 février 2016.

Auditions de Laura D., DGSI, 23 et 24 février 2016.

Audition d'Abid Aberkane, police judiciaire fédérale belge, 18 mars 2016.

Auditions de Salah Abdeslam, police judiciaire fédérale belge, les 19 et 22 mars 2016.

Audition du père de Najim Laachraoui, police judiciaire fédérale belge, le 25 mars 2016.

Auditions d'Adel Haddadi, direction de la police régionale de Salzbourg, les 25, 26 et 30 janvier, le 18 mars 2016.

Auditions de Mohamed Abrini, police judiciaire fédérale belge, les 10, 20 et 21 avril 2016.

Auditions d'Osama Krayem, DGSI et SDAT, 25 avril et 13 juin 2016.

Audition d'Édouard Élias devant le juge d'instruction, 13 mai 2016.

Interrogatoire de Savas K., devant le juge d'instruction, 30 mai 2016.

Interrogatoires de Mohamed Abrini, devant une juge d'instruction belge, 1er juin et 26 août 2016.

Quatrième déposition du frère de Brahim N., DGSI, 2 juin 2016.

Interrogatoire de Chemsedine D. devant le juge d'instruction, 17 juin 2016.

Interrogatoires de Bilal Chatra, Office fédéral de la police judiciaire allemande, les 14, 15 et 26 septembre 2016, les 24 et 25 octobre 2016 et le 18 janvier 2017.

Interrogatoires d'Osama Krayem devant la juge d'instruction belge, les 18, 19, 20 octobre, les 4, 7 et 8 novembre 2016.

Interrogatoire d'Imad D. devant le juge d'instruction, 17 octobre 2016.

Interrogatoire de Muhammad Usman devant le juge d'instruction, les 20 et 21 octobre et le 21 décembre 2016.

Audition de Yahya N., Brigade de la lutte contre le terrorisme du Royaume du Maroc, 29 novembre 2016.

Auditions de Khadija, sœur de Boubakeur el-Hakim, DGSI, les 6, 7 et 8 décembre 2016.

Interrogatoire d'Ayoub el-Khazzani devant le juge d'instruction, les 14 et 20 décembre 2016, les 10 janvier, 8 février et 23 novembre 2017.

Audition de prévenu Hicham B., Office de police judiciaire régional de Rhénanie, 16 décembre 2016.

Interrogatoires d'Adel Haddadi devant le juge d'instruction, les 30 et 31 janvier 2017.

Écoutes téléphoniques

Écoute entre la sœur de Rached Riahi et une amie, 5 mai 2013.

Écoutes téléphoniques entre Abdelmalek Tanem et le logisticien de la filière d'envoi de djihadistes du Val-de-Marne, les 3, 4 et 18 juin, les 1er, 5, 14 et 26 juillet et les 5 et 8 août 2013.

Écoute téléphonique entre Abdelmalek Tanem, Mehdi Nemmouche et Mehdi I., 5 juillet 2013.

Écoute téléphonique entre Salim Benghalem et un candidat au djihad, 7 juillet 2013.

Écoute téléphonique entre Salim Benghalem et le logisticien de la filière d'envoi de djihadistes du Val-de-Marne, 8 août 2013.

Écoute téléphonique entre Imad D. et Jean-Michel Clain, 24 octobre 2014.

Écoute téléphonique de la mère de Foued Mohamed-Aggad avec son autre fils les 17 et 20 novembre 2014, avec sa propre sœur le 22 novembre 2014 et une personne non identifiée le 27 janvier 2015.

Écoute téléphonique entre la mère de Foued Mohamed-Aggad et sa propre sœur, 23 mars 2015.

Exploitation du matériel informatique et des réseaux sociaux

Procès-verbal « Recherches et récupération sur Internet du compte public Facebook d'Abou Shaheed », DGSI, 17 février 2014.

Consultation du compte Facebook « Ichigo Turn II » utilisé par le nommé Salah-Eddine Gourmat, DGSI, 16 avril 2014.

Exploitation de huit photographies et douze vidéos de djihadistes francophones en lien avec « Abou Shaheed », DGSI, 29 avril 2014.

Exploitations partielles du téléphone appartenant à Karim Mohamed-Aggad, 15 mai 2014.

Identification du nouveau profil Facebook de Foued Mohamed-Aggad, DGSI, 7 juillet 2014.

Rapport de police concernant l'ordinateur portable d'Amedy Coulibaly trouvé à l'Hyper Cacher, brigade criminelle, 9 février 2015.

Exploitation partielle des données contenues dans l'ordinateur de Sid-Ahmed Ghlam, brigade criminelle, 21 avril 2015.

Exploitation de l'ordinateur de la famille Benghalem, DGSI, 22 janvier 2016.

Synthèse des adresses sur les réseaux sociaux attribuées à Samir

Nouad, apparaissant dans le cadre de la procédure préliminaire relative à l'attentat déjoué de Verviers, DGSI, 15 mars 2016.

Exploitation de l'ordinateur portable retrouvé dans une poubelle à proximité de l'appartement conspiratif des terroristes à Schaerbeek, le 18 mai 2016.

Analyse des échanges Skype retrouvés dans l'ordinateur de la famille Bekhaled, section antiterroriste du parquet de Paris, 9 septembre 2016.

Procès-verbaux et actes judiciaires divers

Perquisition du domicile d'Alix Seng, DGSI, le 6 octobre 2012.

Rapport d'informations à propos de Mohamed Amine Boutahar, police du Brabant néerlandais, 4 juin 2013.

Procès-verbal « Renseignements sur l'évolution des groupes djihadistes actifs en Syrie », DGSI, 29 août 2013.

Rapport de synthèse concernant « Abou Shaheed », DGSI, 30 avril 2014.

Synthèse de la déposition de l'ex-otage Dan Fredslund Scholer par la Rigspolitiet, police nationale du Danemark, le 19 mai 2014.

Synthèse des éléments concernant A. Soufiane, police fédérale belge, 11 juin 2014.

Procès-verbal « Exploitation de la vidéo de décapitation de James Foley », DGSI, 20 août 2014.

Procès-verbal de « Renseignements sur la mort d'Abou Obeida », DGSI, 2 décembre 2014.

Exploitation de l'enregistrement de l'appel de la radio RTL avec Amedy Coulibaly lors de la prise d'otages de l'Hyper Cacher, brigade criminelle, 9 janvier 2015.

Procès-verbal de synthèse concernant la cellule dite de Verviers, police judiciaire fédérale belge, le 15 janvier 2015.

Procès-verbal « transport sur les lieux et constatations dans le XIIIe arrondissement », 3e district PJ, 19 avril 2015.

Fouille du véhicule de Sid-Ahmed Ghlam, brigade criminelle, 19 avril 2015.

Procès-verbal d'exploitation de la retranscription de l'appel au Samu de Paris, brigade criminelle, 20 avril 2015.

Exploitation du scellé contenant les vingt-sept feuillets saisis dans la Renault Mégane, Brigade criminelle, 20 avril 2015.

Rapport de synthèse concernant Sid-Ahmed Ghlam, DGSI, 24 avril 2015.

Procès-verbal « Renseignements administratifs concernant Abdelnasser Benyoucef », DGSI, 29 avril 2015.

Procès-verbal « Transport à l'aéroport de Roissy Charles-de-Gaulle et interpellation de Nicolas Moreau », DGSI, 23 juin 2015.

Procès-verbal d'achat de sandwich de Nicolas Moreau, DGSI, 24 juin 2015.

Synthèse des éléments concernant Laachraoui Najim, police judiciaire fédérale belge, le 24 juin 2015.

Procès-verbal d'exploitation du soit-transmis relatif à l'interrogatoire de Sid-Ahmed Ghlam, DGSI, 2 juillet 2015.

Procès-verbal de « renseignements sur l'AMNI », DGSI, 22 juillet 2015.

Rapport de synthèse concernant Réda Hame, DGSI, 15 août 2015.

Procès-verbal « Renseignements sur une possible tentative de retour d'Ayoub el-Khazzani le 4 juin via l'Albanie-Rapprochement avec retour clandestin Tyler Vilus », DGSI, 24 août 2015.

Rapport de l'expert-psychiatre concernant Nicolas Moreau, 30 septembre 2015.

Procès-verbal « Renseignements concernant les liens entre Abdelhamid Abaaoud et Salah Abdeslam », DGSI, 15 novembre 2015.

Procès-verbal « Renseignements judiciaires concernant

Abaaoud Abdelhamid issus de la procédure de Verviers », DGSI, 17 novembre 2015.

Assistance à autopsie, Office central pour la répression des violences aux personnes (OCRVP), le 20 novembre 2015.

Rapport d'autopsie médico-légale, docteurs Antoine T. et Yann D., IML, le 20 novembre 2015.

Rapport de synthèse des attentats du 13 Novembre, SDAT, 24 novembre 2015.

Rapport de synthèse de la procédure visant Brahim N., DGSI, 23 décembre 2015.

Procès-verbal « Synthèse du procès-verbal de la PJ belge concernant le téléphone portable appartenant à Omar Damache », DGSI, 6 janvier 2016.

Procès-verbal « Renseignements concernant les voyages effectués par Abdelnasser Benyoucef », DGSI, 24 février 2016.

Réquisitions aux fins de mise en œuvre d'une opération d'infiltration, section antiterroriste du parquet de Paris, 4 mars 2016.

Mise à exécution de l'ordonnance de perquisition rue du Dries à Forest, police judiciaire fédérale belge, 15 mars 2016.

Mise à exécution de l'ordonnance de perquisition rue des Quatre-Vents à Molenbeek, police judiciaire fédérale belge, 18 mars 2016.

Procès-verbal « Synthèse des éléments relatifs à Salah Abdeslam », SDAT, 23 mars 2016.

Procès-verbal « Renseignements relatifs à Samir Nouad », DGSI, 25 mars 2016.

Procès-verbal de « surveillance de la boîte aux lettres morte supposée contenir l'argent », DGSI, 24 juin 2016.

Mandat d'arrêt à l'encontre de Bilal Chatra, Cour suprême fédérale allemande, 5 juillet 2016.

Procès-verbal « Les décès annoncés en zone syro-irakienne », DGSI, 15 juillet 2016.

Procès-verbal sur les « implications de Français dans des

attentats ou projets d'attentats commis hors des territoires syriens et irakiens », DGSI, le 15 juillet 2016.

Procès-verbal sur « les enfants combattants », DGSI, 28 octobre 2016.

Procès-verbal « Les entraînements dispensés au sein des groupes djihadistes en Syrie », DGSI, 28 octobre 2016.

Procès-verbal « La stratégie de l'État islamique », DGSI, 4 novembre 2016.

Mandat d'arrêt international visant Oussama Atar, par la juge d'instruction belge, 7 novembre 2016.

Rapport de synthèse du dossier « Ulysse », DGSI, 25 novembre 2016.

Renseignements sur la possible implication de Tarik el-H., DGSI, 22 décembre 2016.

Procès-verbal « Annonce du décès de Salah-Eddine Gourmat, en compagnie de Sammy Djedou et de Walid Hammam », DGSI, 10 janvier 2017.

Rapport d'enquête préliminaire portant sur « le possible départ pour la zone irako-syrienne de Fatma A. », DGSI, le 14 janvier 2017.

Synthèse concernant Bilal Chatra, DGSI, 6 mars 2017.

Procès-verbal « Été 2015 : retours de djihadistes sur le territoire français », DGSI, 10 mars 2017.

Procès-verbal de « renseignements concernant Redouane Sebbar », DGSI, 14 avril 2017.

Arrêts, jugements, ordonnances et réquisitoires

Jugement de la dixième chambre correctionnelle du tribunal de grande instance de Paris, affaire Djamel Beghal et autres, 15 mars 2005.

Réquisitoire à propos des filières tchétchènes, section antiterroriste du parquet de Paris, 8 décembre 2005.

Réquisitoire dans l'affaire de la filière dite des Buttes-Chaumont, 27 décembre 2007.

Ordonnance de mise en accusation du réseau Chérifi, date non retrouvée.

Ordonnance de renvoi devant le tribunal correctionnel de Salah-Eddine Gourmat, 10 septembre 2013.

Réquisitoire dans l'affaire dite du « réseau Camel », 21 février 2014.

Jugement de la quarante-neuvième chambre du tribunal de première instance francophone de Bruxelles, dans l'affaire dite du réseau Zerkani, 29 juillet 2015.

Ordonnance de mise en accusation dans l'affaire dite du groupe de Cannes-Torcy, 7 décembre 2015.

Arrêt de la cour d'appel d'Anvers à propos de la filière de djihadistes belges comprenant Najim Laachraoui, 27 janvier 2016.

Jugement du tribunal de district de Düsseldorf concernant Nils Donath, 11 avril 2016.

Jugement de la quatre-vingt-dixième chambre du tribunal correctionnel francophone de Bruxelles à l'encontre de Najim Laachraoui et consorts, 3 mai 2016.

Jugement de la quatre-vingt-dixième chambre du tribunal correctionnel francophone de Bruxelles concernant la cellule dite de Verviers, 5 juillet 2016.

Réquisitoire définitif du parquet de Paris à l'encontre de Nicolas Moreau, 22 juin 2016.

Ordonnance de renvoi devant le tribunal correctionnel de la filière d'envoi de djihadistes dite d'Albi-Toulouse, 13 juillet 2017.

Jugement de la quatre-vingt-dixième chambre du tribunal correctionnel de Bruxelles, dans l'affaire de la fusillade de Forest, 23 avril 2018.

Articles de l'auteur

Le matériau de certains des chapitres avait déjà été publié, ces articles sont référencés ici :

« Le djihad par intérim », *M, le magazine du Monde*, 28 juin 2014.

« Les confidences de l'émir déchu des frères Kouachi », Mediapart, 8 janvier 2016.

« La vérité sur l'assaut du RAID à Saint-Denis », Mediapart, 31 janvier 2016.

« Ces terroristes qui menacent la France : la chaîne de commandement qui conduit aux attentats », Mediapart, 23 mars 2016.

« James Bond contre Système D », Mediapart, 15 mai 2016.

« La gestion chaotique des sources humaines », Mediapart, 22 mai 2016.

« Paperasse et politique du chiffre », Mediapart, 1er juin 2016.

« Le tueur de policiers voulait frapper la France depuis 2011 », Mediapart, 14 juin 2016.

« Qui était vraiment le porte-parole de l'État islamique tué en Syrie ? », Mediapart, 31 août 2016.

« Mehdi Nemmouche, le djihadiste qui parlait trop », Mediapart, 7 septembre 2016.

« Attentats de Nice et Magnanville : la filiale d'Al-Qaïda qui inspire les terroristes », Mediapart, 3 octobre 2016.

« Saint-Étienne-du-Rouvray : ces petits riens qui font un attentat », avec Michel Deléan, Mediapart, 11 novembre 2016.

« La difficile traque des commanditaires du 13-Novembre », Mediapart, 13 Novembre 2016.

« Boubakeur el-Hakim, vie et mort d'un émir français », Mediapart, 14 décembre 2016.

« Attentat de Nice : le terroriste a pu procéder à onze repérages », avec Ellen Salvi, Mediapart, 23 décembre 2016.

« Les notes cachées sur les frères Kouachi », Mediapart, 7 janvier 2017.

« Un cerveau des attentats européens tué en Syrie », Mediapart, 9 mai 2017.

« Le commando du 13-Novembre avait fait des repérages à Manchester », Mediapart, 23 mai 2017.

« Comment l'État islamique combat en Irak et en Syrie », Mediapart, 19 juin 2017.

« Révélations sur les services secrets de l'État islamique », Mediapart, 18 août 2017.

« Quand l'État islamique recherche la taupe d'Alep », Mediapart, 24 août 2017.

« Le bureau des légendes djihadistes », Mediapart, 6 septembre 2017.

« Services secrets de l'EI : la cinquième colonne du djihad », Mediapart, 26 septembre 2017.

« La lutte antiterroriste, principale accusée du procès Merah », Mediapart, 30 septembre 2017.

« Procès Merah : les déficiences du "FBI à la française" », Mediapart, 22 octobre 2017.

« L'État islamique en 2018, vu par les services secrets », Mediapart, 4 février 2018.

« Les enfants tueurs de l'État islamique », Mediapart, 5 mars 2018.

« Vie et mort "présumée" d'un petit commis de la torture », Mediapart, 28 mai 2018.

PROLOGUE :
LE DJIHADISTE QUI EN SAVAIT TROP

Procès de Nicolas Moreau devant la seizième chambre du tribunal correctionnel de Paris, 14 décembre 2016.

Entretiens avec des témoins directs et indirects des diverses scènes décrites concernant Nicolas Moreau, courant 2017 et en mai 2018.

P.25 : La teneur des auditions de garde à vue de Nicolas Moreau a été révélée dans : Stéphane Sellami, « Menace terroriste : les inquiétants espions du groupe État islamique », *Le Parisien*, 25 août 2015.

Première partie : Le FBI du califat

CHAPITRE I :
L'AGENT PROVOCATEUR
DU CAMP D'ENTRAÎNEMENT

Jean-Charles Brisard et Kevin Jackson, « The Islamic State's External Operations and the French-Belgian Nexus », Combatting Terrorism Center (CTC) de West Point, 10 novembre 2016.

Entretiens, le 25 janvier 2018 et le 6 février 2018, avec « Historicoblog », un agrégé d'histoire qui, sur son blog à l'origine sur l'histoire militaire, analyse les vidéos de l'État islamique.

P.30 : « Il a vu que beaucoup de frères venaient d'Europe et qu'il pouvait les utiliser, les mélanger avec les locaux. Et ceux qui venaient étaient enthousiastes, parce qu'il les traitait bien. » : James Harkin, *Hunting Season*, Hachette Books, 2015.

P.33 : « piéger une source qui dissimule des informations » : *Kubark, le Manuel secret de manipulation mentale et de torture psychologique de la CIA*, Zones, 2012.

CHAPITRE II :
SOUS LA COUPE DES BEATLES

Rukmini Callimachi, « The Horror before the Beheadings », *New York Times*, 25 octobre 2014.

James Harkin, *Hunting Season, op. cit.*

CHAPITRE III :
LE MAÎTRE ESPION DE L'HÔPITAL OPHTALMOLOGIQUE

Entretien avec Nicolas Hénin le 2 mai 2017.

CHAPITRE IV :
GUANTÁNAMO-SUR-EUPHRATE

Parce que certains ex-otages ont choisi de ne pas tout dire à leurs proches des sévices qu'ils ont subis, parce que les actes de torture sont dégradants, mais qu'ils disent quelque chose de ceux qui les commettent, j'ai décidé de raconter certaines séances de torture, mais de rendre anonymes les otages qui en ont été victimes.

Entretien avec Nicolas Hénin le 2 mai 2017.

Entretiens avec des ex-otages requérant l'anonymat, en mai et en novembre 2017.

Entretiens avec des magistrats en mai et juin 2018.

Le parcours de Mohamed Emwazi a été reconstitué à partir de :

Dominic Casciani, « Islamic State : Profile of Mohamed Emwazi aka "Jihadi John" », BBC, 13 Novembre 2015.

Robert Verkaik, *Jihadi John, The Making of a Terrorist*, Oneworld, 2016.

P.53 : « Assidu, travailleur, charmant » : Philippe Bernard, « "Jihadi John" : comment le timide collégien est devenu bourreau de l'EI », *Le Monde*, 6 mars 2015.

P.55 : Le descriptif des pratiques d'interrogatoire de la CIA provient de :

Second rapport sur les « détentions secrètes et transferts illégaux de détenus impliquant des États membres du Conseil de l'Europe », Union européenne, 11 juin 2007 ; de *Techniques d'interrogatoire à l'usage de la CIA*, éditions des Équateurs, 2009 ;

de *Kubark, le Manuel secret de manipulation mentale et de torture psychologique de la CIA*, Zones, 2012.

CHAPITRE V :
LE SERVICE DE VÉRIFICATION DES SOURCES

Audition de Patrick Calvar devant la commission d'enquête parlementaire relative aux moyens mis en œuvre par l'État pour lutter contre le terrorisme depuis le 7 janvier 2015, 24 mai 2016.

Entretien avec un haut gradé de la lutte antiterroriste, courant mai 2017.

P. 59 : le détail des missions du département contre-espionnage de l'Amniyat provient de : Aymenn al-Tamimi, « The Islamic State's Security Apparatus Structure in the Provinces », The Archivist, 2 août 2017.

P. 65 : l'anecdote des espions envoyés suivre les procès terroristes en Grande-Bretagne est tirée de : Robert Verkaik, *Jihadi John, The Making of a Terrorist, op. cit.*

CHAPITRE VI :
UNE TERREUR DÉCENTRALISÉE

Aymenn al-Tamimi, « The Islamic State's Security Apparatus Structure in the Provinces », The Archivist, *op. cit.*

L'histoire et toutes les citations concernant Haji Bakr proviennent de :

Christoph Reuter, « The Terror Strategist : Secret Files Reveal the Structure of Islamic State », *Der Spiegel*, 18 avril 2015.

P. 69 : L'existence et les missions des quatre branches de l'Amniyat ont été révélées par : Michael Weiss, « Confessions of an ISIS Spy », The Daily Beast, 15 novembre 2015.

P. 68 : Les anecdotes sur les espions chauffeurs de taxi ou gérants d'hôtel et l'infiltration au musée de Mossoul sont tirées de : Vera Mironova, Ekaterina Sergatskova et Karam Alhamad, « ISIS' Intelligence Service Refuses to Die », *Foreign Affairs*, 22 novembre 2017.

CHAPITRE VII :
LE PÈRE FONDATEUR
DES SERVICES SECRETS DJIHADISTES

La carrière de l'agent double Ali Mohamed a été reconstituée à partir du livre référence sur Al-Qaïda, *La Guerre cachée,* du journaliste du *New Yorker* Lawrence Wright (Robert Laffont, 2007), et de la biographie très complète que consacre le Combating Terrorism Center de West Point à Ali Mohamed.

L'histoire du contre-espionnage enseignée dans les camps d'Al-Qaïda a été racontée à partir notamment de :

Entretien avec Mourad Benchellali en juin 2017.

Entretien avec un vétéran d'Afghanistan en juillet 2017.

Entretiens au printemps 2017 et le 20 avril 2018 avec Kevin Jackson, directeur d'études au Centre d'analyse du terrorisme (CAT).

P. 74 : L'épisode des deux enfants compromis par les services secrets égyptiens est tiré de *La Guerre cachée,* de Lawrence Wright, complété avec les récentes révélations du livre *L'Histoire secrète du djihad,* de Lemine Ould M. Salem (Flammarion, 2018).

P. 73 : « Nous devons désormais disposer de rapports quotidiens sur les activités dans chaque camp… » : Nasser al-Bahri, *Dans l'ombre de Ben Laden,* Michel Lafon, 2010.

P. 75 : Les prescriptions aux membres d'Al-Qaïda proviennent du tutoriel de propagande « Guidance on the Ruling of the Muslim Spy » signé Abou Yahya al-Libi, diffusé sur Internet en juillet 2009.

CHAPITRE VIII :
« C'EST PAS LE CLUB MED, ICI ! »

Rukmini Callimachi, « How a Secret Branch of ISIS Built a Global Network of Killers », *New York Times,* 3 août 2016.

Entretiens avec « Historicoblog », *op. cit.*

Entretien avec « Abou Mahdi al-Swissry », 23 mai 2018.

CHAPITRE IX :
UN TAF PARTICULIER

Procès de la mère de Tyler Vilus devant la seizième chambre du tribunal correctionnel de Paris, 3 et 4 octobre 2017.

Entretiens avec plusieurs sources judiciaires et policières, courant 2017 et 2018.

Entretiens avec « Historicoblog », *op. cit.*

Les conversations Skype entre Tyler Vilus et sa mère ont été révélées dans : Soren Seelow, « Tyler Vilus, l'ombre des attentats du 13-Novembre », *Le Monde,* 4 octobre 2017 ; Soren Seelow, « Christine Rivière, au nom du fils et du djihad », *Le Monde,* 4 octobre 2017.

CHAPITRE XII :
DESTINATION RIVERSIDE

P.105 : Le montant des rançons payées pour les otages occidentaux a été révélé par : Rukmini Callimachi, « The Horror before the Beheadings », *New York Times, op. cit.*

P.106 : Les circonstances de la mort de Haji Bakr sont tirées de : Christoph Reuter, « The Terror Strategist : Secret Files Reveal the Structure of Islamic State », *Der Spiegel, op. cit.*

CHAPITRE XIII :
L'ÉTAT ISLAMIQUE CONTRE-ATTAQUE

Audiences du procès de la filière djihadiste de Cannes-Torcy, cour d'assises de Paris, du 18 avril au 22 juin 2017.

CHAPITRE XV :
LES SHÉRIFS DU SHÂM

Procès de la mère de Tyler Vilus devant la seizième chambre du tribunal correctionnel de Paris, *op. cit.*
Entretien avec Géraldine Casutt, 9 mai 2018.

CHAPITRE XVI :
RAQQA PARANO

Audition de Christophe Gomart devant la commission d'enquête parlementaire relative aux attentats de 2015, 26 mai 2016.

Asaad Almohammad, Anne Speckhard, et Ahmet S. Yayla, « The ISIS Prison System : Its Structure, Departmental Affiliations, Processes, Conditions, and Practices of Psychological and Physical Torture », International Center of Studies of Violent Extremism (ICSVE), 10 août 2017.

Entretien avec un haut responsable de la lutte antiterroriste, courant mai 2017.

Entretien avec « Abou Mahdi al-Swissry », *op. cit.*

P.134 : Les anecdotes sur les enfants espions dans les salons de coiffure et les primes de cinq mille dollars aux indicateurs : Vera Mironova, Ekaterina Sergatskova et Karam Alhamad, « ISIS' Intelligence Service Refuses to Die », Foreign Affairs, 22 novembre 2017.

P.135 : « Les femmes ont droit à un quartier spécifique » : Édith Bouvier et Céline Martelet, *Un parfum de djihad*, Plon, 2018.

CHAPITRE XVII :
LA DÉFECTION
DE MOHAMED AMINE BOUTAHAR

Entretiens menés avec de haut gradés et des officiers de renseignement, ainsi que des magistrats de la lutte antiterroriste, dans le courant de l'année 2016 et au printemps 2017.

Entretiens avec un membre de la famille de Mohamed Amine Boutahar, les 21 et 22 mai 2018.

Entretien avec Éric Rochant, 28 mai 2018.

P. 141 : « agent du MI6 » : Kim Sengupta, « Inside Isis : How UK Spies Infiltrated Terrorist Leadership », *The Independent*, 19 octobre *2016*.

P. 141 : « le service de renseignements d'un pays européen d'où était originaire un otage qui a été détenu en même temps que James Foley » : Guy Van Vlierden, « Terrorist That Imprisoned James Foley Now Executed Himself ? », emmejihad.wordpress.com, 28 août 2014 ; Guy Van Vlierden, « Abu Ubaida al-Maghribi, the Dutch Imprisoner of James Foley & Co — His True Identity Revealed — His Death Detailed — His French Successor Named », emmejihad.wordpress.com, 12 janvier 2017.

CHAPITRE XVIII :
LA PÉDAGOGIE DE LA TERREUR

« Abu Luqman … Changing the Name with Changing the Mission Entrusted to Him by ISIS », Raqqa is Being Slaughtered Silently, 13 avril 2015.

Hédi Aouidj, « La couveuse de Daech », revue *XXI*, printemps 2016.

Audition de Patrick Calvar devant la commission des affaires étrangères de l'Assemblée nationale, 14 février 2017.

Témoignage d'Abou Soufayya al-Yamani, non daté.

Seconde partie : La CIA des terroristes

CHAPITRE I :
9 JANVIER 2015

Élise Vincent, « Charlie Hebdo : les dernières zones d'ombre de l'enquête », *Le Monde*, 4 janvier 2016.

CHAPITRE II :
NOTRE AGENT À VERVIERS

Audition de Bernard Bajolet devant la commission d'enquête parlementaire relative aux moyens mis en œuvre par l'État pour lutter contre le terrorisme depuis le 7 janvier 2015, 25 mai 2016.

Rapport de la commission d'enquête parlementaire relative aux moyens mis en œuvre par l'État pour lutter contre le terrorisme depuis le 7 janvier 2015, Sébastien Pietrasanta, 5 juillet 2016.

Entretiens avec un syndicaliste policier et un haut gradé de la lutte anti-terroriste, printemps 2017.

Entretien avec une source judiciaire en mai 2018.

P.163 : L'anecdote de l'analyste de la direction du renseignement de la DGSE qui étudie les communications entre divers djihadistes belges : Vincent Nouzille, *Erreurs fatales*, Fayard, 2017.

CHAPITRE V :
PROTOCOLE FANTÔME

Jacky Durand, « Gang de barbus braqueurs de DAB », *Libération*, 24 novembre 2004.

« Fausse prise d'otage pour vrai butin : le procès de cinq islamistes présumés », *Jeune Afrique*, 15 juin 2010.

« Vrai-faux braquage sur fond de terrorisme islamiste : 18 mois à 12 ans », AFP, 1er juillet 2010.

Entretiens avec des hauts fonctionnaires de différents ministères, printemps 2018.

CHAPITRE VII :
L'ÉMIR À LA KIA BLANCHE

Entretien avec un ancien membre de la filière des Buttes-Chaumont, automne 2015.

Entretien avec un ex-détenu incarcéré en même temps que Boubakeur el-Hakim, printemps 2016.

P. 190 : « Il fait très peur, il est vraiment impressionnant » ; « Tout le monde parle de lui comme si c'était je ne sais pas qui. C'est un exemple. Ils savent qu'il a fait des opérations importantes » : David Thomson, *Les Revenants*, Seuil/Les Jours, 2016.

CHAPITRE VIII :
LE BUREAU DES LÉGENDES DJIHADISTES

Résolution concernant les membres de l'État islamique, conseil de sécurité de l'ONU, 29 février 2016.

Romain Boutilly, « Oussama Atar, soupçonné d'être le coordinateur des attentats de Paris, est "un bouc émissaire", selon sa sœur », France Info, 8 novembre 2016.

Entretien avec Kevin Jackson, *op. cit.*

Entretiens avec « Historicoblog », *op. cit.*

Entretiens avec des magistrats et des officiers de renseignement.

CHAPITRE IX :
LE DJIHAD SELON JASON BOURNE

Entretien, au printemps 2015, avec un islamiste condamné dans un dossier terroriste.

Entretien avec Yves Trotignon, le 3 mai 2017.

P.204 : « On consacre des journées entières à étudier les habitudes de nos cibles. [...] Tous les nouveaux arrivants suivent ce stage qui leur apprend également à rédiger des lettres codées. » : Nasser al-Bahri, *Dans l'ombre de Ben Laden, op. cit.*

CHAPITRE X :
À LA TABLE DU CALIFE

Entretien avec des officiers de renseignement, de haut gradés des services et des magistrats, printemps 2018.

P.209 : « Selon des services de renseignement de pays sunnites de la région [...] Plusieurs capitales européennes et moyen-orientales seraient visées. » : Intelligence Online, 18 novembre 2015.

CHAPITRE XI :
« ON A BIEN PROGRESSÉ SUR LE SUJET »

Entretien avec « Jacques », septembre 2014.

Audition de Patrick Calvar devant la commission d'enquête parlementaire relative aux moyens mis en œuvre par l'État pour lutter contre le terrorisme depuis le 7 janvier 2015, *op. cit.*

Audition de Bernard Bajolet devant la commission d'enquête parlementaire relative aux moyens mis en œuvre par l'État pour lutter contre le terrorisme depuis le 7 janvier 2015, *op. cit.*

CHAPITRE XIII :
L'USINE À KAMIKAZES

Soren Seelow, « Est-ce que tu serais prêt à tirer dans la foule ? », *Le Monde*, 6 janvier 2016.

P.227 : L'appartement des émirs de l'Amniyat et l'identification, présumée, de Salim Benghalem aux côtés d'Abdelhamid Abaaoud ont été révélés dans : Soren Seelow, « Sur la piste d'"Hamza le sniper" », *Le Monde,* 11 novembre 2017.

CHAPITRE XIV :
« SPY-PHONE » ET BOÎTE AUX LETTRES MORTE 2.0

Entretien avec un analyste informatique des services de renseignement, printemps 2017.

CHAPITRE XV :
LE SIÈGE 24 A

Procès de la mère de Tyler Vilus devant la seizième chambre du tribunal correctionnel de Paris, *op. cit.*

Entretiens avec plusieurs sources judiciaires et policières, courant 2017 et 2018.

Les messages de Tyler Vilus ont été révélés dans : Soren Seelow, « Tyler Vilus, l'ombre des attentats du 13-Novembre », *Le Monde, op. cit.*

CHAPITRE XVI :
L'HONORABLE CORRESPONDANT ANGLAIS

Procès de Nicolas Moreau devant la seizième chambre du tribunal correctionnel de Paris, *op. cit.*

P.241 : « Le bourreau de l'EI annonçait qu'il allait bientôt retourner en Grande-Bretagne en compagnie du calife » : Omar Wahid, « Jihadi John — I Will Be Back to Britain… and Will Carry On Cutting Heads Off », Mail Online, 22 août 2015.

P.242 : « Nous voulons faire quelque chose au Royaume-Uni. Quelque chose de grand. » : Robert Verkaik, *Jihadi John, The Making of a Terrorist, op. cit.*

CHAPITRE XVII :
« UN CONCERT, PAR EXEMPLE »

Entretien avec un officier de renseignement, automne 2015.

CHAPITRE XVIII :
L'ÉCLAIREUR

Soren Seelow, « Sur la piste d'"Hamza le sniper" », *Le Monde,*
op. cit.
Entretien avec des sources judiciaires, printemps 2018.

CHAPITRE XX :
UNE PRIORITÉ URGENTE DU SERVICE

Le récit des bombardements français effectués ou envisagés en
2015 a été reconstitué à partir de : François Clemenceau, « En Syrie,
la frappe de la France visait des djihadistes français », *Le Journal
du Dimanche,* 11 octobre 2015 ; Jacques Follorou, « Syrie : Salim
Benghalem, la cible des frappes françaises à Rakka », *Le Monde,* 17
octobre 2015 ; Vincent Nouzille, *Erreurs fatales,* Fayard, 2017 ; Vincent
Nouzille, « La guerre secrète des services français pour neutraliser
les djihadistes de l'État islamique », *Le Figaro,* 13 avril 2018.

CHAPITRE XXI :
LE TAXI DES ATTENTATS

L'information concernant la fouille du domicile de Khalid
el-Bakraoui est tirée de : Saim Saeed, « Brussels Bomber's Home
Was Searched Days before Paris Attacks : Report », Politico,
3 mars 2018.
P.261 : « À chaque fois qu'on rentrait dans ce café, il y avait des
discours de l'État islamique, c'est-à-dire des appels à la guerre »,

Envoyé spécial et *Complément d'enquête*, 19 novembre 2015 ; Youssef Ait Akdim (au Maroc), Ariane Chemin et Élise Vincent, « Les Abdeslam, frères de sang », *Le Monde,* 23 novembre 2015.

CHAPITRE XXII :
LE « BESOIN D'EN CONNAÎTRE »
DES SOLDATS DU CALIFAT

P.267 : Le récit de la mort de Jihadi John est reconstitué à partir de : Robert Verkaik, *Jihadi John, The Making of a Terrorist, op. cit.*

CHAPITRE XXVII :
MARCUS

Entretien avec un islamiste ayant voulu devenir indicateur, printemps 2016.

Entretiens avec des agents et un ex-agent de divers services de renseignement français, printemps 2016 et courant 2017.

Soren Seelow, « Le djihadiste "repenti" de Paris qui a permis de déjouer un attentat en Allemagne », *Le Monde,* 2 juin 2016.

Entretien avec Yves Trotignon, *op. cit.*

Jörg Diehl et Fidelius Schmid, « Le Ministère public porte plainte contre une cellule terroriste supposée à Düsseldorf », *Der Spiegel,* 8 mars 2017.

CHAPITRE XXVIII :
LE CHARME DISCRET DU DUPLEX CONSPIRATIF

Le scénario du 13 Novembre tel que contenu dans l'ordinateur de Najim Laachraoui a été révélé par : Élise Vincent, « 13 Novembre : l'enquête dévoile un projet terroriste de grande ampleur », *Le Monde,* 5 octobre 2016.

CHAPITRE XXX :
LE RÉVEIL DES AGENTS DORMANTS DU CALIFAT

P.311 : L'analyse du succès d'une cellule djihadiste parvenant à perpétrer deux tueries de masse en Europe est tirée de : David Gartenstein-Ross et Nathaniel Barr, « Recent Attacks Illuminate the Islamic State's Europe Attack Network », *The Jamestown Foundation*, 27 avril 2016.

P.310 : La conversation entre Mehdi Nemmouche et Salah Abdeslam a été révélée par : Fabrice Grosfilley avec Patrick Michalle, « Mehdi Nemmouche a été capable de reconnaître les kamikazes de l'aéroport », RTBF, 24 mai 2016.

CHAPITRE XXXI :
RAQQA, ON A UN PROBLÈME

L'implication de Boubakeur el-Hakim avait été révélée par l'auteur : « Boubakeur el-Hakim, vie et mort d'un émir français », Mediapart, 14 décembre 2016. Des détails complémentaires ont été apportés par : Soren Seelow, « Reda Kriket : les mystères d'une enquête à tiroirs », *Le Monde*, 17 mai 2017.

Entretiens avec plusieurs agents de la DGSI, printemps et automne 2016.

Entretien avec un magistrat belge, printemps 2017.

Entretiens avec plusieurs sources judiciaires, printemps et été 2018.

CHAPITRE XXXII :
OPÉRATION BLEU DE MÉTHYLÈNE

P.320 : « Les Américains ont eu l'information grâce à une écoute du Koweïtien Khalid Cheikh Mohamed… » : Jacques Follorou, Simon Piel, Matthieu Suc, « Frère Djamel Beghal, mentor en terrorisme », *Le Monde*, 30 janvier 2015.

CHAPITRE XXXIII :
LE COUSIN

P.323 : Les éléments de réponse de Rachid Kassim sur sa famille et son cousin sont tirés de : Amarnath Amarasingam, « An Interview with Rachid Kassim, Jihadist Orchestrating Attacks in France », jihadology.net, 18 novembre 2016.

CHAPITRES XXXIV & XXXV :
NOM DE CODE « ULYSSE » & LA FORÊT AUX ESPIONS

Le dossier « Ulysse » a donné lieu à de nombreux sujets dans les médias, notamment sur le recours aux infiltrés et aux « enquêtes sous pseudonyme » menées par des cyberpatrouilleurs. Toutes les techniques déployées par la DGSI pour démanteler ce réseau terroriste figurent dans le dossier d'instruction et sont donc connues de la dizaine de mis en examen, dont certains sont d'authentiques membres de l'État islamique. Pour les besoins du récit, je n'ai parlé que des techniques déjà révélées par les médias et/ou ayant fait l'objet d'études de la part de la propagande djihadiste accessible sur Internet. D'autres éléments de la procédure qui n'ont jusqu'ici pas été rendus publics ne sont pas publiés dans ce livre. De même, certains éléments pouvant permettre l'identification de sources humaines ne sont pas mentionnés.

Entretiens avec diverses sources judiciaires et policières, en 2016, 2017, 2018.

Compte rendu de la réunion de coordination du groupe Eurojust, La Haye, 9 juin 2017.

Nuno Tiago Pinto, « Como Portugal ajudou a desmantelar uma rede jihadista europeia », *Sábado*, 9 août 2018.

CHAPITRE XXXVII :
... MAYADIN NON PLUS

Entretien avec un haut gradé de la lutte antiterroriste, *op. cit.*

Hassan Hassan, « Insurgents Again : The Islamic State's Calculated Reversion to Attrition in the Syria-Iraq Border Region and Beyond », Combating Terrorism Center de West Point, 21 décembre 2017.

Entretiens avec des magistrats et des officiers de renseignement, courant 2018.

P. 349 : Le récit de la mort d'Abou Lôqman a été reconstitué à partir de : Margaret Coker, « Five Top ISIS Officials Captured in U.S.-Iraqi Sting », *New York Times*, 9 mai 2018 ; et des tweets du journaliste italien Daniele Ranieri les 23 et 25 avril 2018.

P. 349 : L'annonce de la mort de Salim Benghalem à sa famille a été révélée par : Catherine Fournier, « Le djihadiste Salim Benghalem, considéré comme l'un des commanditaires des attentats de 2015, est annoncé mort par sa famille », France Info, 23 mai 2018.

P. 349 : Les détails de la bataille où aurait trouvé la mort Salim Benghalem ont été puisés dans : « La bataille d'al-Boukamal », historicoblog4.blogspot.com, 28 novembre 2017.

CHAPITRE XXXVIII :
CHERCHEZ LA FEMME !

Guy Van Vlierden, « Belgian IS Terrorist Tarik Jadaoun Exposed As Executioner in Mosul », emmejihad.wordpress.com, 22 mai 2017.

Guy Van Vlierden, « Confessions of Belgian IS Terrorist Tarik Jadaoun in Iraq », emmejihad.wordpress.com, 5 janvier 2018.

CHAPITRE XXXIX :
DEMAIN

P. 357 : La rencontre en Libye entre le futur auteur de l'attentat de Manchester et des membres de la katibat al-Battar a été révélée dans : Rukmini Callimachi et Eric Schmitt, « Manchester Bomber Met with ISIS Unit in Libya, Officials Say », *New York Times*, 3 juin 2017.

ÉPILOGUE :
LA TRAGÉDIE DE CASSANDRE

Entretiens avec diverses sources judiciaires, courant 2017 et 2018.

Procès de Nicolas Moreau devant la seizième chambre du tribunal correctionnel de Paris, *op. cit.*

Mathieu Delahousse, « La tour Eiffel était visée : dans les secrets d'un attentat déjoué », *L'Obs*, 20 juin 2018.

Bibliographie

Nasser al-Bahri, *Dans l'ombre de Ben Laden,* Michel Lafon, 2010.

Peter Bergen, *Chasse à l'homme,* Robert Laffont, 2012.

Édith Bouvier et Céline Martelet, *Un parfum de djihad,* Plon, 2018.

Romain Caillet et Pierre Puchot, *Le combat vous a été prescrit,* Stock, 2017.

Dexter Filkins, *La Guerre sans fin,* Albin Michel, 2008.

Bruno Fuligni, *Le Livre des espions,* L'Iconoclaste, 2012.

James Harkin, *Hunting Season,* Hachette Books, 2015.

Michael Hastings, *Machine de guerre,* Éditions du sous-sol, 2017.

Nicolas Hénin, *Jihad Academy,* Fayard, 2015.

Hala Kodmani, *Seule dans Raqqa,* éditions des Équateurs, 2017.

Pierre-Jean Luizard, *Le piège Daech, l'État islamique ou le retour de l'Histoire,* La Découverte, 2015.

Niroz Malek, *Le Promeneur d'Alep,* Le Serpent à Plumes, 2015.

Gabriel Martinez-Gros, *Fascination du djihad, fureurs islamistes et défaite de la paix,* PUF, 2016.

Wassim Nasr, *L'État islamique, le fait accompli,* Plon, 2016.

Vincent Nouzille, *Erreurs fatales,* Fayard, 2017.

Lemine Ould M. Salem, *L'Histoire secrète du djihad,* Flammarion, 2018.

Hélène Sallon, *L'État islamique de Mossoul,* La Découverte, 2018.

Morten Storm, *Agent au cœur d'Al-Qaïda, le témoignage saisissant d'un agent double,* au cherche midi éditeur, 2015.

David Thomson, *Les Français jihadistes,* Les Arènes, 2014.

David Thomson, *Les Revenants,* Seuil/Les Jours, 2016.

Robert Verkaik, *Jihadi John, The Making of a Terrorist*, Oneworld, 2016.

Joby Warrick, *Sous le drapeau noir*, au cherche midi éditeur, prix Pulitzer 2016.

Lawrence Wright, *La Guerre cachée*, Robert Laffont, 2007.

Kubark, Le Manuel secret de manipulation mentale et de torture psychologique de la CIA, Zones, 2012.

Rapport sur la torture, les agissements de la CIA en Irak, éditions Delcourt, 2017.

Techniques d'interrogatoire à l'usage de la CIA, éditions des Équateurs, 2009.

11 Septembre, rapport de la commission d'enquête, éditions des Équateurs, 2004.

REMERCIEMENTS

Ce livre n'aurait jamais vu le jour sans Mediapart. D'abord bien sûr parce que son idée et son titre sont tirés d'une série d'articles parus à l'automne 2017, consacrés au sujet des services secrets djihadistes. Ensuite parce que plusieurs passages du livre sont puisés dans mes articles publiés depuis trois ans. Enfin, et surtout, parce que Mediapart m'accorde une liberté rare et un luxe de moyens pour mener mes enquêtes. Alors un très grand merci à Edwy Plenel et François Bonnet pour m'avoir embauché et pour tout le reste, à Carine Fouteau, Stéphane Alliès et Michaël Hajdenberg pour poursuivre l'aventure, et à l'ensemble de l'équipe parce que c'est un bonheur quotidien de travailler en son sein.

Un merci tout spécial à Fabrice Arfi, qui s'est enthousiasmé le premier pour le sujet, me poussant, quand j'envisageais de ne produire qu'un court article, à en faire un livre.

Chez HarperCollins, je suis sous la coupe d'un gang de femmes : Sabrina Arab, Delphine Saubaber et Hélène Vaveau, qui ont supporté mes emportements, m'ont repêché quand je me noyais sous la charge de travail et ont par leurs suggestions, leurs corrections, amélioré significativement le manuscrit.

Ce livre doit également beaucoup à mes confrères Wassim Nasr et Guy Van Vlierden, qui m'ont apporté leurs éclairages et ont rectifié mes erreurs. Fins connaisseurs des réseaux djihadistes, de leurs doctrines et de leurs propagandes, Jean-Charles Brisard, président, et Kevin Jackson, directeur de recherches au Centre d'analyse du terrorisme (CAT), Jean-Paul Rouiller, du Geneva Centre for Security Policy (GCSP), et Yves Trotignon, professeur à Sciences Po, m'ont guidé dans mes recherches à propos de la littérature terroriste et de certaines communications de l'État islamique. L'agrégé d'histoire qui se cache sous le pseudo d'« Historicoblog » a développé un savoir encyclopédique sur la façon dont l'État islamique conduit ses guerres, mais également sur la géographie du califat, ce qui a été plus que précieux pour moi qui n'ai jamais mis les pieds en Syrie ou en Irak.

Enfin, merci à tous ceux qui restent en marge de ces pages, magistrats, haut et petits gradés des services de renseignement, anciens des services français ou d'ailleurs, avocats, proches de djihadistes, ex-djihadistes, victimes de l'État islamique, qui ont pris le temps et pour certains le risque de me parler.

Quant à mes proches, ayant subi, comme pour chaque livre, mes absences, mes silences, c'est fini. Je reviens.

Composé et édité par HarperCollins France.

Achevé d'imprimer en octobre 2018.

FIRMIN-DIDOT

à Mesnil-sur-l'Estrée (Eure)

Dépôt légal : novembre 2018.

Imprimé en France